MIJN MAN EN MIJ

Robin Rinaldi

Mijn man en mijn minnaars

VERTAALD DOOR
MIREILLE VROEGE

2015
Amsterdam

Cargo is een imprint van Uitgeverij De Bezige Bij,
Amsterdam | Antwerpen

Copyright © 2015 Robin Rinaldi
Copyright Nederlandse vertaling © 2015 Mireille Vroege
Oorspronkelijke titel *The Wild Oats Project*
Oorspronkelijke uitgever Farrar, Straus and Giroux, New York
Omslagontwerp b'IJ Barbara
Foto auteur Rhonnel M. Adalin
Vormgeving binnenwerk Perfect Service
Druk Bariet, Steenwijk
ISBN 978 90 234 9160 6
NUR 302

www.uitgeverijcargo.nl

Voor Ruby

Inhoud

Opmerking van de auteur

Dit is een waargebeurd verhaal, maar zoals voor alle memoires geldt, is dit slechts één kant van de waarheid. Ik heb de namen en herleidbare kenmerken van de meeste mensen die erin voorkomen veranderd.

DEEL 1:
EXIT HET BRAVE MEISJE

Dood liever een kind in de wieg dan dat je
onvervulde verlangens koestert.

William Blake, *The Marriage of Heaven and Hell*

1

De drempel

San Francisco, een uitzonderlijk zwoele avond. Tegen de hoge ramen van het café op de eerste verdieping met uitzicht op de wijk Castro spetterden regendruppels, waardoor de neonborden en de koplampen op straat wazig werden. De kantoren stroomden leeg voor het weekend, het café liep vol, de dj zette de muziek wat harder en de ober bracht het eerste rondje parelende margarita's. Ik was de enige vrouw, en de enige hetero. Chris, een vriend die ik liefkozend mijn homoman noemde, zat met zijn vrienden te kletsen en ik haalde mijn telefoon uit mijn zak en scrolde naar Pauls naam.

Ik deed het zonder erbij na te denken. De paar slokjes margarita hielpen me waarschijnlijk een handje, maar in werkelijkheid zag ik die avond gewoon mijn kans schoon. Het was vroeg, mijn man wist dat ik met mijn homoseksuele vriend uit was en ik werd voorlopig niet thuis verwacht. Die vrijdagavond in juli 2007 had ik het gevoel – ergens diep vanbinnen, maar duidelijk genoeg om mijn telefoon te pakken – dat ik het recht had te doen waar ik zin in had. Terwijl ik begon te sms'en, liet dat gevoel met stilzwijgende precisie de veranderingen die zich tot dan toe in mijn huwelijk hadden voorgedaan de revue passeren.

Wat ben je aan het doen? sms'te ik.

Op de bank, tv aan het kijken.

Zal ik naar je toe komen?

Het bleef vijf minuten stil. In die tijdsspanne wist ik niet of ik me nu moest verheugen op de opwinding van 'ja' of de opluchting van 'nee'.

Ja. Jackson 2140.

De blauwe tekentjes 'Jackson 2140' joegen een kristallen energie door mijn arm omhoog, die vervolgens mijn borst van binnenuit verlichtte, alsof iemand mij de cijfercombinatie van een bankkluis had gestuurd, of alsof ik de geheime code van de vijand had afgeluisterd.

Ik kon wel wat aanmoediging gebruiken, dus nam ik Chris even apart en liet hem het sms'je lezen. Hij wist dat ik sinds kort een oogje op Paul had. Hij kende ook mijn man, Scott, en mocht hem graag, maar in zijn wereld – de microkosmos van een homo in San Francisco – hoefde voor echtparen die al zeventien jaar bij elkaar waren, zoals Scott en ik, een terloopse verliefdheid niet per se het einde te betekenen. Veel vrienden van Chris gaven zo nu en dan toe aan hun gevoelens voor iemand anders zonder dat hun eigenlijke relatie daaronder leek te lijden.

Hij keek op van de telefoon. 'Weet je het zeker?'

'Nee, ik weet het helemaal niet zeker,' zei ik, en mijn ogen schoten naar de deur. Ik trok mijn regenjas aan.

'Luister,' zei hij, terwijl hij mijn elleboog vasthield als een footballcoach die langs de lijn een nieuwkomer instructies geeft. 'Doe rustig aan. Je kunt er elk moment mee stoppen.'

'Oké, maar ik moet nu gaan.'

'Sms straks nog even, zodat ik weet dat alles goed met je is.'

Buiten op straat was het een zee van paraplu's. Ik liep naar de stoeprand en stak mijn hand op. Ik had er rekening mee gehouden dat ik wel twintig minuten zou moeten wachten voordat ik een van het beperkte aantal taxi's van San Francisco te pakken had, maar meteen knipperde een taxichauffeur met zijn koplampen en stopte. Ik gaf hem het adres.

Ik draaide het beslagen raampje open en keek omhoog naar de bewolkte hemel zonder sterren. Terwijl we Divisadero op reden, de lange heuvel die de oostelijke en westelijke helft van de stad van elkaar scheidt, glommen de straten van de nattigheid. Daken zoefden langs, en in gedachten liet ik mijn stappen nog één keer de revue passeren en overwoog ik nog één keer de mogelijkheid om van plan te veranderen voordat ik mijn leven overhoopgooide.

Ik kende Paul, die vijf jaar jonger was dan ik, inmiddels een paar jaar. Hij had altijd met me geflirt, en tot een halfjaar geleden leek er niks aan de hand. Ik had hem en een paar andere mensen uitgenodigd voor een feest dat georganiseerd werd door het tijdschrift waarvoor ik werkte. Het was zo'n avond in een vijfsterrenhotel met gratis drank, zodat iedereen een beetje aangeschoten raakte. Terwijl ik met iemand stond te kletsen, had Paul ons onderbroken door zijn vingers heel licht tegen mijn onderarm te leggen. 'Jij bent misschien wel de allermooiste vrouw die ik ooit gezien heb,' zei hij, terwijl hij me zonder verontschuldiging in de ogen keek. Omdat hij Scott kende, en omdat ik wist dat hij een goedhartige rokkenjager was, probeerde ik zijn complimentje niet serieus te nemen. Er werd wel vaker tegen me gezegd dat ik een leuke vrouw was, en soms dat ik knap was. Maar er had nog nooit een man tegen me gezegd dat ik mooi was. Het deed me onwillekeurig toch wel iets.

Twee maanden later, terwijl ik mijn koffer aan het pakken was om na een vakantie in Mexico weer naar huis te gaan, moest ik opeens aan Paul denken. Ik herinnerde me het moment precies. Ik had mijn bikini opgevouwen, wilde die net in mijn koffer leggen en bedacht bedroefd dat mijn bikini-jaren met rasse schreden hun einde naderden. Maar toch zou Paul er een moord voor doen om me in bikini te zien, hield ik mezelf voor.

En dan was er ten slotte nog een taxiritje geweest, drie weken geleden pas. Paul en ik hadden na een spontane borrel met vrienden samen een taxi genomen. Toen ik er eenmaal veilig en wel in zat, hoefde ik alleen maar achterover te leunen en te wachten. Ik gaf me over aan de stilte die op de achterbank neerdaalde. Ik keek naar buiten en voelde dat hij naar mij keek. Zodra ik me naar hem omdraaide, greep hij zijn kans en drukte me tegen het skai. Zijn lippen op de mijne. Zijn grote hand in mijn nek. Net zo opwindend als de kus vond ik dat hij zonder iets te vragen als een dier zijn ogen tot spleetjes kneep en mijn mond zocht. Het duurde maar een paar seconden. Toen de taxi stilhield voor mijn huis, maakte ik me snel los en holde naar binnen, terwijl ik in gedachten 'het was maar een kus, meer niet' tegen mezelf herhaalde.

Terwijl de wildgroei aan winkelpanden van Divisadero nu eens dichterbij kwam en dan weer tussen de natte geluiden van de avond verdween, keek ik in de achteruitkijkspiegel naar het lage voorhoofd van de taxichauffeur. Ik zou hem eigenlijk moeten vragen om te stoppen. Dit was een midlifecrisis, een cliché. Ik zou uit moeten stappen, door Pacific Heights lopen en mijn hoofd leegmaken. Ik zou tegen hem moeten zeggen dat hij maar moest omkeren en terug moest rijden naar Castro, naar mijn knusse flat, waar mijn man met een boek en een glas wijn op me zat te wachten.

Misschien dat je zo vroeg in het verhaal al een beeld van hem hebt, dat je een reden voor mijn gedrag hebt bedacht: dat hij een lul was, dat we geen seks hadden. Het spreekt niet in mijn voordeel, maar het is allebei niet waar. Scott had zo zijn beperkingen, maar hij hield van mij en ik van hem.

Aan de andere kant zou je ook kunnen denken dat dit taxiritje gewoon te wijten was aan het feit dat ik een sloerie ben. Het geval wilde dat ik, met uitzondering van één heel traditionele vriendin, geen vrouw van drieënveertig kende met zo weinig ervaring als ik – de oudste dochter, een braaf meisje met veel te veel verantwoordelijkheidsgevoel, dat haar hele leven monogaam was geweest. Met 'braaf meisje' bedoel ik niet dat ik preuts was. Ik was met een paar mannen naar bed geweest – met vier mannen, om precies te zijn, inclusief Scott – en ik hield van seks. Ik bedoel ook niet dat ik bijzonder aardig of vrijgevig was. Ik bedoel dat ik doodsbang was om me te misdragen, om iemand verdriet te doen. Mijn slechte gedrag ging me niet gemakkelijk af en mijn goede gedrag werd ingegeven door een overweldigende behoefte aan goedkeuring. De dingen sloegen bij mij naar binnen plaats van naar buiten. Tot nu.

Terwijl de taxichauffeur Divisadero Street verliet en Jackson Street in reed, zoemde mijn telefoon. Een sms'je.

Zal ik een fles wijn opentrekken?

Zonder te aarzelen sms'te ik terug *Doe maar*, en mijn maag golfde van opwinding. Ik werd voortbewogen door een vreemde nieuwe stuwkracht, en alleen al de energie daarvan en de gewaarwording dat een soort innerlijke vaart nog steeds tot de mogelijkheden behoorde, zorgden voor zo'n verbaasde blijdschap dat ik me er probleemloos door liet meevoeren.

De straten aan de rand van Pacific Heights lagen er donker en stil bij in de regen. Ik betaalde de taxichauffeur en ging in Pauls portiek staan. In de verte stiet de misthoorn in de koude zwarte baai zijn repeterende waarschuwingssignaal uit. Ik bracht mijn hand omhoog naar de bel en wachtte even. Ik wist dat de gang van zaken in mijn huwelijk geen excuus was voor wat ik nu ging doen. En toch spoorde een verraderlijke stem me aan en verzekerde me dat ik geen excuus nodig had, dat het hoog tijd was dat ik een paar regels overtrad en dan maar moest zien waar het schip zou stranden. Gesmeerd door een halve margarita en een stortvloed van adrenaline hielden de schimmige en helverlichte helften van mijn brein beide kanten van het dilemma in evenwicht.

Maar mijn lichaam had totaal geen belangstelling meer voor de logica van Aristoteles. Het had zich op de een of andere manier losgemaakt van zijn normale beperkingen en trad nu geheel eigenhandig op, voor het eerst in... hoe lang? Ik wist het niet eens meer. Misschien wel voor de allereerste keer.

Ik keek hoe mijn vinger de bel indrukte.

En zo begon de reis die mij van het rechte pad af leidde. Je kunt dit verslag van die reis lezen als een manifest voor vrijheid of als een verhaal dat bedoeld is als waarschuwing. Voor mij is het van allebei een beetje. Ik zal het zo onomwonden mogelijk proberen te vertellen, dan moet je verder zelf maar bepalen wat je ervan denkt.

2

Vluchteling
(Sacramento)

Ik heb maandenlang weerstand tegen Scott geboden. Hij vroeg me mee naar een concert, daarna mee uit eten, en toen ik beide keren weigerde, vroeg hij me mee naar een etentje bij een wederzijdse vriend. De hele maaltijd lang zat ik te trillen als een riet, want vanaf het moment dat we elkaar voor het eerst hadden ontmoet, drie jaar daarvoor, wist ik dat hij mijn leven zou veranderen. Het decor van die eerste ontmoeting, in een groot softwarebedrijf in een bloedhete buitenwijk van Sacramento, weersprak het gevoel dat zich daar een lotsbestemming voltrok. Zijn goudblonde haar kwam tot net op de boord van zijn overhemd. Ik schudde hem de hand en toen flitste er door me heen: zon, bos, vredigheid zo diep en roerloos als een meer in de zomer.

In theorie zag het er niet erg veelbelovend uit. Hij had een vriendin die in Spanje studeerde, maar ze hadden afgesproken dat het hun vrijstond om met anderen uit te gaan. Hij was tot voor kort mijn baas geweest en we werkten nog steeds samen. Hiervoor had hij een vriendin gehad wier man het geen punt had gevonden dat ze iets met hem had. Ik was een open wond en hij was onkwetsbaar, en daar zat ik al helemaal niet op te wachten.

In werkelijkheid dolf ik het onderspit. Na het werk gingen we met ons team altijd iets drinken en dan vertelde hij verhalen over hoe hij van Indiana naar Californië was gelift, in

Colorado bijna door een dwerg was neergestoken en op een bouwplaats in Texas van een paar verdiepingen hoog van een balk was gevallen. Als hij niet plotseling die mysterieuze stem van een oude man met een zuidelijk accent in zijn hoofd had gehoord, was hij vast en zeker doodgegaan, zei hij.

'Wat zei die man dan?' vroeg ik.

'Hij zei: "Er zit een gording boven je linkerschouder." Die kon ik nog net vastpakken, en toen stortte de balk neer.'

'Wat is een gording?'

'Een soort dakspant.'

Dat was opmerkelijk. Hij wist hoe allerlei dingen heetten: bloemen, bomen, machineonderdelen. En hij wist ook hoe dingen werkten. Als we op maandagochtend allemaal vertelden hoe ons weekend was geweest, vertelde hij dat hij de transmissie van zijn Volvo, een oldtimer, had vervangen of dat hij midden in de nacht linoleum in zijn keuken had gelegd.

Hij was opgegroeid in Indiana, in het duingebied rond Lake Michigan, en hij was lang en had een krachtig gezicht, met dank aan zijn Duits-Schotse bloed, en een tikje indiaanse, roodbruine wangen. Hij zag er tien jaar jonger uit dan hij was – alsof hij mijn leeftijd was. Hij had een keurig huisje met hardhouten vloeren, waar het enige meubilair bestond uit een tafel en stoelen, maar met zoveel ingelijste prenten dat het wel een galerie leek. Hij had een poes, Kato genaamd, en een tuin waar hij tomaten en perziken verbouwde. Hij schreef surrealistische korte verhalen met titels als 'Moeder van tienduizend wezens'. Hij citeerde Walt Whitman en Epicurus. In zijn volle boekenkast stond nog zijn oude padvindershandboek, tussen *Waarom ik geen christen ben* van Bertrand Russell en *De westelijke landen* van William Burroughs. Die acht centimeter boeken vatten hem wel samen: Midden-Westen, soeverein, met onder dat alles iets ongetemds.

Hij had een MBA en begon toen hij halverwege de twintig was te investeren. Tegen de tijd dat wij elkaar leerden kennen had hij zo'n beetje alles al gedaan, van in de bossen van Indiana in zijn auto wonen tot stoppen met psychedelische middelen tot zich bekwamen in de onroerendgoed- en aandelenmarkt. In de drie jaar dat wij bevriend waren voor we iets met elkaar kregen, viel me op dat vrouwen hem bloemen stuurden en koekjes voor hem bakten.

Op een gegeven moment vroeg hij of ik op zaterdagochtend met hem wilde gaan picknicken in de uitlopers van de Sierra Nevada. De vrouw die naar twaalfstappenbijeenkomsten ging wilde nee zeggen; de vrouw die de wereld wilde zien en wilde leren hoe je daarin moest leven drong zich steeds meer op de voorgrond.

'Ik ga mee,' zei ik tegen hem, 'maar je moet me wel beloven dat we teruggaan als ik dat wil.' Zo was ik in die tijd: zesentwintig en bang voor auto's, bang voor mannen, bang voor elke stad of snelweg die ik niet als mijn broekzak kende.

'Tuurlijk,' zei hij. 'We kunnen altijd nog in mijn achtertuin gaan picknicken.'

Als je opgroeit in een voormalig mijnwerkersstadje in de buurt van Scranton, Pennsylvania, richt je blik zich op elk beetje schoonheid dat je maar kunt vinden. De appels die aan de bomen donkerrood kleuren, de zon die melkachtig en roze door de wolken opkomt, de vervallen charme van beroet baksteen en verroest ijzer tegen de achtergrond van blauwe bergen. In een straat in Parijs, omringd door grandeur, valt de geur van regen je misschien amper op. Die ervaar je hooguit als iets prettigs, als een toevoegsel. Op een zomeravond in Noordoost-Pennsylvania, als je de hele dag gezwommen hebt en lekker op de achterbank hangt, terwijl je vrienden langs verlaten kolenmijnen en fluorescerende pizzatenten rijden, met één been uit het raam, terwijl je tienerhuid over je hele lichaam strak staat van de zon en het chloor, leer je pas echt wat regen is.

Pas toen ik in de puberleeftijd was, merkte ik dat mijn vader dronk. Als ontbijt sloeg hij wodka achterover. Toen ik jong was, zat ik er meer mee dat hij bookmaker was, een gevaarlijk geheim waardoor hij in de gevangenis kon belanden, en dat hij altijd dreigde mijn moeder te vermoorden. Dat mijn moeder niet alleen boodschappen kon doen of niet op de snelweg durfde te rijden. Een zwakkere vrouw zou in bed zijn blijven liggen of met een zenuwinzinking naar het ziekenhuis zijn afgevoerd, maar mijn moeder had een soort motor waardoor ze zelfs tot op het punt waarop het haar te veel werd op de been bleef. Ze bleef ondanks haar paniekaanvallen karbonaadjes bakken, stofzuigen en knuffels en medicijnen uitdelen. Mijn ouders waren tweeëntwintig jaar ouder dan ik.

De haat die ik voor mijn vader ging voelen heeft mijn biologische aanbidding voor hem nooit helemaal uitgevlakt. Mijn volledige afhankelijkheid van mijn moeder heeft nooit helemaal kunnen uitvlakken dat ze ook mijn kind was, dat ze naar mij toe kwam als ze advies nodig had of naar de dokter gebracht moest worden. De liefde die ik voor mijn drie jongere broers voelde, die basale liefde die je voelt voor een pasgeborene met jouw DNA, waardoor je diegene tegelijkertijd wilt verslinden én beschermen, weerhield me er niet van elke dag het huis te ontvluchten om aan het kabaal en de chaos van hun onophoudelijke jongensfurie te ontkomen.

Elke ochtend ging ik onder het dikke wolkendek de deur uit, langs de appelboom naar school om hoge cijfers te halen. 's Middags ging ik naar de balletschool waar ik mijn lichaam in moeilijke, kunstmatige houdingen dwong. 's Avonds reed ik met mijn vrienden naar het bos, waar ik naar Led Zeppelin luisterde, flesjes bier dronk, zo nu en dan een joint rookte en alle manieren leerde waarop je als meisje aan voorspel kon doen zonder meteen tot gemeenschap over te hoeven gaan. Elke nieuwe dag betekende weer een catastrofe, waar ik op de een of andere manier ongeschonden doorheen moest zien te komen.

De rest van mijn leven heb ik me erover verbaasd dat ik me tijdens mijn turbulente jeugd zo vrolijk heb gevoeld, zo verbonden met de bergen, het stadje, mijn vrienden en mijn beschadigde familie. En over het feit dat ik pas na mijn jeugd onder het gewicht ervan ben bezweken.

Ik weet het aan de strakblauwe eindeloze hemel boven Sacramento, net zo eendimensionaal als de prozaïsche buitenwijken die eronder uitwaaierden. Ik was hier toen ik twintig was met een vriendje naartoe gegaan, om te ontsnappen, en dat was voor een paar jaar oké. Ik studeerde af en kreeg een goede baan als tekstschrijver voor technische bedrijven. Het stond in schril contrast met hoe ik me Californië had voorgesteld, maar het was wel tweeduizend kilometer van de emotionele magneet van het thuisfront, waar mijn vader net in een afkickkliniek was opgenomen, mijn moeder zich had aangemeld bij een behandelcentrum voor mensen met een angststoornis, mijn opa op zijn sterfbed lag en er een echtscheiding in gang was gezet.

Toen mijn verdriet losbarstte, was het alsof ik van de aardbodem zou verdwijnen. De lege lucht en uitgestrekte vlakte, zonder wat voor bergen ook, van Sacramento Valley boden geen houvast. Mijn omgeving en dagelijkse bezigheden hadden niets vertrouwds meer voor me. Plotseling hoorde ik nergens thuis: niet bij mijn vriend of mijn baan, niet in Californië of Pennsylvania, zelfs niet in mijn eigen lijf. Straten, gebouwen, trottoirs leken wel op vitrage geschilderd. Ik was voortdurend bang dat een almachtige hand het gordijn opzij zou schuiven en mij de leegte erachter in zou duwen. Als dat gebeurde, moest ik van mijn bureau wegrennen of mijn auto stilzetten langs de kant van de snelweg. Dan barstte ik in snikken uit – snikken die meer op geschreeuw leken.

De aan mijn bedrijf verbonden hulpverlener zei dat ik de posttraumatische stress van mijn jeugd in een gewelddadig, alcoholistisch gezin moest verwerken. Ik vertelde het mijn moeder aan de telefoon, en zij was het ermee eens. Ze zei dat ik een therapeut moest bellen en naar een twaalfstappenbijeenkomst moest gaan. Ik was vierentwintig. Mijn droom om journalist te worden en door Europa te reizen moest wachten tot ik mezelf weer op de rit had. Ik bezocht vijf bijeenkomsten voor volwassen kinderen van alcoholistische ouders per week, kocht alle zelfhulpboeken die er te krijgen waren, en ging heel braaf elke keer naar mijn therapie. Overdag schreef ik geestdodende softwarehandleidingen, 's avonds schreef ik boze brieven aan mijn vader over zijn wangedrag en aan mijn moeder over het feit dat ze mijn hulp inschakelde om het aan te kunnen in plaats van te zorgen dat we daar wegkwamen.

Mijn vriend moest weg, niet omdat hij iets verkeerd had gedaan, maar omdat ik duidelijk afhankelijk van hem was en het goed voor me was om alleen te gaan wonen. Ik nam me voor een jaar celibatair te leven. Ik vond een benedenwoning in een lommerrijke straat in het centrum van Sacramento – oké, in de stad stonden in elk geval bomen – en ging aan de slag om een gezonde volwassene te worden. Twee jaar lang gunde ik mezelf nog geen biertje of glas wijn. Ik wilde absoluut niet in de bekende valkuilen terechtkomen voor jonge vrouwen met een soortgelijke achtergrond als die van mij: mishandeling, verslaving, promiscuïteit en de psychiatrische inrichting.

Zo'n soort meisje besloot dus met Scott te gaan picknicken, terwijl het jaar van haar voorgenomen celibaat zeven maanden oud was.

Scott reed tot voorbij het stadje Sutter Creek en parkeerde de auto bij een bord met ELECTRA ROAD. We liepen een eindje een pad op. Naast een beekje spreidde hij een deken en legde er kaas, brood en fruit op. Ik was al jaren niet meer in de natuur geweest; ik had de afgelopen anderhalf jaar bijna elke dag van de week in een kringetje rondgereisd van mijn huis naar mijn werkplek naar mijn therapeut of zelfhulpbijeenkomst en weer terug. Het was stil in het bos, maar als ik goed luisterde, hoorde ik ook allemaal geluiden, van water, bladeren, insecten.

Hij vertelde over zijn vader, een radioverslaggever die in zijn vrije tijd de huizen voor het gezin had gebouwd, en over zijn moeder, een vrouw die van bloemen hield en graag zelf dingen maakte, en die drie jaar daarvoor op achtenvijftigjarige leeftijd aan darmkanker was overleden.

Scott haalde een uitdraai van een verhaal uit zijn rugzak, met de titel 'De kloner'. Hij ging op zijn buik liggen, steunend op zijn ellebogen, en begon te lezen. Het ging over een volwassen zoon die de herinneringen van zijn stervende moeder overzette naar een robot. Na haar dood zette hij de robot aan als hij zijn moeder miste, en als hij de deur uitging, zette hij hem weer uit. Toen hij op een dag na zijn werk thuiskwam en de robot doodstil in de hoek zag liggen, was hij kapot van schuldgevoel en verdriet omdat hij hem alleen had gelaten.

Scott liet de vellen papier plotseling vallen, zijn hoofd zakte op zijn borst en hij barstte zo onverwacht in tranen uit dat het niet eens in me opkwam om mijn armen om hem heen te slaan.

'Sorry,' zei hij, en hij vermande zich. 'Ik heb dit verhaal nog nooit eerder aan iemand laten zien.'

'Het is niet erg,' zei ik. Het was te mooi om waar te zijn – deze wereldwijze man was emotioneler dan hij leek en dus toch niet zo heel anders dan ikzelf. Mijn angst verdween als sneeuw voor de zon. Een paar minuten later waren we aan het zoenen. Hij draaide me op mijn rug en liet zijn hand in mijn korte broek glijden. Zijn lichaam was zo lang en zijn schouders zo breed dat ik helemaal overschaduwd werd. Hij klom boven op me. 'Niet hier,' zei ik. 'Misschien komt er wel iemand langs.'

We reden naar huis en luisterden onderweg naar Bonnie Raitt. Toen we bij hem thuis waren, sleepte hij een matras uit zijn logeerkamer naar de woonkamer en legde die op de grond. Misschien vermeed hij de slaapkamer vanwege de foto van zijn in Spanje verblijvende vriendin die daar ingelijst op het bureau stond.

In de maanden daarop reden we heel Noord-Californië rond, over allemaal achterafweggetjes. Hij liet me de hoge bergen van de Sierra Nevada zien, de stadjes in de uitlopers daarvan, zoals Volcano en Nevada City, de aftandse cafés en buitenposten in de delta van de Sacramento-rivier. We reden over bergwegen en door haarspeldbochten en luisterden naar een bandje met gedichten van William Butler Yeats. Ik leerde 'Sailing to Byzantium' uit mijn hoofd. Van Scott moest ik *Four Quartets* van T.S. Eliot lezen, *Proverbs of Hell* van William Blake en *Song of Myself* van Walt Whitman. Ik begon het gevoel te krijgen dat het misschien toch nog wat zou worden met het leven.

Toen we op een zondagmiddag op Highway 1 reden, daar waar die vlak langs de kust van Mendocino loopt, haalde Scott het bandje van Yeats eruit en stopte *Wrong Way Up* van Brian Eno en John Cale erin. Eno begon 'Spinning Away' te zingen – '*One by one, all the stars appear, as the great winds of the*

26

planet spiral in' – waarin een octaaf hoger dan de gezongen tekst aan een eenzame vioolsnaar wordt getokkeld. Ik ging op de stoel van de bijrijder staan, stak mijn bovenlichaam uit het open dak en spreidde mijn armen, zodat de zeewind me in het gezicht sloeg, tot de weg zo kronkelig werd dat ik mijn evenwicht niet meer goed kon bewaren. Ik liet me weer op de stoel vallen en keek lachend naar Scott. 'Ik ben zo gelukkig dat ik het gevoel heb dat mijn hart zo uit mijn borstkas kan knallen,' zei hij.

In mijn herinnering geldt die uitspraak als het meest hartstochtelijke wat hij ooit gezegd heeft, en na die tranen aan Electra Road zou hij bijna tien jaar niet meer huilen. Ik moest niks hebben van de algemeen geldende datingwijsheid van die tijd, namelijk dat je een communicatieve, 'emotioneel beschikbare' man moest kiezen. Ik wilde Scott en anders niemand. Ik wilde wel vaak dat hij wat meer van de kwetsbaarheid kon tonen die ik tijdens ons eerste afspraakje bij hem had gezien, maar door zijn geslotenheid ging ik alleen maar nog meer van hem houden. Hij was betrouwbaar en groot, en aan die betrouwbaarheid gaf ik me met lichaam, hart en ziel over.

Die dag aan Electra Road werd voor ons de datum waarop het tussen ons aan was geraakt. Tien jaar later kozen we die als onze trouwdatum.

In die tien jaar was Scott een onbeweeglijke punt waar ik omheen draaide. Ik bood hem hartstocht en hij bood mij stabiliteit. Het voelde soms ook wel alsof ik zo'n pop voor een crashtest was en hij een muur, en de enige manier om informatie te krijgen, of een reactie, of wat voor voortgang ook, was door tegen hem op te rammen. Als je foto's van ons zag waarop we op een feestje stonden te praten of op een bank lagen, zag je ogenblikkelijk waarom we met elkaar waren: uit onze ogen en lichamen sprak zo'n diepe wederzijdse aanbidding dat zelfs ik ervan opkeek als ik die vastgelegd zag op de gevoelige plaat. In die tien jaar en gedurende het hele huwelijk dat daarop volgde hebben we elkaar altijd als we samenkwamen of vertrokken een kus gegeven. Ik toonde mijn liefde door hem na drie jaar te vragen of hij met me wilde samenwonen en hem na zeven jaar met klem aan zijn verstand te brengen dat hij mij ten huwelijk moest vragen. Hij toonde zijn liefde door mijn verzoeken uiteindelijk in te willigen. Vele anderen hadden geprobeerd Scott monogaam te maken en waren daar niet in geslaagd.

Toen Scott me dan eindelijk ten huwelijk vroeg, tijdens een etentje op Valentijnsdag in mijn favoriete restaurant, stond ik van mijn eigen reactie te kijken. Er was nog geen ring, alleen een brief die hij getypt had – over de oorsprong van Valentijnsdag – waarin hij de woorden 'trouw met me' had verborgen, in een iets ander, iets groter lettertype. Terwijl de letters zich voor mijn ogen samenvoegden, begon ik te huilen van geluk. Maar binnen een paar tellen daalde er een wolk neer, een kilte waardoor ik, geloof het of niet, zei: 'Mag ik er even over nadenken?'

Al snel liet ik weten dat ik ruimte nodig had. Ik was te afhankelijk van hem geworden; voor we gingen trouwen wilde ik nog één keer alleen wonen, gewoon om zeker te weten dat ik dat nog kon. Inmiddels werkte ik eindelijk als journalist bij een krant in het centrum. Ik huurde een piepklein flatje in de buurt van de krant en maakte er een gewoonte van om daar tussen de middag in de keuken op de tweede verdieping stil naar buiten te zitten staren, naar de toppen van de palmen. Maar ik sliep er bijna nooit. Als ik niet bij Scott was en niet in het huis waar we jaren samen hadden gewoond, begonnen mijn handen te beven. Gewone bezigheden vermoeiden me, alsof ik door iets stroperigs heen bewoog. Kwam dat door de pathologische angst om alleen te zijn – iets waarvan ik mezelf wilde ontdoen – of door de meer acute angst dat ik de relatie met degene van wie ik het meest hield op het spel zette? Ik kwam er niet achter en kreeg er schoon genoeg van. Toen het huurcontract van een halfjaar voorbij was, was ik klaar om een trouwdatum te kiezen.

Door de gecompliceerde manier waarop we ons verloofden – totaal anders dan in de film en in Tiffany-reclames – zou je al snel denken dat we niet voor elkaar bestemd waren. Maar we wisten dat onze bindingsangst voortkwam uit iets wat buiten onze relatie lag. Ik wist niet goed waar die van Scott vandaan kwam – waarschijnlijk van een verloofde die het had uitgemaakt toen hij pas twintig was, misschien door de vriendin hierna die hem had bedrogen. Het deed er niet echt toe, want ik wist dat hij, zodra hij een verbintenis was aangegaan, zijn best zou doen en daar elke dag in zou slagen, net zoals hij zijn best deed om een bepaald aantal kilometers hard te lopen en een vast deel van zijn salaris opzij te zetten.

Mijn bindingsangst had een veel duidelijker oorzaak. Ik probeerde me een man voor te stellen die zo ideaal was dat het voor mij heel vanzelfsprekend zou voelen om met hem te trouwen. Dat lukte me niet. Een van mijn scherpste herinneringen was aan een ochtend – ik zat in de tweede klas van de middelbare school – waarop ik de deur uitging om naar school te gaan. Mijn vader lag op de bank zijn roes uit te slapen. Mijn moeder stond het aanrecht schoon te vegen. Ze had een huilend kind op haar heup, een peuter van twee sloeg met een stuk speelgoed op de grond en een kind van acht zat aan tafel zijn ontbijtgranen naar binnen te werken. Ze keek naar me op, bekaf maar vastbesloten, en zei: 'Robin, zorg dat je nooit trouwt. En mocht je toch trouwen, zorg dan, wat er ook gebeurt, dat je geen kinderen krijgt.'

Ik was het niet van plan. En aangezien het huwelijk in mijn jeugdige belevingswereld amper een rol speelde, was de beslissing snel genomen toen het studentenvisum van mijn buitenlandse vriendje verliep vlak nadat we in Californië waren aangekomen. Ik reed met hem naar Nevada en trouwde ter plekke met hem. We waren verliefd, monogaam en woonden samen, dus ik zag er het bezwaar niet van in. Maar diep in mijn hart wist ik wel dat het niet voor eeuwig was. Zijn familie en vrienden noemden me zijn vrouw, maar tegenover mijn eigen familie en vrienden bleef ik hem mijn vriend noemen.

Met Scott was dat anders. Ik was vijfendertig en met hem wilde ik oud worden. Ik was bereid om de bezwaren van mijn moeder tegen het huwelijk naast me neer te leggen. Het enige struikelblok was dat ik nooit had gedaan wat de meeste vrouwen van mijn leeftijd vermoedelijk wel gedaan hadden: allerlei vriendjes gehad, een beetje in het rond geneukt, een onenightstand gehad. Bij wijlen overviel mij een onvervuld, rusteloos gevoel, en zo nu en dan begon ik daar met Scott over, maar ook al had hij me één keer toestemming gegeven om tijdens een weekendje dat ik met vrienden naar New Orleans was te doen waar ik zin in had, maakte ik daar geen werk van. Ik was niet gemaakt voor terloopse seks. Scott en ik hadden een gezond seksleven, een beetje braaf misschien, maar prima. Als ik het goed begrepen had lagen mijn seksuele hoogtijdagen nog een paar jaar voor me, en aangezien monogamie mij op het lijf geschreven leek te zijn, dacht ik: komt tijd, komt raad. Als getrouwd stel kon je van alles proberen. Tantra bijvoorbeeld. Nieuwe standjes. Speeltjes. Daar hadden we nog alle tijd voor.

Nee, een man als Scott ging ik echt niet opgeven, louter en alleen om nog een paar minnaars op mijn palmares te kunnen bijschrijven, minnaars met wie ik het waarschijnlijk niet eens leuk zou hebben. Scott was de enige man van wie ik me kon voorstellen dat ik met hem zou trouwen, en al helemaal de enige van wie ik ooit een kind zou kunnen krijgen. We hadden zo onze problemen, maar binnen in mij was ook een grotere strijd gaande: angst versus hoop. Ik klampte me vast aan de hoop.

3

De sprong

Ik stond voor Pauls deur op de grens van Pacific Heights naar de regen en de misthoorn te luisteren en hoopte maar dat hij snel zou opendoen. Dat deed hij. Paul was eind dertig, maar had toch een babyface: gladde roze wangen onder intens groene ogen. Hij was zwaargebouwd en gespierd en droeg een gekreukte korte broek en een t-shirt.

Hij trok me naar zich toe en omhelsde me. Ik legde mijn hoofd tegen zijn schouder en verstopte me onder zijn rommelige, vochtige haar. 'Kus me,' beval hij, en hoewel ik hier deels was omdat ik hitsige bevelen wilde horen, was ik te verlegen om ogenblikkelijk te gehoorzamen. Dus trok ik mijn regenjas maar uit en liep naar zijn bank, waar hij een fles cabernet had opengemaakt. We namen een slok, en ik had mijn glas nog niet op de salontafel gezet of hij begon me al te zoenen. Zijn kussen waren lang en heftig. Zijn handen – een tegen mijn onderrug, de andere op mijn sleutelbeen, daarna op de sluiting van mijn haltertop, daarna op mijn borst – oefenden een langzame, aanhoudende druk uit, waaraan ik me maar gewoon gewonnen gaf.

Hij fluisterde me de hele tijd dingen in mijn oor. 'Ik wil je van achteren neuken, en dan draai ik je om en zuig ik aan je tieten tot je klaarkomt. Hou je je jurk aan als ik je neuk?'

'Ja.'

'Hou je die laarzen aan als ik je vooroverbuig?'

'Ja.'

Hij leunde achterover, deed zijn rits open en haalde zijn penis eruit. 'En, naar je zin?'

'Ja.'

'Wil je me pijpen?'

'Ja.'

Hij stak zijn vinger in mijn mond en daar zoog ik eerst aan. 'Als je me pijpt, mag ik dan ik je mond klaarkomen?'

Ik knikte.

'Slik je het door?'

Ik keek hem recht aan en knikte, langzamer nu. Ik was dronken van dopamine, in extase. Het kwam niet alleen door zijn aanrakingen. Het kwam door alle ingehouden woorden waar ik jaren naar had verlangd. Woorden die mijn man niet zei, die ik tegenover hem ook niet over mijn lippen kreeg.

Hij haalde zijn vinger uit mijn mond, legde die tussen mijn benen en duwde hem tot hoog in me naar binnen, tegen de voorwand. Ik kromde mijn rug en de tranen sprongen me in de ogen. In een reflex fluisterde ik: 'Paul, hou op, hou op,' maar ik bedoelde eigenlijk dat als dit niet ophield, ik een afgrond in zou tuimelen en nooit meer zou terugkeren. En hoewel ik het wel zei en instinctief ook op de rem trapte, was ik helemaal niet van plan om op te houden. Ik wilde dat hij zijn middelvinger in mijn binnenste haakte en me wegslingerde, zodat ik als een zak botten op de grond zou belanden.

Zo ging het twee uur lang door, met alleen handen en woorden. Het was niet zo dat ik de daad zelf niet wilde laten plaatsvinden uit een soort onzinnige theorie dat wat wij deden geen overspel was. Ik wilde het gewoon rustig aan doen, en aangezien ons voorspel me heftiger bedwelmde dan ik me van welke geslachtsdaad ook kon herinneren, vond ik het niet erg om te wachten.

Toen we eindelijk overeind kwamen, was het bijna elf uur. We maakten onze kleren dicht en belden een taxi. Ondertussen dronken we van de al die tijd onaangeroerd gebleven wijn en praatten we over zijn relatieproblemen. Paul had net iets gekregen met een vrouw die ik een paar keer ontmoet had, maar het verliep allemaal nogal vaag en moeizaam tussen hen.

'Ik wil niet dat je huwelijk eraan gaat,' zei hij.

'Dat gebeurt ook niet,' loog ik.

'Ben je bang dat ik verliefd op je zal worden?' vroeg hij. Dit was precies de reden waarom ik Paul had gekozen, vanwege de goede inborst die schuilging onder dat gedrag van een ondeugende jongen. Ik wist honderd procent zeker dat hij het zout der aarde was, iemand die ik echt zou kunnen bellen als de nood aan de man was. Zo deelde ik mensen in: in mensen op wie ik wel en op wie ik niet kon rekenen in tijden van crisis.

'Nee,' zei ik. 'De kans is groter dat ik op jou verliefd word. Zo ben ik nu eenmaal.'

Toen de taxichauffeur belde om te zeggen dat hij er was, stond ik op, met pap in mijn benen. Toen ik me bukte om mijn tas te pakken, gaf Paul me een harde klap tegen mijn kont.

'Au!' gilde ik, en ik draaide me naar hem om. We moesten allebei lachen en hij knipoogde. Toen liep hij met me mee de lange gang door, deed de deur open, gaf me een kus op mijn wang en liet me gaan, de vochtige avond in.

4

Echtgenote
(Philadelphia)

George was de verstandigste man die ik ooit ontmoet had. Hij was een slanke zestiger met een dikke bos peper-en-zoutkleurig haar, altijd onberispelijk gekleed in een broek met vouw, een overhemd, keurige glimmende schoenen en met een zijden stropdas om. George was niet het soort therapeut dat drie kwartier naar je luisterde en dan zei dat de tijd om was. Hij gaf steevast praktische adviezen waarvan ik voelde dat die op eigen ervaring waren gebaseerd. De beste schreef ik op, zodat ik ze niet zou vergeten.

'Sta jezelf toe de afstand te voelen die door je conflicten ontstaat, zodat je de ruimte krijgt om opnieuw verliefd te worden.'

'Je bent niet verantwoordelijk vóór je pijn, maar je bent er wel verantwoording áán verschuldigd.'

'Pas Ockhams scheermes toe: gebruik altijd de eenvoudigste verklaring.'

George kreeg Scott vaak zover dat hij gevoelens uitsprak waar ik normaal gesproken nooit bij kon komen. Vóór ons trouwen gingen we naar hem toe om over kinderen te praten. Scott had nooit kinderen gewild, en ik eerlijk gezegd ook niet. In mijn volwassen leven was de waarschuwing van mijn moeder dat ik geen kinderen moest krijgen nog net zo hard van kracht. Toch dienden zich veelzeggende tekenen aan van een biologische klok. Meteen al in het begin van onze relatie had ik tegen Scott gezegd dat ik, mocht ik per ongeluk zwanger worden, de baby zou laten komen. Ik had op mijn negentiende al een abortus ondergaan en had het gevoel dat ik dat niet nog een keer aankon, of kon rechtvaardigen. 'Ik steun je, wat je ook besluit,' had hij gezegd. 'Het is jouw lichaam.' Vlak nadat we waren gaan samenwonen hadden twee van zijn vrienden zich laten steriliseren. Hij maakte zelf ook een afspraak bij een kliniek voor geboortebeperking. Toen we daar kwamen en de psycholoog vroeg of ik het ermee eens was, zei ik intuïtief 'nee', dus toen ging het feest meteen niet door. Tegen de tijd dat we verloofd waren had ik er bijna tien jaar therapie op zitten, en hoe verder de chaos van mijn jeugd achter me kwam te liggen, hoe meer ik voor kinderen begon te voelen. Op feestjes waarbij ook kinderen aanwezig waren, excuseerde ik me vaak, liet het geklets voor wat het was en ging gezellig met een dreumes op de grond zitten. Als een vriendin het niet meer trok doordat haar baby maar bleef huilen, pakte ik het kind steevast op en liet het op en neer wippen of wiegde het, zoals ik vroeger bij mijn broertjes had gedaan. Ik vermoedde dat mijn moederinstinct weleens sterker zou kunnen worden als we eenmaal getrouwd waren, en ik vroeg me bezorgd af hoe diep Scott zijn hakken in het zand zou zetten.

George was er niet de man naar om eindeloos naar emoties te graven. Hij was er om ons te helpen besluiten of en hoe we verder moesten. Nadat we het er wekenlang over gehad hadden, legde hij op een keer zijn pen neer en zei: 'Volgens mij hebben we alles nu wel besproken. Scott, ik moet zeggen dat ik zelden iemand heb ontmoet die zich zo ingehouden uitdrukt als jij. En Robin is het tegenovergestelde. Robin, jij doet me denken aan die oude commercial voor "gelato: zo Italiaans, zo intens". Herinner je je die nog?' We moesten alle drie lachen.

'Ja, dat is Robin ten voeten uit,' zei Scott.

'Maar jullie houden elkaar wel in evenwicht, en wat nog belangrijker is, jullie houden van elkaar. Bij de meeste stellen heeft de ene partner de taak om de boot in beweging te krijgen en op verandering aan te sturen en de andere partner de taak om de boot niet te laten omslaan.'

Ik pakte Scotts hand en we wachtten op de clou.

'Ik weet niet of jullie uiteindelijk kinderen zullen krijgen. Maar ik heb wel het gevoel dat als jij ze op een gegeven moment heel graag wilt, Robin, Scott daar dan wel in meegaat.'

Dat was precies wat ik wilde horen. Hij was uiteindelijk toch ook meegegaan in elke nieuwe fase die ik in gang had gezet. Ik was veel langer dan mijn bedoeling was geweest in Sacramento blijven wonen, vanwege Scotts baan en het huis dat hij daar had, maar nadat ik jarenlang had afgewacht, had hij er zelfs mee ingestemd om terug naar het oosten van het land te verhuizen.

Scott boog zijn hoofd, dacht er even over na, keek toen naar me op en trok zijn wenkbrauwen omhoog alsof hij wilde zeggen: 'Nou, dat is dan geregeld.'

George legde zijn schrijfblok op de grond naast zijn stoel, ten teken dat de sessie ten einde was. Hij vouwde zijn handen op zijn schoot, glimlachte warm en zei: 'Jullie zullen toch echt eerst moeten trouwen voordat jullie hieruit komen.'

Zijn onverwachte, wereldwijze conclusie bezorgde me een geruststellend gevoel van helderheid. Meer commitment zat er voor een ambitieuze en twijfelende vrouw als ik niet in.

Nadat we getrouwd waren – op de dag af tien jaar na die eerste picknick – zeiden we onze baan op, kochten we een kleine camper en toerden een tijdje door het land. Uiteindelijk belandden we in het centrum van Philadelphia, op de eerste verdieping van een herenhuis van twee verdiepingen met heel hoge plafonds, ingebouwde boekenkasten en een marmeren open haard van anderhalve meter hoog. Scott kreeg een baan als projectmanager op de IT-afdeling van een internationaal advocatenkantoor, en ik vond een baan als culinair columnist bij een weekblad, wat betekende dat we een keer per week in een nieuw restaurant aten. Scott had als hobby zelf drank maken, en in de roestvrijstalen keuken leefde hij zich daar helemaal in uit: hij gooide blikken mout in pannen, en kookte honing en vruchtensap in om mede te maken.

Van tevoren had het huwelijk me doodeng geleken, maar toen we eenmaal getrouwd waren beviel het me wel. Ik vond het leuk om Scott 'mijn man' te noemen en om 'zijn vrouw' genoemd te worden. Ik vond het leuk om kerstkaarten en uitnodigingen aan het adres van 'de heer en mevrouw Mansfield' te ontvangen, ook al had ik mijn naam niet officieel gewijzigd. Het allerleukste vond ik het om eten voor hem te koken en, terwijl dat op stond, hem een drankje te brengen of te vragen of ik iets voor hem kon doen.

Ik woonde nu op slechts twee uur rijden van de familie die ik zestien jaar geleden was ontvlucht, en dat bracht een heel nieuw scala aan angsten aan het licht. Ik kreeg opeens problemen met bruggen oversteken, met door de gangpaden van de supermarkt navigeren en met zebrapaden. Vooral met de Pennsylvania Turnpike, een weg met weinig afslagen, 's nachts niet verlicht, die door een eindeloos bos liep van Philadelphia tot Scranton. Halverwege doemde de Lehigh Tunnel op, met twee rijstroken die een imposante berg in knalden. Zodra de auto de in fluorescerend licht badende tunnel in reed, ging mijn hart als een gek tekeer, begon mijn huid te prikken en mijn zicht te haperen. Ik moest mijn ademhalingen tellen om van de ene kant naar de andere te komen.

Maar het was de angst waard, want te midden van diezelfde zintuiglijke prikkels die me van alle kanten belaagden en claustrofobisch maakten – de geur van pas gemaaid gras in de zomer, de aanblik van rode en oranje bladeren in een lappendeken die zo dicht was dat hij de boomstammen aan het zicht onttrok, de stille deken van de wintersneeuw – vond ik de overblijfselen van mijn ziel.

Beetje bij beetje vond ik mezelf weer terug. We gingen vaker langs bij ons neefje van vijf, en mijn beste vriendin buiten Californië, Susan, besloot in haar eentje een kind te willen krijgen en ging op zoek naar een spermadonor. Mijn losse onderdelen waren nog niet samengesmolten tot iets wat op een misvormd, vermoeid geheel leek of ze begonnen al te trillen van de drang om me voort te planten.

's Avonds hadden we het erover. 'Vertel nou gewoon eens waarom je het niet wilt proberen,' begon ik dan.

'Ik heb gewoon nooit de behoefte gevoeld. Ik heb geen zin om op zaterdag op het voetbalveld te staan. Ik wil mijn tijd anders besteden.' Hij mat elke zin in beredeneerde eenheden af en gebruikte alleen de hoognodige hoeveelheid woorden.

'Ik kan toch het meeste doen,' zei ik dan, terwijl ergens in de verte mijn rationele ik versteld stond van zo'n aanbod. 'Zodra de baby geboren is, word je er verliefd op. Ik vraag je niet om alles op alles te zetten, en allerlei vruchtbaarheidsbehandelingen te ondergaan. Ik wil alleen geen voorbehoedmiddelen meer gebruiken.' We hadden altijd heel consciëntieus een pessarium én een zaaddodend middel gebruikt.

Ik benaderde het onderwerp vanuit alle invalshoeken: het doel in het leven, het gevoel van verbondenheid, de emotionele en lichamelijke uitdaging, de spirituele groei. Gezien mijn achtergrond voelde mijn sluimerende verlangen om samen met Scott een gezin te stichten beladen en betekenisvol. Het getuigde van het enorme vertrouwen dat we in elkaar hadden, een vertrouwen waar we meer dan tien jaar aan hadden gewerkt. Toch reageerde hij altijd met een kalm schouderophalen of iets wat daarop leek.

'We hoeven niet ons hele leven op te geven louter en alleen omdat we een kind hebben,' zei ik. 'Mensen met kinderen reizen nog gewoon. Ze schrijven symfonieën en romans.' De manier waarop ik erover sprak was totaal anders dan die van Scott. Met elke zin die ik zei nam mijn zelfbeheersing weer een graadje af. Elk woord leek nog minder impact op hem te hebben dan het vorige.

Op een dag – Scott was al naar zijn werk – kwam Catherine, onze buurvrouw, langs. Ze was politiek adviseur, van mijn leeftijd, en ze was met haar man onder behandeling bij een vruchtbaarheidskliniek. Ze had een mantelpakje aan, een aktetas over haar schouder en in haar hand een gewone bruine papieren zak.

'Hier, dit is voor jou,' zei ze. We hadden het al een paar keer over baby's en ouder worden gehad. Ik keek in de zak. Er zaten drie plastic urinebekertjes in; de felgele dekseltjes zaten vastgeplakt met een wit etiket met daarop STERIEL.

'Vers sperma blijft een halfuur goed,' zei ze. 'Je hoeft het alleen maar op te vangen en dan naar een laboratorium te gaan. Ze kunnen sperma ook van speeksel scheiden.'

Het duurde even voordat deze laatste mededeling tot me doorgedrongen was. Ik moest lachen.

'Dat meen je niet, toch?'

'Jawel, ik meen het wel,' zei ze, en haar ogen glommen vastberaden.

Ik liet mijn stem zakken. 'Ik denk niet dat ik dat kan.'

'Robin, je gaat het hem de rest van je leven kwalijk nemen als je niet zorgt dat je zwanger wordt. Begrijp je dat?'

Ik knikte. 'Ja.' Toen omhelsde ik haar, want ze had me laten zien dat er achter alle wereldse beslommeringen inderdaad een verbond van zusters actief was. 'Dank je wel, Catherine.' Ze kneep in mijn arm en beende weg naar haar werk.

Ik gebruikte de steriele bekertjes van Catherine niet, hoewel ze niet de eerste vriendin was die me aanraadde om de boel te beduvelen. Toen ik ze later op de dag in het kastje onder de wastafel verstopte, begon de oplossing me echter te dagen. Die was zo redelijk, zo wiskundig dat ik niet snapte dat ik hem niet veel eerder had gezien.

Ik vloog naar mijn werkkamer en zocht de vruchtbaarheidspercentages op leeftijd op. Toen Scott die avond thuiskwam, ging ik met hem aan de eettafel zitten.

'Ik heb vandaag wat research gedaan,' zei ik. 'Het duurt gemiddeld zestien maanden voordat een vrouw van achtendertig op natuurlijke wijze zwanger is, als ze dat probeert. Als wij het zestien maanden lang proberen, heb ik een redelijke kans dat ik mijn zin krijg. Als we het helemaal niet proberen, heb jij honderd procent kans dat je je zin krijgt.'

Scott leunde een beetje achterover op zijn stoel, dus zette ik de pas erin. 'Stel dat we het acht maanden proberen en dan ophouden. Dat lijkt me statistisch gesproken eerlijk. Dan hebben we allebei vijftig procent kans dat we onze zin krijgen.'

Hij fronste zijn voorhoofd.

'Als we niet in acht maanden zwanger zijn, kunnen we weer voorbehoedmiddelen gaan gebruiken en dan hebben we het er nooit meer over. Vijftig procent. Moeder Natuur bepaalt, en we accepteren de uitkomst.'

Scott stond op. De zon was net ondergegaan en er viel een blauwig licht schuin de kamer binnen. 'Nee!' brulde hij. Het was pas de derde keer sinds ik hem kende dat hij zijn stem verhief. 'Hoe vaak moet ik het nog zeggen? Ik wil geen kind!'

Hij liep de wenteltrap naar onze slaapkamer op en ik keek

hem na en vroeg me af of het soms door de ijzeren logica van het voorstel kwam dat hij zo kwaad was geworden. Tegelijkertijd wist ik dat iemand die geen kinderen wilde niet over te halen was, hoeveel logica je ook op hem losliet. Als het omgekeerd was en hij druk op míj uitoefende, zou ik misschien ook wel kwaad worden.

Heel even stak deze gedachte de kop op: ik moet bij hem weg. Dit verandert nooit. Maar voor de gedachte goed en wel geformuleerd was, wist ik dat dat uitgesloten was, want als Scott niet meer in het plaatje voorkwam, was er van mijn verlangen naar een gezin meteen ook niets meer over. Ik kon het niet zelf doen en ik zou ook nooit een andere man zo'n onderneming toevertrouwen. En zo kwam het dat we jarenlang opgesloten zaten in een dilemma dat het gevolg was van extreme koppigheid of extreme liefde, of allebei: ik wilde een kind, maar alleen met hem. Hij wilde geen kind, maar wilde wel heel graag met mij verder.

Ik werd vaak om drie uur 's nachts wakker, en dan lag ik in bed naar Scotts ademhaling te luisteren. Hij sliep op zijn linkerzij, met zijn rug naar me toe, en hij viel altijd onmiddellijk in slaap, al had hij nog zo'n stressvolle dag gehad, zelfs meteen na een ruzie. Ik deed altijd mijn best om hem niet wakker te maken. In de twaalf jaar dat we samen waren, hadden we nog nooit midden in de nacht de liefde bedreven.

In mijn dromen nam mijn lichaam niet-menselijke vormen aan. Ik trok aan het verschroeide vlees van mijn arm en dat liet los als een slangenhuid, met nieuw roze weefsel eronder. Mijn rug veranderde in een zeeanemoon met sponsachtige witte tentakels die heen en weer wiegden. Mijn borstkas werd een stervormige vetplant, waarvan de gezwollen groene bladeren een vleugje rood hadden. Vol weerzin en ontzag tikte ik voorzichtig tegen de scherpe punten en vroeg me af of de woestijnplant soms de plaats van mijn hart had ingenomen, of erbin-nenin zijn eigen melkachtige vocht stroomde of mijn bloed.

Ik zocht de vetplant op in de hoop dat ik zou vinden wat mijn droom betekende. Hij had een lange Latijnse naam en was in de volksmond bekend als 'kip-met-kuikens'.

Volgens Mama Gena was ruziemaken niet de manier om een man ergens toe te bewegen. Je moest hem verleiden. Dat was een van de vele vaardigheden waarin zij op de School of Womanly Arts in New York lesgaf. Ik had die school bij toe-val ontdekt toen ik research deed voor een artikel. Mama Ge-na was een vrouw van middelbare leeftijd met lange benen, woonachtig in Manhattan en luisterend naar de naam Regena Thomashauer. Op haar website staan foto's van haar in allerlei verschillende knalroze mini-jurkjes en met boa's om. Succes-volle carrièrevrouwen volgden in groten getale haar lessen om van haar meer te leren over flirten, sensualiteit en overvloed. Ze beweerde heel oude matriarchale godsdiensten te hebben bestudeerd en zei als doelstelling te hebben om het feminisme het vrouw-zijn terug te geven. Weg met het lijden, het was tijd om te genieten. Haar leerlingen noemden zichzelf zustergo-dinnen.

Vroeger had een serieuze vrouw als ik bij het horen van uit-drukkingen als 'zustergodin' en 'vrouwelijke kunsten' de benen genomen. Ik vond feminisme geen etiket dat ik me naar be-lieven kon aanmeten. Het was een fundamentele verandering, een tektonische herschikking die het leven van mijn moeder volledig had kunnen veranderen als die zich maar een paar jaar eerder had voltrokken. Toen ik studeerde, liep ik mee met demonstraties voor het recht op abortus, ik postte voor porno-winkels en maakte in mijn laatste jaar een korte documentaire over huiselijk geweld. In datzelfde ingrijpende jaar gooide ik al mijn make-up zo in de vuilnisbak. Zodra ik met mijn studie klaar was, werd ik net zo gebrand op healing als ik op gelijke rechten was geweest. Ik zou tot mijn laatste snik feministe blijven, maar een beetje lol maken was er niet bij.

Tijdens mijn eerste telefonische groepsles zat ik op mijn bed, net als tien andere vrouwen, verspreid over het land, met de telefoon op de speaker. 'Oké, zustergodinnen,' zei Regena. 'We gaan onze onderbroek uittrekken.' Hierop volgde een les over de anatomie van de vulva en de beste manier om de achtduizend zenuwuiteinden van de clitoris te strelen – twee keer zoveel als in een penis, zei ze erbij. Als huiswerk moesten we dagelijks aan 'zelfgenot' doen, met iedereen die we tegenkwamen flirten, ongeacht geslacht of leeftijd, en ons voortdurend afvragen wat we konden doen, al was het nog zoiets kleins, om ons genot te verhogen. Ons mantra luidde: 'Ik heb een kut.'

'Van nu af aan moeten jullie minstens één keer per dag opscheppen,' zei Regena. 'Weg met dat geklaag dat doorgaans voor vriendschap tussen vrouwen doorgaat. Schep maar op tegen je vriendinnen.'

Regena's advies mocht aanvankelijk nog zo frivool klinken, het bleek mijn leven ingrijpend te veranderen. Vanaf het moment dat ik plezier als uitgangspunt voor mijn beslissingen nam, ontspande ik. Ik droeg feller gekleurde kleren en ik lachte meer. Ik glimlachte voortaan naar de barista, naar de chagrijnige kassière, naar de rimpelige oude man op een bankje in het park. Ik hoefde mijn best niet te doen om minder ruzie te maken met Scott; ik had er gewoon geen zin meer in. Als een gesprek moeilijk werd, stapte ik op een ander onderwerp over. Het was alsof ik mijn golflengte van de werk- naar de speelzender had omgezet.

Regena propageerde het 'langdurige orgasme', een toestand van extase in het hele lichaam die in theorie uren kon duren, in tegenstelling tot een gewoon hoogtepunt, dat zij altijd 'kruis-niezen' noemde. Ik kocht het boek dat zij ons aanbeval, *The Illustrated Guide to Extended Massive Orgasm*, voorzien van gedetailleerde instructies over waar mijn clitoris precies gesti-muleerd moest worden – op één uur, als je er recht voor stond. Het kon me niet echt boeien. Het leek me een alternatieve techniek voor vrouwen die geen echt orgasme konden krijgen of dat niet voldoende vonden. Ik kreeg altijd een orgasme als Scott en ik vrijden, vaak van gemeenschap alleen al, behalve als ik te moe of ziek was. Ik beschouwde mezelf als een van de geluksvogels.

5

Weer naar huis

Toen de taxi voor mijn huis stilhield, was het eindelijk opgehouden met regenen. Ons huis was het kleinste pand in de straat, een oase van warm geel stucwerk, weggestopt tussen de hogere huizen aan Sanchez Street. Alle lichten waren uit. Ik stak mijn sleutel langzaam in het slot, draaide hem heel zachtjes om, bang om wat ik net gedaan had mee onze veilige haven in te trekken. Scott sliep. Ik ritste mijn laarzen open en liep de badkamer in om mijn gezicht en handen te wassen. Daarna stapte ik in bed. Hij merkte er nauwelijks iets van. Ik lag in het donker en dacht aan de laatste keer dat een nieuwe man mij had aangeraakt, aan dat Scott me maandenlang geduldig had moeten verleiden en zich steeds weer had moeten terugtrekken voordat ik me tijdens die picknick aan Electra Road gewonnen had gegeven. Aan dat hij het niet had durven uitmaken met de vriendin in Spanje en dus gewacht had tot ze terug was en ze het zelf uitmaakte. Dat vriendinnen meermaals tegen me zeiden als ze hem ontmoet hadden: 'Hij is zo beheerst dat ik er zenuwachtig van word.' Dat ik een keer, helemaal in het begin, tegen hem uitgevallen was en 'Ik ben kwaad!' tegen hem had geroepen, waarna hij dicht bij me was komen staan, mijn hand had gepakt en had gezegd: 'Volgens mij ben je niet kwaad, maar gekwetst.'

Dat was het raadsel waarin ik verkeerde: werd Scotts zachtaardigheid ingegeven door liefde of mogelijk gemaakt door zijn zenuwslopende mate van zelfbeheersing?

Scott lag met zijn rug naar me toe. Ik schoof zoals altijd tegen hem aan en legde mijn arm om zijn middel. Hij bewoog niet. Ik wachtte tot er iets zou gebeuren, een verschuiving of breuk waardoor duidelijk werd dat er definitief iets veranderd was. Toen ik zesentwintig was, verliet mijn gevoel van eigenwaarde me zodra ik mijn kleren uittrok, en dan duurde het dagen voor ik dat weer terug had. Zo was het ook met mijn minnaars vóór Scott gegaan. Ongeacht het feminisme of voorbehoedmiddelen, was ik goed doordrongen van de lessen die mijn generatie had meegekregen in het katholieke stadje waar ik was opgegroeid: dat elke seksuele handeling iets was wat de vrouw gaf en de man nam. Nu, zeventien jaar later, was de situatie wonder boven wonder omgekeerd. Nu was ík de plunderaar. Ik voelde me groter in plaats van kleiner, machtiger in plaats van zwakker.

Mijn warme bed omsloot me. Ergens in mijn achterhoofd siste een echo: overspel, overspel, overspel. Die werd overstemd door de rustige ademhaling van mijn man, door onze kat die aan mijn voeten vredig lag te spinnen en door het verrassende inzicht dat mijn huis nog overeind stond en mijn leven nog intact was.

6

Madonna
(San Francisco)

Scott gebruikte graag de uitdrukking 'Al draagt een aap een gouden ring, het is en blijft een lelijk ding'. Zo dacht hij in algemene zin over Philadelphia en de Oostkust: alle verlokkingen die deze streek te bieden had ten spijt kon niets verhullen dat hij vergeleken met Californië een lelijke aap was.

'Ik mis de zonsondergangen in het westen,' zei hij.

'Maar als we weer naar het westen verhuizen ga ik mijn familie missen,' zei ik.

'Philadelphia is niet de goede plek om een huis te kopen.'

'Als ik wist dat we zelf een gezin zouden stichten, zou ik mijn eigen familie gemakkelijker achter kunnen laten.'

'Ik ben niet van plan om voor een ultimatum te zwichten.'

Ik voelde de vertrouwde machteloosheid binnensluipen, waardoor mijn borst op slot ging en los wilde barsten, als tranen. Ik hield me in. Ik had twintig jaar lang van San Francisco gedroomd, al sinds de eerste keer dat ik over de Bay Bridge was gereden en ik die helemaal wit en bewegend in het water had zien glinsteren. Ik was bijna veertig en van Regena leerde ik dat ik me op het positieve moest focussen, op verlangen.

'Dan wil ik in San Francisco wonen,' zei ik.

We woonden er nog geen jaar of ik vond mijn droombaan – redacteur bij een stadstijdschrift – en we gingen op zoek naar een koophuis. Acht maanden lang sjouwden we in de weekenden van het ene open huis naar het andere, tot we een twee-onder-een-kapwoning vonden die was gebouwd in 1892 en de aardbeving van 1906 had overleefd. Het huis lag in het centrum, aan Sanchez Street, tussen de wijken Mission en Castro, en het appartement op de begane grond was te koop. De makelaar leidde ons rond, samen met een paar andere stellen. Ik bleef in de voorkamer staan en keek een lange gang door, naar de zonovergoten keuken. Het hardhout glansde, de bakstenen van de open haard waren fris wit geverfd en de diepe badkuip was omgeven met marmer. Mijn hart maakte een sprongetje van geluk. Ik trok Scott aan zijn mouw en boog me naar hem toe, zodat niemand me niet kon verstaan. 'Deze wordt het.'

Op de dag dat we de papieren voor onze hypotheek met een variabele rente voor vijf jaar zouden tekenen, merkte ik dat ik op mijn werk niet stil kon blijven zitten. Mijn maag kneep samen en ik zag wazig. Ik belde Scott op het advocatenkantoor waar hij werkte, ook aan Market Street, anderhalve kilometer verder dan waar ik zat, en vroeg of we samen konden lunchen.

'Wat is er, pop?' vroeg hij toen hij ging zitten.

'Ik ben bang dat ik, als ik vanmiddag die papieren teken, over vijf jaar kinderloos, onvruchtbaar en ongelukkig ben.'

Hij pakte mijn hand over de tafel. 'Heb nou een beetje vertrouwen in ons.'

Ik tekende. Het mocht nog zo'n verstrekkend dilemma zijn, het was toch gemakkelijker om vertrouwen in ons te hebben dan te denken dat het tegenovergestelde zou gebeuren.

Een van de eerste dingen die we deden nadat we erin getrokken waren, was in de woonkamer een danspaal installeren. Een paar zustergodinnen die in San Francisco woonden hadden enthousiast verteld over hun paaldanslessen, bij S Factor, en dat wilde ik ook weleens proberen. Elke zondag reed ik naar een les in de wijk Marina, en daar leerde ik op plateauzolen van vijftien centimeter hoog te lopen, me in allerlei sierlijke houdingen om de paal heen te draaien en een zwoele lapdance uit te voeren op zwoele nummers van Hooverphonic en Spiritualized. Mannen waren in de dansstudio niet welkom, en het donkere lokaal was uitsluitend verlicht met rode lampen, waardoor er van de dodelijke zelfkritiek die een lokaal vol halfnaakte vrouwen bij daglicht te verduren zou krijgen meteen geen sprake meer was. In de kleedkamer waren mijn medecursisten heel gewone vrouwen in alle maten en van allerlei verschillende etnische afkomst, van begin twintig tot halverwege de vijftig. In de donkere dansstudio, met de muziek aan, transformeerden zij stuk voor stuk tot een toonbeeld van zinnelijkheid. Ik begon in te zien dat schoonheid er hier niet echt toe deed, ook al hadden we allemaal problemen met ons uiterlijk en ons gewicht. Schoonheid was geen statische kwestie van huid en spieren, maar kwam tot uiting in hoe we bewogen.

Toen ik de basistechniek eenmaal onder de knie had, zette ik Scott een meter voor de paal op een stoel. Ik begon met mijn rug naar hem toe en mijn handen tegen de muur van de woonkamer, waarbij ik langzaam brede cirkels met mijn heupen draaide. Ik draaide me om, zette mijn rug plat tegen de muur, mijn benen wijd en ging diep op mijn hurken zitten. Toen kroop ik naar de paal en trok mezelf eraan op. Ik draaide eromheen, zwaaide mijn benen tot boven mijn hoofd omhoog, pakte de bovenkant van de paal met mijn enkels vast en liet me naar de grond toe draaien, zodat mijn haar als eerste de vloer raakte. Van daaraf glibberde ik naar Scott toe, ging voor hem op mijn knieën zitten, trok mijn hemdje uit en kroop op zijn schoot.

Scott keek toe met een flauw glimlachje dat op verbijstering duidde. Terwijl ik boven hem hing, met mijn borsten bijna tegen zijn gezicht, streek hij met zijn hand over mijn been. We hielden allebei onze adem in. Toen de muziek afgelopen was, zei hij: 'Heel leuk, pop.' Ik pakte mijn kleren en we gingen naar de slaapkamer.

Scott trainde heel consciëntieus en was in een betere conditie dan de meeste mannen die half zo oud zijn als hij. Hij was nog net zo gespierd en had nog net zo'n slanke taille als toen we elkaar net kenden. De seks was geduldig. Hij kuste me heel uitgebreid. Hij was heel lang bezig met me te strelen, eerst heel licht, amper voelbaar, tot ik meer druk kon hebben. Hij begon me heel voorzichtig te likken, met zijn tong om mijn clitoris heen, tot die tevoorschijn kwam. Hij gaf me de tijd om me helemaal open te vouwen. Toen we eenmaal van positie verwisselden en ik hem in mijn mond nam, was ik gulzig en reed ik tegen zijn been op tot ik bijna klaarkwam. Toen bracht ik een doorzichtig vierkantje zaaddodend folie in en ging ik boven op hem zitten. Hij had een stevige en betrouwbare erectie – Scott ten voeten uit. Ik kon het zo langzaam doen als ik wilde zonder bang te hoeven zijn dat hij zou verslappen. Het snel doen kon daarentegen niet. Dat behoorde niet tot ons repertoire.

Toen ik klaargekomen was, ging ik onderop liggen. Op dat punt aanbeland had ik behoefte aan druk. Ik wilde tegen hem zeggen dat hij me heel hard moest neuken, maar durfde niet. Het liefst van alles wilde ik dat hij me aankeek. Maar we gingen gewoon zwijgend door, met ons gezicht tegen de schouder van de ander, terwijl we allebei 'Ik hou van je' zeiden. Toen hij klaarkwam, drukte hij zijn mond op de mijne. Als ik of hij een orgasme kreeg, gebeurde het vaak dat de tranen me in de ogen sprongen en over mijn wangen biggelden, waardoor ik me gereinigd en dicht bij mezelf voelde.

Na afloop stond Scott op om zich te wassen. Ik gooide mijn knieën over mijn hoofd naar achteren in een yogahouding, in de hoop dat er zo een beetje sperma langs het voorbehoedmiddel zou sijpelen. Toen hij terugkwam, lag ik weer plat.

'Waarom kijk je me niet aan als we vrijen?' vroeg ik. We waren al heel lang samen, maar dit was me pas sinds kort opgevallen.

'Als ik mijn ogen dicht heb, kan ik me beter concentreren op wat ik voel.'

Daar had ik zo snel geen antwoord op, dus bleef ik liggen en keek ik de badkamer voor de logés in, een meter verderop, waar Scott zijn zelfgemaakte wijn bewaarde. In de douchecabine stonden grote glazen potten met kersenrood vocht te gisten en te borrelen van de koolstofdioxide. Gasten waren altijd onder de indruk van Scotts scala aan honingwijn, limoncello en zelfgemaakte absint. Als we in het weekend niet weg waren, gaven we etentjes voor de redacteuren, kunstenaars en ondernemers op het gebied van biotechniek met wie wij na aankomst in de stad al snel bevriend waren geraakt. Op zo'n avondje gingen we dan op een gegeven moment in de woonkamer zitten, waar de danspaal dreigend opdoemde. Ik zag ze al kijken. Ik stelde me voor dat de vrouwen dan dachten: die hebben vast een geweldig seksleven, en de mannen: boft hij even. Een paar van zowel de mannen als de vrouwen dachten vast: o jee, midlifecrisis.

Op een avond stak ik de open haard aan, Scott deed een dvd in de dvd-speler en we gingen gezellig op de bank zitten met onze kat, Cleo. Cleo was een beeldschone lapjeskat en al bij ons sinds ze een paar dagen oud was. We hadden haar en de rest van het nest langs de kant van de weg gevonden, in de buurt van het softwarebedrijf in Sacramento nog, en we hadden haar wekenlang met behulp van een pipetje voor oogdruppels gevoerd. Nu was ze veertien.

We keken naar *Munich*. De openingsscène was een close-up van een man die zijn vrouw gretig van achteren neukte. In mijn hoofd zei een duidelijk verstaanbare, zelfverzekerde stem: dat wil ik ook. Het was een heel eenvoudige mededeling, maar op de een of andere manier was het een openbaring voor me. Toen de camera afstand nam, verscheen de enorme zwangere buik van de vrouw in beeld, en op dat moment verknoopte het onbeantwoorde verlangen binnen in mij zich tot een pit van woede.

Bij mijn jaarlijkse check-up vroeg ik mijn huisarts of hij ook de fsh-waarde van mijn bloed kon laten bepalen. fsh staat voor follikel stimulerend hormoon – een eenvoudige manier om je vruchtbaarheid te meten; hoe lager het aantal, hoe gemakkelijker je zwanger wordt. Bij mij was het laag voor een vrouw van tweeënveertig; net zo laag als bij veel vrouwen van begin dertig. 'En je hebt nog veel oestrogeen,' zei ze, 'en dat betekent dat je in staat zou moeten zijn om een zwangerschap te voldragen. Maar dat neemt niet weg dat het nu of nooit is.'

En dus ging ik op zoek naar een nieuwe therapeut. Delphyne was afgestudeerd in feministische spiritualiteit en had een dikke bos lang kastanjebruin haar. Ze had zich opgemaakt met donkere eyeliner en heel donkerrode lippenstift. Ze versierde haar vingers met goud en jade en haar wapperende rokken vielen tot op de bovenkant van haar rijglaarzen. Ik vermoedde dat er onder haar kleren een heleboel tatoeages zaten.

Week in week uit zat ik in de spreekkamer van Delphyne omhoog te kijken naar een schilderij van de Hawaïaanse vuurgodin Pele, boven haar deur. De legende wilde dat Pele vanonder de zee lava omhooggespuwd had, waarna het eiland Hawaï was ontstaan, en dat ze woonde in de krater van de actiefste vulkaan, Kilauea. Ze was schepper en verwoester, bron van zowel liefde als geweld. Het zwarte haar van de godin waaierde uit tot vloeibare vlammen en haar oranje ogen boorden zich in mij en vroegen mij waar ik de grens ging trekken. Ja, ik wilde een kind, maar hoe graag wilde ik dat? Wat was ik bereid ervoor te doen? Chris, mijn zogenoemde homo-echtgenoot, bleek ook een kind te willen. Hij kende mijn moeilijke situatie en bood aan mij kunstmatig te bevruchten en samen met mij de voogdij op zich te nemen. In theorie leek dat een ideale oplossing. Chris was een succesvol schrijver, stond er financieel goed voor en zijn familie steunde hem in dit plan. Ik zou de helft van de tijd moeder kunnen zijn en Scott de helft van de tijd stiefvader. Scott en ik zouden nog energie genoeg hebben voor onze hobby's en om reizen te maken. Toen ik erover begon, zei Scott zelfs dat hij erover zou nadenken, omdat hij mij het moederschap niet wilde ontzeggen.

Toen ik van Delphyne stil moest blijven zitten en me een voorstelling van dit scenario moest maken, sloeg de schrik me echter om het hart. Ik zag niet gebeuren dat Scott toestemming zou geven dat een andere man mij, eerder dan hijzelf, zou bevruchten. Ik was Chris heel dankbaar, maar de baby was geen doel op zichzelf. Het ging me om het proces, en dat wilde ik met Scott doormaken. Was dat nou te veel gevraagd? Zou het nou echt zo moeilijk zijn om mijn eigen man ervan te overtuigen dat hij me moest bevruchten? Overal om me heen zag ik zowel pubers als lesbiennes met een dikke buik rondlopen.

Ik wist dat je met een baby geen slecht huwelijk kon redden, maar ik was ervan overtuigd dat een baby mijn best goede huwelijk kon opkrikken tot iets waar ik me met hart en ziel aan kon wijden. We hadden al zo veel overwonnen samen: een langdurige ziekte toen ik een jaar of dertig was, onze forse bindingsangsten, twee verhuizingen naar de andere kant van het land, en de gebruikelijke stroom familiecrisissen. Oké, we neukten niet de hakken van onze schoenen, maar als ik bij mijn getrouwde vriendinnen informeerde, besefte ik dat het heel uitzonderlijk was dat wij na zestien jaar nog steeds één of zelfs twee keer per week seks hadden – seks die drie kwartier duurde en vaak eindigde in tranen van geluk.

Als we onder elkaar waren, zeiden mijn vrienden en familieleden weleens dat het egoïstisch van Scott was dat hij geen kinderen wilde en mijn verlangen naar een kind het tegendeel van egoïstisch. Dat ging er bij mij niet in. Bij elke vrouw die ik kende en die zwanger was geworden was dat óf per ongeluk gegaan óf omdat ze heel graag moeder wilde worden. Ik had helemaal niet de illusie dat het moederschap gemakkelijk zou zijn. Maar je kreeg er in emotionele en sociale zin wel heel veel voor terug, en ik heb nog nooit iemand meegemaakt die bewust moeder probeerde te worden bij wie dat niet meespeelde.

Delphyne straalde een duistere wijsheid uit. Nadat ze wekenlang ogenschijnlijk niet ter zake doende vragen mijn kant op had geslingerd – vooral vragen over hoe ik met mijn vriendinnen omging, die als vervelende insecten door mijn verwarde brein zoemden – gooide ze het over een andere boeg. Ze gaf me een glazen pot met daarin een lange groene kaars. Die had ze zelf gegoten en het potje had ze versierd met een afbeelding van Demeter, de Griekse godin van het moederschap. De godin hield haar armen wijd en droeg een lange goudkleurige jurk en een krans van tarweschoven op haar hoofd.

'Neem die mee naar huis en steek hem daar aan,' zei Delphyne. 'Laat hem branden tot de vlam dooft. Misschien dat hij je helderheid verschaft.'

Ik deed wat ze gezegd had, zette de kaars op mijn nachtkastje en liet hem dag en nacht branden. Toen de vlam doofde, was ik een paar dagen overtijd.

Scott ging altijd om halfzeven de deur uit naar zijn werk, dus ik was alleen thuis. Het was december, en het vroegeochtendlicht filterde door het bovenlicht in de badkamer. Ik zat op de wc en mijn blote benen trilden. Naast me op de wastafel lagen mijn mobiele telefoon en een digitale zwangerschapstest. Ik draaide de dop van de test en plaste erop – één, twee, drie, vier, vijf seconden. Daarna schudde ik het staafje af, legde het voorzichtig neer, trok mijn pyjamabroek omhoog en wachtte. De laatste keer dat ik zwanger was geweest, op mijn negentiende, was ik van de geboortebeperkingskliniek in Scranton met ingehouden tranen linea recta naar het huis van mijn moeder gereden, voor het avondeten. Toen ik wegging, had ik me voor de deur naar haar omgedraaid en gezegd: 'Ik moet met je praten.' De vallende schemering hing tintelend om ons heen. Mijn jongere broertjes waren gillend en vechtend naar binnen gerend. Mijn broertje van veertien was naar footballtraining. Mijn vader was de deur uit, gokken, zuipen of neuken. Godzijdank. Als hij er niet was, raakte het huis doortrokken van opluchting.

Ze keek me recht aan. 'Je bent zwanger.'

Ik slaakte een kreetje. 'Hoe weet je dat?'

'Je gaat het niet houden. Maak een afspraak, dan breng ik je erheen.'

Dat hoefde ze me niet te vertellen. Ik had het zelf al besloten. Twee weken later reed ze met me naar New York en hield ze me vast toen ik in de bijkomkamer lag te huilen, versuft en in elkaar krimpend van de buikpijn. Ik weet nog dat ik naar de kliniek toe liep, met mijn moeder achter me, en dat ik bij de ingang bleef staan. Ik staarde naar de glazen deur alsof die van staal gemaakt was en dacht: ik kan het niet. Ik weet nog dat de psycholoog in roze operatiekleding in de zacht verlichte wachtkamer bij me kwam zitten en zei: 'Je slaapt vanavond als een roos, let maar op.' Ik weet nog dat ik vlak voordat ik onder zeil ging de hand van de arts in mij voelde en hem 'zeven weken' hoorde zeggen, alsof hij in de kamer ernaast was. Ik wist maar twee dingen: dat ik niet sterk genoeg was om een kind ter wereld te brengen en het dan af te staan, en dat ik liever doodging dan dat ik mezelf opsloot in de stad waar we woonden met een baby en zonder schooldiploma. De vriendelijke psycholoog bleek gelijk te hebben. Onderweg naar huis stopten we bij mijn lievelingsrestaurant, waar mijn moeder biefstuk voor me bestelde, en daarna sliep ik twaalf uur aan één stuk. We zeiden tegen iedereen dat we een dagje naar Atlantic City waren geweest om te gokken.

Terwijl ik op de wc zat te wachten, voelde ik nog steeds hevige angsten ten aanzien van het moederschap: ik zou de controle over mijn lichaam verliezen, al mijn geestelijke ruimte en gevoel van wie ik was moeten opgeven, de kans lopen om zo door de voortdurende behoeften van een kind verstikt te raken dat ik het pijn zou doen of in de steek zou laten. Nu was ik net zo bang om niet zwanger te zijn, bang voor het existentiële gemis waarbij ik langs de oppervlakte van het leven zou scheren, geestelijk opgesloten in wel duizend mogelijkheden zonder ooit voor één daarvan te kiezen, om de wereld door een wirwar van rusteloze mogelijkheden heen te ervaren.

De tester bliepte. Ik pakte hem op en daar stond het, in minuscule schreefloze lettertjes: Zwanger. Met een hoofdletter Z.

Met bevende vingers belde ik mijn beste vriendin Susan, in Los Angeles.

'Maak ik je wakker?' vroeg ik.

'Nee, ik ben net Amalia aan het klaarmaken om naar school te gaan. Heb je hem gedaan?'

'Ja. Positief.'

'O jeetje. Wauw. Hoe voel je je?'

'Ik weet het niet,' zei ik, maar terwijl ik het zei keek ik al in de badkamerspiegel en zag ik een glimlach. Toen kwamen de woorden. 'O god, Susan, ik heb gewonnen. Niet te geloven. Ik heb gewonnen.'

Ik wist niet goed wat ik daarmee bedoelde. Wat had ik dan precies gewonnen? De machtsstrijd met Scott? De laatste en grootste trofee van de moderne vrouw: een academische titel, een benijdenswaardige baan, een knappe man, een mooi huis en nu, op het nippertje, een baby? Of iets wat veel dieper ging, namelijk het gevecht van de hoop – misschien dat ik een gelukkig gezin kon stichten, een gelukkig leven kon leiden? – tegen de herinnering?

'Oké, haal even diep adem,' zei Susan. 'Bel meteen je huisarts en zeg dat je ter bevestiging een bloedonderzoek wilt.'

Susan kende het klappen van de zweep. Toen ze veertig was en al tijden geen vriend had, was ze naar een spermabank gegaan en had ze nummer 58499 gekozen, een conservatoriumstudent die bereid was het kind te ontmoeten als het achttien was. Sindsdien had Susan zich met hart en ziel aan haar leven als alleenstaande werkende moeder gewijd. De vrouw die vroeger naar Belize en Venezuela vloog bracht nu al haar vrije uurtjes door met koken, schoonmaken, chaufferen, in bad doen, en ondertussen ging ze de schijnbaar onophoudelijke stroom virussen te lijf die Amelia van de crèche mee naar huis bracht. Ik maakte me om Susan echter nooit zorgen, want ik herinnerde me een middag waarop ze net thuis was gekomen van een inseminatie en een paar uur met haar benen omhoog moest liggen. We hadden gebeld en in een poging behulpzaam te zijn had ik iets gezegd in de trant van: 'Het is goed, wat er ook gebeurt.'

'Nee, dat is niet waar,' antwoordde ze. 'Als ik geen kind krijg, kan het hele leven me verder gestolen worden.'

Als Susans moederinstinct een luide brul was, was dat van mij een zachte fluistering. Dat had zich langzaam en stilletjes naar voren gedrongen, tegen de waarschuwingen van mijn moeder in, als onkruid door een gebarsten stoeptegel. Ondergronds en iel, met als enige kans van slagen de ouderwetse methode: in mijn eigen bed, met mijn eigen man, de enige persoon die ik ooit volledig vertrouwd had.

En nu zou dat instinct tegen alle verwachting in een kans krijgen.

Ik trok een rok en laarzen aan, streek met mijn hand over mijn buik en ging de deur uit, naar mijn werk. Onder een paarsblauwe hemel beet de winterwind in mijn wangen en in mij ontvouwden zich honderd golfjes, als ranken, vergezeld van een lijstje met wat ik allemaal kon verwachten. Ik zou gezond eten. In de bus zou men voor me opstaan. Ik zou tot een heilig zusterverbond toetreden, een verbond dat zelfs mijn moeder uiteindelijk op waarde was gaan schatten. Scott en ik zouden geleid worden door oerkrachten die sterker waren dan onze angsten. Dit kindje zou ons in de meest positieve zin veranderen: mijn verlangen om voor iemand belangrijk te zijn zou bevredigd worden, Scott zou in een oogwenk uit zijn filosofische ivoren toren afdalen naar het slijk van het kwetsbare aardse bestaan. Het ouderschap zou mij vormen tot iemand die minder egoïstisch was en Scott tot iemand die minder kil was. We zouden de komende twintig jaar van ons leven iets belangrijks te doen hebben, en als we oud waren zouden er kleinkinderen bij ons aan tafel zitten.

Ik had het gevoel dat het een meisje was. Ik wist al hoe ze zou gaan heten. Ruby.

Terwijl ik afdaalde in de metro borrelde ik over van een soort geluk dat ik niet kende, van een blijdschap die door alle pijn en omstandigheden helemaal terugging tot de bron van dingen, en die tegelijkertijd een pad naar de toekomst vrijmaakte. Het gevoel dat mijn leven eindelijk vrucht zou gaan afwerpen.

Zo'n ochtend had ik nog nooit meegemaakt, en zou ik ook nooit meer meemaken.

Ik had niet verwacht dat Scott er meteen blij mee zou zijn, maar ik had ook niet gedacht dat hij zo aangeslagen zou zijn. Toen hij die avond thuiskwam van zijn werk, zag hij er zo somber uit dat alle opwinding die ik eerder had gevoeld uit me weggezogen werd, door een stofzuiger leek het wel. De enige andere keer dat ik hem zo lusteloos had meegemaakt, was toen zijn vader te horen had gekregen dat hij kanker had.

'Als een bloem bloeit,' zei hij, 'en je knipt de meeldraden eraf, het deel van de bloem waarin het zaad zit, dan blijft de bloem langer bloeien. Zodra de bloem zich heeft voortgeplant, gaat hij dood. Ik wil niet dood. Ik wil zelf leven.'

Terwijl hij dat zei gebeurde er iets heel vreemds. Het was alsof hij psychedelische drugs had gebruikt, want zijn gelaatstrekken werden zachter en het was alsof zijn haar, dat tot op zijn schouders kwam, anderhalve centimeter groeide, waardoor hij heel even in een vrouw veranderde. Ik zette intuïtief een stap achteruit.

'Maar jij gaat niet dood,' wierp ik tegen. 'Jij wordt alleen iemand anders, iemand die groter is.'

'Ik wil helemaal niet iemand anders worden.'

'Waarom niet?' smeekte ik, en ik begon te huilen. 'Waarom niet?'

Hij pakte me bij mijn onderarm en trok me mee de gang in, waar een ingelijste uitvergrote foto hing die hij het jaar daarvoor had genomen toen hij een bezoek bracht aan de stad waar hij geboren was, in Indiana. Op de foto stond een verlaten treinspoor dat in het wazige donker verdween, aan beide kanten omgeven door de kale winterse takken van uit hun krachten gegroeide bomen. Het was een eenzaam en onwerkelijk beeld.

'Daarom niet,' zei hij, en hij wees naar de foto.

'Wat bedoel je?' vroeg ik. Vanwege de tijd dat hij na de middelbare school maandenlang in zijn auto in de bossen van Indiana had gewoond? Vanwege een of ander existentieel verdriet diep vanbinnen? Ging hij me nu, nadat ik hem daar zes jaar lang ernstig en in tranen naar had gevraagd, vertellen wat de reden was waarom hij zich er niet toe kon zetten zelf kinderen te willen?

'Wat bedoel je, Scott?'

'Gewoon... dat,' zei hij, terwijl hij naar de foto keek. Dit gebeurde vaak: op het moment suprême liepen we dood. Ik wachtte, maar hij zei verder niets. Ik had geen idee of hij nu iets voor zich hield of zelf gewoon in het duister tastte.

Na een volle minuut zei ik zacht: 'Al die maanden dat we het hier met George over hebben gehad voor we gingen trouwen. Weet je nog dat hij zei dat als ik maar heel erg graag een kind wilde, jij er dan wel in mee zou gaan?'

Hij schudde zijn hoofd. 'George zat ernaast.'

Op dat moment gaf ik het op. Als het nou alleen om Scott en mij ging, roerloos opgesloten in die gang, had ik misschien wel doorgevochten tot ik in de overgang was, maar gelukkig drong de dieperliggende werkelijkheid eindelijk tot me door. Dit was iets heel anders dan hem overhalen om te gaan samenwonen of trouwen, want hier stond niet alleen maar mijn of zijn geluk op het spel. We hadden met een derde te maken, een machteloos persoon, en het was mijn taak die te beschermen. Misschien zette ik wel een kind op de wereld dat door zijn vader niet gewenst was. Dat kon in de negende maand, maar ook pas in het negende jaar veranderen. Plotseling stond dat risico me tegen – misschien het enige piezeltje onbaatzuchtigheid in mijn verlangen om moeder te worden.

Toen ik de volgende dag naar de huisarts ging, hoopte ik

ergens dat het allemaal een vergissing was. Ze stuurde me met een bekertje naar de wc en de uitslag weerspiegelde mijn innerlijke chaos: negatief. 'Ik snap het niet,' zei ik tegen haar. 'Het was niet zo'n test waarbij je een roze lijntje moet aflezen. Het was een digitale test. "Zwanger" stond er.'

'Het kan best dat je wel zwanger bent,' zei ze. 'Maar het kan ook een verkeerde uitslag geweest zijn. Of je kunt chemisch zwanger zijn, zoals wij dat noemen, en dat is eigenlijk een heel vroege miskraam. We moeten bloedonderzoek doen.' Ik moest naar een laboratorium in de stad. Nadat ze bloed bij me hadden afgenomen, zeiden ze dat ik vijf dagen later de uitslag zou krijgen.

Voor dag vijf maakte ik een afspraak voor ons tweeën bij Delphyne. Scott was de maanden daarvoor een paar keer mee geweest naar een sessie. Ik zou de dokter bellen en dan linea recta naar Delphyne lopen, zodat ik niet alleen hoefde te zijn met de uitslag. Maar ik wist het antwoord al, en de dokter bevestigde het alleen maar. Niet zwanger. Of ik nu een miskraam had gehad of gewoon een verkeerde uitslag, ik zal het nooit weten.

Ik liep naar Delphyne, vier straten verderop, en zeeg neer op haar bank. Scott was er al. Ik legde mijn rechterhand op het kussen en hij legde daar zijn linkerhand op, zoals altijd. Pele, de vuurgodin, keek met haar moordzuchtige ogen op ons neer.

'Ik ben toch niet zwanger,' vertelde ik hun. In mijn keel stak een zuil dikke, droge lucht, stokoud en niet van zijn plaats te krijgen. Daardoor ging ademhalen moeizaam.

Van de vijftig minuten daarna herinner ik me niets. Ik weet alleen maar dat Scott op een gegeven moment zei: 'Ik ga me laten steriliseren. Ik hoopte dat Robin het zou voorstellen, en dat heeft ze niet gedaan, maar ik ga het toch doen.' Ik keek op van de plek op de vloer waar ik de hele tijd strak naar gekeken had en terwijl ik zijn hand nog steeds vasthield, zei ik: 'Ik vind het goed. Laat je maar steriliseren. Ik sta achter je. En ik ga doen waar ik zin in heb, en daar moet jij dan ook achter staan. Met ingang van nu streven wij ieder ons eigen doel na en zijn we niet samen voor een groter goed.'

Hij keek me verloren aan. Ik liet het verdriet in mijn huid en mijn spieren trekken, helemaal tot op het bot. Ik liet me er zonder verzet door aan de bank nagelen. En toch kwam er diep in mijn schedelpan, daar waar het brein vastzit aan de ruggengraat, iets sidderend tot leven. Opluchting. Vrijheid. Het gelukkige gezinnetje was een kansloze onderneming waar ik me niet meer druk over hoefde te maken.

'Vanaf nu gelden er heel andere regels,' zei ik, terwijl ik weer naar de vloer keek. En ik denk dat ik dat meende, want zeven maanden later belde ik bij Paul aan.

7

De openbaring

Het duurde achtenveertig uur voor echt tot me doordrong dat ik was vreemdgegaan. Scott en ik gingen naar Napa om research te doen voor een reisverhaal dat ik aan het schrijven was, en na een dag wijngaarden bezoeken, checkten we in in een luxueuze bed and breakfast in Yountville. Terwijl Scott in slaap viel, lag ik naast hem in bed een tijdschrift te lezen en daarin zag ik een advertentie voor ringen voor een diamanten huwelijk, met foto's van een echtpaar dat elkaar ontmoette, trouwde, kinderen en kleinkinderen kreeg. Een paar pagina's verder zag ik een advertentie voor een matras, met daarop een beeldschoon paar met hun drie jonge kinderen. Daarna kwam een profiel van Catherine Zeta-Jones, waarin ze vertelde over haar leven in Bermuda, dat ze zo 'stapelverliefd' was op haar man en dat ze hem, voordat ze ja zei op zijn huwelijksaanzoek, had gevraagd of hij wel kinderen wilde.

Ik deed het tijdschrift dicht en probeerde te gaan slapen. Mijn armen en benen gonsden en mijn hoofd begon te bonken. Ik masseerde mijn slapen, alsof ik daarmee de aanzwellende aanval kon tegenhouden. Ik wist dat je in een vrouwenblad niet op zoek moest gaan naar de waarheid. Maar de storm die boven me hing vanaf het moment dat ik bij Paul had aangebeld was zo onvermijdelijk dat er maar een paar mooie foto's voor nodig waren om hem te laten losbarsten.

Ik krulde me op mijn kant van het bed op. De pijn die mijn

voorhoofd doorkliefde was niet alleen maar lichamelijk. Ik nam het mezelf kwalijk – niet alleen wat er met Paul gebeurd was, maar alles. Dat ik met Scott getrouwd was terwijl ik wist dat hij eigenlijk geen kinderen wilde. Dat ik niet met meer mannen naar bed was geweest voor ik ging trouwen. Dat ik zowel vurige seks als een kind wilde, terwijl ik niet eens zeker wist of ik de eisen wel aankon die beide zaken aan me zouden stellen. Dat ik me bij Paul had voorgedaan als een zorgeloos sletje, terwijl ik in werkelijkheid een beschadigde zwakkeling was. Geen wonder dat mijn huwelijk zich in zwaar weer bevond. Ik was een zielig geval.

Ik ging rechtop zitten, knipte het licht aan en zocht vergeefs in mijn tas naar ibuprofen.

Scott draaide zich naar me toe. 'Wat is er, liefje?'

'Ik heb barstende hoofdpijn. Ik moet pijnstillers hebben.' Ik miste de dagen waarin ik hem alles kon vertellen. Wat voor moeilijks ik ook moest opbiechten, we konden erop rekenen dat eerlijkheid ons toch al sterke fundament nog steviger zou maken. Hoewel ik geen dodelijk geheim te verbergen had gehad, waren we al een paar jaar geleden met die gewoonte gestopt.

Hij kleedde zich aan, reed met me naar een supermarkt en ging naar binnen om Advil voor me te kopen. Twee minuten nadat ik de pillen had ingenomen verhuisde de pijn naar mijn buik. Het zweet brak me uit, alles begon te draaien. Ik deed het raampje open en stak mijn hoofd naar buiten. In het hotel zat ik bibberend op de wc, hield me aan de wasbak vast en ademde langzaam om niet van mijn stokje te gaan.

'Gaat het?' vroeg Scott vanaf de andere kant van de gesloten deur.

'Ja,' kreunde ik. 'Ik kom zo.' Twintig minuten later schuifelde ik klam en uitgeput naar het bed.

Toen ik de volgende ochtend wakker werd, flakkerde er in de ruimte achter mijn ogen een volledig geformuleerde zekerheid. Die luidde: ik ben niet van plan om zonder kinderen en met maar vier minnaars mijn graf in te gaan. Als ik het één niet kan krijgen, dan het ander maar.

Bij thuiskomst zette Scott me voor de deur af en ging vervolgens de auto parkeren. Toen ik naar de deur liep, bukte ik me om een stukje karton op te rapen dat voor de ingang lag. Het was misschien twee centimeter lang en het zag eruit alsof het van de hoek van een doos ontbijtgranen was afgescheurd. Ik streek het glad en draaide het om. In heel kleine keurige letters stond er OORDEEL OVER DE VERDACHTE: ONSCHULDIG op geschreven, alsof het een aantekening was die een jurylid tijdens het proces van een onschuldige verdachte had gemaakt.

Ik keek om me heen, benieuwd wie dat geschreven had, en waarom, en hoe dat voor mijn deur gewaaid was en voor mijn voeten terecht was gekomen. Ik had altijd al in synchroniciteit geloofd: het symbool dat verschijnt op het moment dat je het nodig hebt, de geruststelling dat het leven volgens plan verloopt.

Oordeel over de verdachte: onschuldig. Ik was wél schuldig: aan liegen, koppigheid en, het ergste van alles, aan verraad. Ik was nu ook weer niet zo de weg kwijt dat ik deze aantekening als een absolutie voor mijn gedrag opvatte. Ik zag er wel een absolutie in voor mijn verlangen. Meervoud, liever: voor al mijn verlangens. Dat ik met Scott getrouwd was ondanks zijn en mijn tekortkomingen. Dat ik een kind van hem wilde, ook al wilde hij dat niet. Dat ik mijn seksuele energie binnen het huwelijk onder controle probeerde te krijgen. Dat ik die energie nu ergens anders op wilde richten. Mijn tegenstrijdige verlangens naar geborgenheid en iets nieuws, naar huiselijkheid en hartstocht. Mijn egoïstische verlangen om te koesteren.

Mijn verlangen om te neuken én de liefde te bedrijven.

Ik zou misschien niet krijgen wat ik wilde, maar ik zou er wel naar blijven verlangen. Met dat oeverloze gepraat over mijn dilemma's was ik nu wel klaar. Het was hoog tijd om mijn instincten te volgen en te kijken wat voor wijsheid ik via mijn lichaam kon vergaren.

Ik stopte het stukje karton in mijn zak, stak de sleutel in het slot en hoorde Scotts geliefde Walt Whitman door de eeuwen heen tot mij zingen: 'Drift en drift en drift, altijd weer die voortplantingsdrift van de wereld.'

Vier dagen later ging Scott in z'n eentje naar het ziekenhuis om zich te laten steriliseren.

8

Hoer

Na de sterilisatie bedacht Delphyne een ritueel waarbij Scott en ik allebei onze toekomstvisie moesten opschrijven. We moesten ons onder andere voorstellen hoe we met elkaar getrouwd konden blijven zonder al te veel van onszelf in te leveren. Dat was voor mij het moment om Scott te vertellen dat ik een open huwelijk wilde.

'Als we met iemand naar bed gaan en de seks is niet leuk, hebben we voor niks ons huwelijk op het spel gezet,' zei hij. 'En als de seks wel leuk is, willen we nog een keer, en hoe vaker je het doet, hoe meer je betrokken raakt.' Dat wist hij van de vijf jaar dat hij een vriendin had gehad die getrouwd was.

Ik geloofde hem. Een open huwelijk was riskant en gaf gedoe op het gebied van emoties. En met het oog op zowel zijn voorgeschiedenis als mijn voortdurende rusteloosheid, hadden we het er al vaker over gehad. In het verleden hadden we het idee snel afgeschoten. Deze keer herhaalde ik gewoon steeds wat er in Napa in me opgekomen was, maar dan wel hardop: 'Ik ben niet van plan om zonder kinderen en met maar vier minnaars mijn graf in te gaan. Dat weiger ik.' Soms was het 'Dat doe ik niet' en soms 'Dat kan ik niet'.

Op een ochtend zat ik in de metro naar het centrum en merkte ik dat ik naar mannen keek. Tijdens de twaalf minuten durende rit hoefde ik me alleen maar voor te stellen hoe ze me zouden aanraken en dan had ik verder een heel genoeglijke dag. Toen een gezette Russischsprekende klusjesman ons keukenraam kwam repareren, zat ik aan tafel te doen alsof ik werkte, maar ondertussen zoog ik stiekem de vorm van zijn armen en het geluid van zijn stem in me op.

We staken kaarsen aan, lazen onze antwoorden op Delphynes vragen en begroeven de bladzijden in de tuin onder de hangende felroze bloemen van een fuchsia. Ik zag een kloof voor ons opdoemen en ik kon me niet voorstellen hoe ik die dicht zou kunnen maken, behalve door de tijd terug te draaien. Die kloof moest, samen of alleen, overgestoken worden.

Het duurde maanden voor we het eens waren over hoe een open huwelijk eruit zou moeten zien. Regel één lag voor de hand: we zouden veilig vrijen. Verder was alles bespreekbaar. We hadden het erover om de 'nevenactiviteiten', zoals Scott het noemde, te beperken tot tripjes naar een andere stad, maar besloten dat dat te onpraktisch was. In plaats daarvan zou ik een appartement nemen. Door de week zou ik daar dan wonen en in het weekend thuis bij Scott. We spraken af dat we niet met vrienden of mensen die we allebei kenden naar bed zouden gaan. Om onze angsten op afstand te houden maakten we zo nu en dan een grapje over vrije liefde.

Ik had natuurlijk Paul al op het oog. Ik had mezelf voorgehouden dat ik voor hem een tijdelijke uitzondering zou maken op de regel dat we het niet met vrienden zouden doen, dat ik op hem zou oefenen voor ik me in een zee van onbekenden zou begeven. Dus ruim twee maanden voordat ik een appartement had weten te bemachtigen, boekte ik een zakenreis naar Denver, in een weekend waarvan ik wist dat Paul daar ook was. Tot twee weken daarvoor wist Paul van niets; ik heb hem zo ongeveer achtervolgd.

Vrijdagavond vertrok ik van kantoor. Ik nam de metro naar het vliegveld, waar het vreemd rustig was. In het vliegtuig bestelde ik een glas wijn en genoot van de scherpe warmte die zich van mijn borst naar omlaag tot in mijn benen verspreidde, de randen gladstreek waar mijn huid mijn kleren raakte en me rustig in mijn stoel hield. Ik voelde aan het gouden hangertje dat ik op mijn trouwdag van mijn moeder had gekregen. Dat hing aan een lange ketting en had de vorm van een klavertjevier. In het bovenste blad was Jezus gegraveerd, in de andere drie Maria, Johannes en de heilige Christoffel. Op de andere kant stond in kleine letters IK BEN KATHOLIEK. LAAT EEN PRIESTER KOMEN gegraveerd. Ik was al heel lang geen praktiserend katholiek meer en als ik stervende was zou ik waarschijnlijk niet om een priester vragen, al zou ik die ook niet wegsturen. Ik droeg de ketting alleen maar als ik ging vliegen, net zoals ik het Onzevader alleen zei als ik ging vliegen of als iemand van wie ik hield ernstig ziek was. De rest van de tijd deed ik aan yoga, brandde ik wierook en bad ik tot heidense en hindoeïstische goden.

Zodra we geland waren, sms'te Paul me vanuit een café. *Ben je al geland? Sms even als je in je hotel bent. Ben je er bijna? Je zei een halfuur maar het lijkt wel drie kwartier.* Ik merkte dat hij elke keer dat hij sms'te dronkener was en ik begreep wel waarom. Hij voelde zich schuldig tegenover Scott en deed dit alleen maar omdat ik het initiatief had genomen. Paul had alleen maar even met zijn getrouwde vriendin in een taxi willen zoenen, het was niet zijn bedoeling geweest om een heel weekend met haar door te brengen.

Toen ik op mijn kamer was, begon ik mijn tas uit te pakken. Hij sms'te dat hij vlakbij was, dat hij beneden in de lobby was, dat hij in de lift stond, en tegen de tijd dat ik de deur opendeed, kwam hij de hoek al om. Hij droeg een zwart jasje en een zwarte jeans en had zijn handen in de zakken, als een zenuwachtige jongen. Zijn groene ogen glansden boven zijn blos en zijn glimlach verried een honger die heel even door mijn hart sneed en me verdrietig maakte.

'Paulie,' zei ik, en ik stak mijn armen naar hem uit om hem te omhelzen. Hij drukte me tegen de muur en begon me te kussen. 'Laten we naar binnen gaan,' zei ik lachend. Hij duwde me op het bed, trok zijn jasje uit en klom boven op me, waarbij hij mijn armen tegen het bed gedrukt hield, me een paar seconden aankeek en toen in mijn hals dook.

'Ik hou van je,' fluisterde hij, en hij ging met zijn hand over mijn trui en toen onder mijn rok. 'Zou je er als je kon met me vandoor gaan?' Het was voornamelijk dronkenmanspraat, maar toch zoog ik zijn woorden als zuurstof in me op. Als hij op dat moment twee vliegtickets tevoorschijn had gehaald, was ik er waarschijnlijk met hem vandoor gegaan. Zijn lichaam op het mijne was het enige waar ik al maanden naar verlangd had. Zijn erectie was keihard onder de stof van zijn spijkerbroek. Ik deed de rits open en stak mijn hand erin. 'Pak een condoom,' zei ik.

'Heb ik niet.'

Ik duwde zijn borst omhoog en van me af. 'Heb je geen condooms bij je?'

'Nee, ik wist niet zeker of ik wel zou komen.' Dat geloofde ik.

'Dan moet je die gaan halen.'

Hij drukte zijn mond op de mijne en probeerde bij me naar binnen te komen.

'Luister,' zei ik, en ik hield zijn gezicht met mijn handen vast zodat hij niet kon bewegen. 'Het moet echt met condoom.'

Hij wachtte even en kuste me toen weer.

'Wat maak jij nou?' zei ik, luider deze keer, en ik draaide me onder hem uit en ging zitten. 'Schiet op. Ga condooms halen.' Ik wees naar de deur.

Hij ging zitten en keek me aan terwijl hij op adem kwam.

Hij keek er zo kwetsbaar bij dat ik het bijna niet kon aanzien. Ik had zin om te huilen. Zo bleven we een paar tellen zwijgend zitten – zijn manier om te zeggen dat we ermee konden ophouden als ik dat wilde. Ik wist dat ík die condooms dan maar moest gaan halen, maar ik kon me niet losmaken van zijn lichaam of van de drang die het probeerde te beheersen. Toen was de tijd voorbij en lag hij weer boven op me.

Eerlijk gezegd had ik er schoon genoeg van om dingen te moeten beschermen. Ik verlangde ernaar heerlijk overweldigd te worden.

Hij kwam in me, trok mijn knie met één hand omhoog en greep met de andere naar mijn borst. Hij beukte naar binnen, duwde toen helemaal omhoog en bleef daar. Het deed pijn, maar wel lekkere pijn. Ik ontspande me en toen werd het steeds lekkerder. Even later draaide ik me op mijn buik en stak mijn heupen omhoog. Die trok hij naar achteren en stootte toen naar voren – in me en in me, tot een duizelige, gelukzalige trance over me neerdaalde. Hij greep me bij mijn haar en sloeg dat als een touw om zijn hand, zodat hij mijn kin omhoog naar het plafond trok. Zo kwam hij klaar, met mijn hoofd met één vuist naar achteren getrokken, terwijl hij zich met de andere hand op het allerlaatste moment uit me trok.

Na afloop ging hij een warme handdoek halen en daarmee veegde hij me schoon. Toen deden we het licht uit en probeerden we in slaap te vallen. Hij lag vreselijk te woelen, alsof hij in zijn dromen een gevecht leverde. Ik was halfwakker en lag de hele nacht onnatuurlijk stil; zijn lichaam was als een magneet, een krachtenveld dat ik in de stilte niet durfde aan te raken. Ik mocht er alleen maar in het dronken vuur van de hartstocht aan komen. De volgende ochtend bestelden we ontbijt: eieren voor hem en havermout voor mij. Ik kreeg geen hap door mijn keel. Ik was misselijk van een soort duistere extase. Ik had nog nooit zulk destructief gedrag vertoond, en toch zag ik in de schaduwen waardoorheen ik afdaalde een glinstering van iets, een soort herkenning.

Na het ontbijt ging Paul weg. Hij zei dat hij me die avond zou komen ophalen om samen te eten. Ik deed de deur dicht en ging weer in bed liggen. Ik voelde iets vreemds onder me. Mijn ketting. Het snoer was doormidden gebroken en lag op de matras.

Ik pakte het op en heel even liepen van afgrijzen de rillingen over mijn rug. De Tien Geboden, weg. De huwelijksgelofte, weg.

Die avond ging ik weer met Paul naar bed – deze keer wél met condoom – en de avond daarna ook, en maandagochtend bracht hij me naar het vliegveld. We gingen ook uit eten en iets drinken met vrienden van zijn werk; dat waren allemaal louter rusteloze afleidingen ter omlijsting van datgene waar het allemaal om draaide en dat in de hotelkamer plaatsvond. Scott wist dat Paul in Denver was en dat we hadden afgesproken om samen te gaan eten; in het weekend belden en sms'ten we geregeld. Al die jaren dat ik een trouwe vriendin was geweest en daarna een trouwe echtgenote had ik het niet voor mogelijk gehouden dat ik ooit zou kunnen liegen. Ik bleek er wel degelijk toe in staat te zijn, in elk geval op dat moment. Ik moest er nog achter komen dat leugens op de lange duur verwoestend worden.

Toen ik maandagochtend weer op kantoor kwam, linea recta vanaf het vliegveld, had ik een e-mail van Scott waarin hij vroeg of ik met Paul naar bed was geweest.

'Nee,' schreef ik terug. 'We zijn vrienden, meer niet.' Ik wist dat hij te correct en te netjes was om die vraag twee keer te stellen. Twee regels afgesproken, twee regels weggevaagd, als zandkastelen bij vloed.

Toen ik op VERZENDEN drukte en mijn leugen de ether

in stuurde, als aftrap van ons progressieve en verlichte open huwelijk, dacht ik dat het zo wel afdoende was. Dat het brave meisje hiermee voor eens en voor altijd van het toneel was verdwenen.

DEEL 2
HET PROJECT

Er zit meer verstand in uw lichaam dan in uw
beste wijsheid.

Friedrich Nietzsche, *Aldus sprak Zarathoestra*

9

Mission Dolores

Twee maanden later werd ik vierenveertig en had ik inmiddels een studio in de wijk Mission Dolores gevonden die ik door de week kon huren. De verhuurder, Joie, was op werkdagen bij haar vriend in de wijk The Haight. Scott en ik zouden van maandagochtend tot vrijdagavond een open huwelijk hebben waarin drie regels golden: geen serieuze verhoudingen, geen onveilige seks, niet met wederzijdse vrienden het bed delen. Van vrijdagavond tot maandagochtend zouden we samen zijn, en monogaam. Met Paul had ik al twee regels overtreden, maar ik was vast van plan om opnieuw te beginnen en me er voortaan wel aan te houden. Het was een hele opluchting dat het open huwelijk nu officieel in gang was gezet, dat er sprake was van iets wat op gelijkwaardigheid leek en dat er grenzen waren gesteld.

Een paar oude vrienden van Scott woonden nog met hun vrouw in Sacramento en vormden een kleine gemeenschap van stelletjes. In de loop der jaren waren we met hen op vakantie geweest en hadden we feestdagen bij hen gevierd. De meesten waren inmiddels al voor de tweede keer getrouwd; bijna allemaal waren ze conservatiever dan wij. Thanksgiving-etentjes liepen vaak uit op verhitte discussies, maar Scott en ik beschouwden hen als familie. Toen de verhuisdatum naderde, vertelde Scott het tijdens een weekendje kamperen aan zijn vrienden. Toen hij zondag thuiskwam, vertelde hij hoe ze over het algemeen gereageerd hadden: waarom stond hij dit toe? Waarom pakte hij niet gewoon zijn biezen?

'Wat heb je tegen ze gezegd?' vroeg ik.

'Hetzelfde wat ik tegen mezelf zeg. Ik vind het verschrikkelijk, maar jij wilt het per se, dus laten we het dan maar proberen en kijken of we erdoorheen komen. Ik heb twee keer een verhouding met een getrouwde vrouw gehad, ik ben in het verleden bij andere vriendinnen weleens vreemdgegaan, vrienden van me zijn vreemdgegaan, en daar kon ik allemaal mee leven. En dan zou ik nu opeens de hypocriet moeten gaan uithangen en bij je weg moeten gaan omdat jij hetzelfde wilt proberen wat ik van anderen en mezelf geen probleem vond?'

Het verbaasde me dat zijn instemming gestoeld was op een loepzuivere redenering en niet op doodgewoon schuldgevoel over de sterilisatie. Wat Scott betrof was ik een langzame leerling.

Op maandag kreeg ik allemaal e-mails van de vrouwen.

'Ik keur het niet goed wat je gaat doen,' schreef Andrea, degene met wie ik het best bevriend was, 'maar ik hou van jullie allebei en ik wil zo neutraal mogelijk blijven.'

'Je hebt mij niet om commentaar gevraagd,' schreef Marilyn, een advocate, 'dus daar zal ik me dan ook van onthouden.'

Heather was minder diplomatiek. 'Als je nou zo graag een kind wilt, waarom ga je dan niet scheiden en adopteer je er een? Dit is geen vervanging voor kinderen. Toen je met Scott trouwde, wist je dat hij die niet wilde. Na mijn scheiding heb ik heel veel mannen ontmoet en heel veel avontuurtjes gehad, maar nu ik met Cody ben zou ik mijn huwelijk nog niet voor alle avontuurtjes op de wereld willen inruilen. Waar zijn al die mensen nu? Waar zijn ze als ik kanker krijg? Nergens te bekennen. Maar Cody zal er voor me zijn.'

Heather had wel een punt. Ik was vierenveertig en had daarmee onmiskenbaar de middelbare leeftijd bereikt. De overgang, aftakelende ouders, ziekte en dood doemden als steeds donkerder wordende wegwijzers langs het pad op. Scott was de best denkbare partner om de onstuimige veranderingen die we voor de boeg hadden en de eenzaamheid van de ouderdom het hoofd te bieden, net zoals hij de best denkbare partner was geweest voor het overgevoelige, door haar ouders verwaarloosde meisje dat ik als twintiger was geweest.

Ik zat naar de namen van mijn vriendinnen boven aan mijn inbox te kijken en voelde me klein en onzeker. Als je er goed over nadacht, moest ik dit dan wel doen? Ik zou niet alleen mijn huwelijk, maar ook mijn vriendschappen op het spel zetten. Heel even wilde ik dat ik alles weer kon wegstoppen, maar tegelijkertijd wist ik dat afhaken geen optie was. Ik had mijn hele leven al afwegingen gemaakt in de trant van 'Wie brengt me naar het ziekenhuis als ik aan de chemo moet?' Ik wist heel zeker dat dit mijn laatste kans was om een andere keuze te maken. Als ik deze keer weer voor veiligheid koos zou er iets heel belangrijks in mij sterven, waardoor er van mijn huwelijk, mijn vriendschappen en zelfs mijn lichaam niet meer dan een leeg omhulsel overbleef.

Op 1 mei reed ik met een auto vol kleren, boeken, tekenbenodigdheden en toiletartikelen naar het huis van Joie. De studio was L-vormig, in een hoek stond een tweepersoonsbed, in een andere hoek stonden een moderne bank en beeld- en geluidsapparatuur, en er was een werkgedeelte dat uitkwam op een keukentje, badend in het licht. Ze had de helft van de hoge kast voor me leeggeruimd. Ik hing mijn kleren op, zette mijn toiletartikelen in de badkamer en mijn boeken naast het bed. De studio lag in een van de beste wijken van San Francisco: op de hoek van 20th en Church Street, helemaal boven op de heuvel die uitziet op Dolores Park, met aan de horizon de spits oprijzende skyline. Mijn huis, mijn man en mijn kat bevonden zich slechts zes straten verderop heuvelafwaarts. Ze voelden veel verder weg.

Ik had mijn vrijheid bemachtigd en nu moest ik die gebruiken ook. Ik was niet van plan om elke avond, na een werkdag van tien uur bij het tijdschrift, mijn geluk in het café te beproeven. Dus tijdens een lunchpauze ging ik naar Craigslist, een website met allerhande soorten advertenties, en stelde een advertentie op voor de rubriek 'korte contacten'.

BRAAF MEISJE OP ZOEK NAAR ERVARING

IK BEN EEN WERKENDE AANTREKKELIJKE VROUW VAN 44, HOOGOPGELEID, MET EEN OPEN HUWELIJK, EN IK ZOEK ALLEENSTAANDE MANNEN IN DE LEEFTIJD 35-50 DIE MIJ WILLEN HELPEN MIJN SEKSUALITEIT VERDER TE ONTDEKKEN. JE MOET BETROUWBAAR EN SLIM ZIJN EN ZOWEL GOEDE GESPREKKEN KUNNEN VOEREN ALS GOED ZIJN IN BED. WE SPREKEN EERST AF IN EEN OPENBARE GELEGENHEID, VOOR KOFFIE OF EEN DRANKJE. ALS DAT GOED VERLOOPT, GAAN WE ETEN, WELLICHT GEVOLGD DOOR SEKS. WE ZULLEN ELKAAR NIET VAKER ZIEN DAN DRIE KEER, WANT IK KAN GEEN SERIEUZE RELATIE AANGAAN. IK ZET DEZE ADVERTENTIE NIET OMDAT IK GEIL BEN OF UIT OP EEN SNELLE WIP. IK WIL WEDERZIJDS RESPECT EN MEDEDOGEN, OOK AL ZIJN HET VLUCHTIGE CONTACTEN.

Ik drukte op 'ga verder' en checkte toen mijn e-mail. De bevestiging van Craigslist was al binnen; ik klikte door en de advertentie stond online.

Toen ik hem een paar minuten later probeerde te bekijken, las ik: 'Gebruikers van Craigslist hebben aangegeven dat deze advertentie verwijderd moet worden.'

Ik begreep het niet en ging naar de helppagina voor geweigerde advertenties. Daar las ik dat Craigslist door de gebruikers werd aangestuurd. Gebruikers konden advertenties om een van de volgende drie redenen weren: als ze in de verkeerde categorie waren ondergebracht, als de gebruiksvoorwaarden werden geschonden (bijvoorbeeld een pornografische of haatdragende inhoud hadden), of als ze te vaak gepost werden. Mijn advertentie was duidelijk met geen van deze regels in strijd, dus postte ik de tekst ervan op het helpforum met de vraag waarom hij verwijderd was.

Binnen een paar minuten verschenen er al reacties.

'Omdat je waarschijnlijk vreemdgaat,' schreef een gebruiker.

Waar, maar dat kon hij (zij?) niet uit mijn advertentie opmaken. Ik ging terug naar 'korte contacten', klikte de rubriek 'man zoekt vrouw' aan en tikte 'getrouwd' als zoekterm in. Er waren meer dan vijfhonderd advertenties van getrouwde mannen die een vluchtig contact zochten. Toen deed ik hetzelfde in de rubriek 'vrouw zoekt man'. Dat leverde elf advertenties op: ongeveer de helft waren van getrouwde vrouwen die een afspraakje wilden, de andere helft waren van vrouwen die er duidelijk bij vermeldden dat ze geen getrouwde man wilden.

'In de advertentie staat duidelijk dat ik met mijn man een open huwelijk heb,' schreef ik terug op het helpforum voor geweigerde advertenties.

'Dat is een ander woord voor vreemdgaan,' reageerde iemand anders.

Ik geloofde mijn ogen niet. Dit was de rubriek 'korte contacten', algemeen bekend als een uitwisselingscentrum voor alle denkbare seksuele handelingen tussen mensen die elkaar niet kennen. Toch leek het hier plotseling wel het stadsplein van Boston rond het jaar 1642.

Ik stuurde een e-mail naar Craigslist zelf waarin ik uitlegde dat ik mijn advertentie nogmaals geplaatst wilde hebben. Daar heb ik nooit een reactie op gekregen.

Op het helpforum voor geweigerde advertenties nam een ervaren gebruiker de tijd om mij de situatie uit te leggen. 'De toon van je advertentie staat mannen waarschijnlijk niet aan. Als genoeg gebruikers de advertentie afkeuren en hem dus verwijderd willen zien, moet je hem, als je die weer geplaatst wilt hebben, jammer genoeg herschrijven.' Ik zocht naar andere vrouwen die vroegen waarom hun advertentie verwijderd was en kwam erachter dat mannen vaak advertenties afkeurden waarin de vrouw geen getallen noemde, en daarmee werd haar gewicht bedoeld.

'Al voldoe je aan alle voorschriften,' schreef een gebruiker, 'als je niet de informatie geeft die mannen willen lezen (de juiste maten) dan blijven ze je eraf gooien.'

Iemand anders schreef: 'Als ze niet kunnen vaststellen of je het figuur hebt dat zij zoeken, laten ze je verwijderen, waarschijnlijk wel in 90 procent van de gevallen. Sorry.'

Ik besloot Craigslist te boycotten.

Ik schreef me in voor een Nerve.com-account en zette de advertentie erop, met een paar foto's erbij. De site van Nerve was veel gedetailleerder, dus ik gaf er ook andere informatie bij, zoals de boeken, muziek en films die ik mooi vond.

Binnen vierentwintig uur liep mijn inbox bij Nerve vol met drieëntwintig kandidaten, voornamelijk mannen die veel jonger waren dan ik. Ik was nooit een beauty geweest en ik wist dat de mannen niet op mijn aantrekkelijke foto's waren afgekomen. Ook niet op het feit dat ik een fan van de band Wilco was of erg van de romans van Milan Kundera hield. Het kwam doordat ze van mij na drie afspraakjes ongedeerd de benen mochten nemen.

Hun intenties interesseerden me echter niet. Ik wilde alleen hun mannelijkheid, dat wat ze het liefst aanboden. Ik wilde hun geur, hun buik, hun graaiende handen en hongerige mond. Hoe meer mannelijkheid ik kreeg, hoe vrouwelijker ik kon zijn. Daar was ik op uit, ondanks de waarschuwende woorden van bezorgde vriendinnen, het verdriet dat ik mijn man deed, de morele norm en de grenzen waarmee ik mezelf, zoals ik mezelf vierenveertig jaar had gekend, had afgebakend. Ik zou er hoe dan ook door in extase gebracht worden. En dan konden zij vertrekken.

10

Nerve

Als de rubriek 'korte contacten' van Craigslist de prijsvechter van het datingcircuit was, dan was Nerve.com de hippe designerwinkel. De mannen zaten voornamelijk aan de slimme, progressieve kant van het spectrum, geheel in overeenstemming met de seksvriendelijke, mondaine lijn van Nerve. En Nerve deelde de persoonlijke advertenties met Salon.com, het intellectuele broertje van Bay Area.

Ik was een paar dagen bezig met de reacties door te nemen. Ik deelde de mannen in groepen in: ja, nee en misschien. Ik viel op lange mannen. Alle vier de vriendjes uit mijn bescheiden verleden waren minstens een meter vijfentachtig geweest. Ik probeerde deze voorkeur naast me neer te leggen en zette een paar kleine mannen op de lijst van degenen met wie ik een afspraak besloot te maken.

Eén man, een alleenstaande vader en motorrijder, van top tot teen in het zwart gekleed, trof ik in een koffiebar in Hayes Valley. Toen ik vroeg wat voor werk hij deed, haalde hij zijn schouders op en zei: 'Van alles.' Toen ik vroeg hoe hij zichzelf zou omschrijven, zei hij: 'Heel gesloten. Ik laat niet veel over mezelf los.' Volgende patiënt. Nog tweeëntwintig te gaan. Als ik ergens op afknapte was het wel geslotenheid.

Op mijn advertentie hadden een paar mannen van boven de vijftig gereageerd, hoewel vijftig mijn bovengrens was. Eén dikke en sportieve man schreef over zichzelf dat hij 'olympisch' was en beloofde dat hij groot geschapen was en onderlegd in tantra. 'Ik laat je plekken zien waar je nog nooit geweest bent,' verzekerde hij me. Dat verleidde me tot een e-mailwisseling. We prikten een datum. Net toen we de definitieve afspraak maakten liet hij zich ontvallen dat hij overigens geen condoom zou gebruiken. 'Ik geloof in genot, en condooms staan haaks op mijn genot en dat van mijn partner,' schreef hij. Het weekend met Paul stond me nog levendig voor ogen, dus antwoordde ik: 'Prima, maar zonder condoom is voor mij geen optie. Veel succes verder.' Als twintiger – de laatste keer dat ik single was geweest – had ik het doodeng gevonden om grenzen te stellen, maar nu bezorgde het me een intens plezier om zelfs eenvoudige regels met onbekende mannen af te spreken.

Een van de profielen die bij Nerve in mijn wachtrij stonden was voorzien van close-upfoto's van een gespierd bovenlichaam. Mijn collega Ellen, die niet alleen een vlug verstand had, maar ook heel mooi was, bood aan als mijn online datingconsultant op te treden. Ze vertelde dat bij een ontbloot sixpack op iemands profielfoto de alarmbellen moesten gaan rinkelen. Dat was meestal een verlopen type. Maar de gebeeldhouwde buik riep wel een fantasie bij me op die ik soms had: de grote onbehaarde bruut met een brede kaak, een kaalgeschoren hoofd, een bovenlichaam vol met tatoeages, gewelfde bilspieren boven dikke bovenbenen, een en al keiharde oppervlakken waar ik tegenaan kon slaan of kronkelen.

Meneer Sixpack was een man van weinig woorden. In zijn eerste berichtje zei hij alleen maar: 'Je ziet eruit alsof je in de twintig bent, jongedame.' Hij stelde voor om bij de 500 Club af te spreken, een morsig café in Mission. Hij wist hoe ik eruitzag, maar ik nog niet hoe hij eruitzag. Iets zei me dat ik Ellen moest meenemen, en onze wederzijdse vriendin Jenny ging ook mee. Ze liepen voor me uit het café binnen en gingen aan de bar zitten. Toen ik binnenkwam, zag ik een kale, gespierde man van een jaar of vijfendertig, in het leer gekleed, alleen op een bankje zitten. Hij keek me meteen aan en krulde zijn lippen tot een flauw glimlachje waaruit ik opmaakte dat ik precies was wat hij verwacht had.

'Pete?' zei ik, en ik liep naar zijn tafeltje toe. Zo had hij in elk geval gezegd dat hij heette; hij zag eruit als iemand die een schuilnaam gebruikte. Hij knikte door één keer zijn kin iets te laten zakken. 'Aangenaam,' zei ik, en ik ging op de bank tegenover hem zitten. Ik vroeg de serveerster om een gin-tonic en trok verwachtingsvol mijn wenkbrauwen naar hem op.

'Zo,' zei ik. 'Hallo.'

'Hallo.'

Ik keek het café rond – zo'n tent waar alle roodbruine tinten in het zachte licht zwart lijken. 'Zit je al lang te wachten?'

'Nee.'

Ik hoorde heel vaag een Iers accent, maar ik zou meer woorden moeten horen om het zeker te weten, en die kwamen maar niet.

'Mooi jack heb je aan,' zei ik.

Hij keek even omlaag. 'Bedankt.'

Plotseling werd ik kwaad. Wie dacht hij wel dat hij was, dat hij mij al het werk liet doen? Ik was misschien wel gemakkelijk, maar beslist niet wanhopig.

'Nou, wat vind je allemaal leuk?' vroeg hij, terwijl hij met een paar dikke vingers over de stoppels op zijn kin wreef.

'Hoe bedoel je?' Geen reactie. 'Bedoel je... in bed?'

Hij glimlachte alleen maar, een wraakzuchtige grijns.

'Ik sta open,' zei ik. 'Ik wil leren. Misschien kom je er wel snel achter als we elkaar beter leren kennen.'

'We hoeven elkaar niet te leren kennen.' Aha. Gewoon snel ons drankje achteroverslaan en dan de wc in glippen, zodat je mijn hoofd dertig seconden lang tegen een tussenwand kan rammen. In theorie had ik niets op dat scenario tegen. Ellen en Jenny zaten aan de bar te wachten, dus de wc was eigenlijk een veiligere optie dan het huis van Pete, dat ik me voorstelde als een kaal eenkamerappartement met alleen een veldbed, een minikoelkast vol Guinness en zware halters. Maar zo gemakkelijk kreeg hij me niet. Hij monsterde me met een blik van boos ongeduld.

'Ik ga even naar de wc,' zei ik. Ik waste mijn handen, deed wat lipgloss op, liep terug naar het tafeltje en bleef daar staan. 'Ik denk niet dat het wat wordt, Pete, maar bedankt dat je gekomen bent.' Onderweg naar buiten gebaarde ik naar Ellen en Jenny dat ik bij de auto op ze zou wachten.

'O jezus, dat was je reinste seriemoordenaar,' zei Ellen.

'Nou en of,' viel Jenny haar bij.

Na nog een paar tegenvallers ontmoette ik Jonathan, een kok van in de veertig uit Silicon Valley. Hij was slank, knap, droeg een bril met schildpadmontuur, had een stijlvol kapsel en een brede glimlach en straalde helemaal dat optimisme van de Westkust uit. We spraken af bij Beretta, een druk café-restaurant in Mission. We waren ongeveer een uur in gesprek toen hij zijn glas neerzette en zei: 'En, hoe vind je dat het tot nu toe gaat?'

'Goed wel,' zei ik. 'Leuk. En jij?'

'Vind ik ook. Er is nog niet echt seksuele chemie, maar ik vermoed dat als we zoenen de vonken ervan afvliegen.'

Ik wist niet of dat nou een soort avance was, maar het werkte wel. We namen nog een drankje en toen liep hij met me mee naar mijn appartement, een paar straten terug. Voor de deur legde hij zijn handen om mijn middel en kuste me bedreven, waarbij hij me langzaam met zijn tong verkende. We stonden daar zeker twintig minuten te vrijen, tot hij zich moest haasten om zijn trein te halen en ik duizelig achterbleef.

Voor ons tweede afspraakje, de week erop, kwam hij met een koelbox met lekkere hapjes naar mijn appartement: hummus, lekkere kaas en crackers. Terwijl de zon onderging pakten we de box in de keuken uit, schonken wijn in en namen alles mee naar de woonkamer. Hij was fan van Wim Wenders en omdat ik verteld had dat ik *Wings of Desire* nooit gezien had, had hij die bij zich. Ik liep naar de tv om de dvd erin te doen en voor ik de lade dichtschoof stond hij al achter me en kuste me op mijn oor.

We liepen struikelend naar het bed, waar hij me op handen en knieën zette en me van achteren neukte, eerst met zijn vinger en toen echt. Hij praatte aan één stuk door, en net als bij Paul wond dat me bijna net zo erg op als de daad zelf. Al voor hij me aanraakte was ik nat en ik sloeg net zulke geile taal uit als hij. En net als bij Paul kwam ik niet klaar. Meestal moest een nieuwe man eerst een paar keer proberen voor hij doorhad hoe hij me een orgasme moest bezorgen, en ik had geen idee of deze minnaars daar in de geplande twee of drie ontmoetingen achter zouden komen. Het kwam niet eens in me op om Paul of Jonathan te vertellen wat ze bij me moesten doen. Het ging me er meer om dat ik geneukt werd dan dat ik een orgasme kreeg.

Na afloop ging hij in zijn boxershort op de bank zitten, deed zijn laptop open en zette muziek op – veel newwavedingen waar ik het nooit zo mee op had gehad: Echo and the Bunnymen, Depeche Mode, The Smiths. Hij vroeg of hij mocht blijven slapen. Ik zei vriendelijk 'nee', en toen kleedde hij zich aan om te vertrekken, maar onze afscheidskus was zo geil dat hij zijn rits opendeed, nog een condoom pakte, me weer op het bed duwde en me voor hij vertrok nog een keer neukte.

Toen ik de deur achter hem dichtdeed, voelde ik me voldaan.

Minnaar nummer twee. Het kwam niet alleen door de seks dat ik me zo heerlijk voelde. Het kwam ook door het eten, de muziek, het gesprek – de intieme glimp die je van de ander opvangt. Als een schipbreukeling die van een eilandje wordt gered kon ik eindelijk de randen van de wijde wereld zien, terwijl mijn bootje ondertussen langs een onbekende kust dobberde.

Voor het tijdschrift moest ik vaak tot 's avonds laat werken en ook regelmatig in het weekend, maar daar stond veel tegenover. Ik moest voor een opdracht naar Las Vegas, en daar logeerde ik in een luxueus hotel, ingericht in de glamourstijl van de jaren vijftig. De badkamer was zo groot als een kleine slaapkamer. Alles was glimmend zwart, wit of grijs. Op dit soort tripjes werden redacteuren als vips behandeld: alles was gratis of je kreeg betere kwaliteit dan waarvoor je betaalde. Onze namen stonden altijd op de lijst van het mooie meisje met de lange benen bij de deur. Het feest waar ik die keer voor kwam werd gehouden in de lobby van het hotel, waar mannen in pak en vrouwen op hoge hakken champagne wegklokten en bladerdeeghapjes van de dienbladen pakten waar in smoking geklede obers mee rondgingen. Een brede wenteltrap voerde naar de in het souterrain gelegen verduisterde dancing. Ik liep naar beneden, bleef onder aan de trap staan en keek de dansvloer langs. Er liep een slungelige man met donker haar – een jongen eigenlijk meer – naar de trap toe. Hij kwam me zo bekend voor dat ik in het voorbijgaan in een reflex 'hallo' tegen hem zei. In het circuit van de persreisjes kwam ik wel vaker bekenden tegen.

'Hallo,' zei hij, en hij keek niet-begrijpend. Nee, ik vergiste me. Ik kende hem niet.

Tien minuten later kwam hij terug en vroeg of ik iets van hem wilde drinken.

'Graag,' zei ik. Aangezien ik mijn hele leven monogaam was geweest, was zowel de zwoele als de ijzige barhouding die je wel bij vrijgezelle vrouwen ziet mij vreemd. In plaats daarvan kletste ik gewoon wat, alsof ik met een nieuwe vriend in gesprek was. Terwijl ik zo een kwartiertje aan de praat was, maakte hij van een natuurlijke stilte in het gesprek gebruik om te vragen: 'Wat denk je, zullen we naar jouw kamer gaan?'

Ik draaide me bijna om om te kijken of hij wel echt mij bedoelde. Ik had nog nooit in een bar een man opgepikt. Bovendien had ik mijn trouwring om. Die zou ik gedurende het hele project niet afdoen.

'Weet je wel dat ik getrouwd ben?' vroeg ik om tijd te rekken.

'Ja, dat zie ik.'

'Even voor de goede orde: op dit moment zijn we uit elkaar. Parttime althans. Laat maar zitten, het is een lang verhaal.'

Hij glimlachte. 'Ik vermoedde al zoiets.'

'Hoe oud ben je?' durfde ik te vragen.

'Drieëntwintig.'

Drieëntwintig. Waarom stond hij hier een getrouwde vrouw van middelbare leeftijd te versieren terwijl het wemelde van de beeldschone singles? Het kwam waarschijnlijk door mijn geur. Mijn feromonen waren veel sterker dan die van hen.

'Oké,' zei ik, en ik draaide me om naar de trap. 'Kom maar mee.'

Door het leeftijdsverschil aarzelde ik op de een of andere manier toch om echt seks met hem te hebben, en hij drong ook niet aan. We vreeën op het kingsize bed, met al onze kleren aan. Ik draaide hem op zijn rug, ging op handen en knieën schrijlings boven zijn heupen hangen en begon hem langzaam te pijpen – dat was al sinds de middelbare school mijn alternatief voor de daad zelf, toen ik met mijn vriendje absoluut maagd wilde blijven tot na het eindexamen. Ik kende vrouwen die fellatio lekker vonden en vrouwen die het nooit deden; ik behoorde zelf tot de eerste groep. Ik vond penissen mooi – een gewoon orgaan dat in een sculptuur van vlees veranderde. Ik vond het leuk om ze van heel dichtbij de baas te zijn, om ze groter en hard te zien worden, om de richels van hun warme architectuur tegen mijn verhemelte te voelen.

'Mag ik je een tip geven?' vroeg hij toen we klaar waren.

'Oké,' zei ik verbaasd.

'Tegen het eind, als de man bijna klaarkomt, moet je het een beetje zachter doen. Dan wordt het heel gevoelig.'

'Hmm,' zei ik. 'Begrepen.' Al die jaren ervaring en dan krijg ik van een knul van drieëntwintig advies over hoe ik moet pijpen. Zijn opmerking had me pijn moeten doen, maar ik bespeurde alleen maar nieuwsgierigheid naar zijn voorkeur en trots op mijn onverschilligheid. Samen met mijn kersverse ontspannen assertiviteit beschouwde ik dit maar als het bewijs dat ik de afgelopen twintig jaar, sinds ik voor het laatst met iemand had gedatet, volwassen was geworden.

Toch? Er begon zich een patroon af te tekenen. Ik vond het fijn om op handen en knieën te zitten. Hoewel ik penissen heel mooi vond, begon ik een man al snel stevig te pijpen, maar ik verwachtte niet dat hij mij op zijn beurt ook oraal bevredigde. Ik wist niet of ik mijn eigen orgasme nu minder belangrijk vond om de man een plezier te doen of om mezelf emotioneel te beschermen. Wilde ik bij een nieuwe man eigenlijk wel klaarkomen?

Ik nam me voor daarachter te komen. Ik merkte al dat elke nieuwe ontmoeting niet alleen de opwinding van de seks met zich meebracht, die op zichzelf al van cruciaal belang was, maar ook een hele reeks vragen die daar als sterrenstof achteraan dwarrelden. Ik vermoedde dat het wel een poosje zou duren voordat ik daar antwoord op had.

Hij kleedde zich aan en ik liep met hem mee naar de deur. We stonden elkaar even een ongemakkelijk moment aan te kijken. Hij hield zijn mobiele telefoon omhoog.

'Je hoeft mijn nummer niet te noteren, hoor,' zei ik.

'Ik dacht, voor het geval ik een keer in San Francisco ben. Daar woont mijn broer.'

'Oké.' Ik noemde mijn nummer. 'Maar voel je vooral niet verplicht.' Een paar maanden later zou hij inderdaad een berichtje achterlaten, waar ik verder niet op reageerde.

Ik stapte weer in bed en sms'te Scott om hem welterusten te wensen. Ik was me er terdege van bewust dat ik me, als hij niet thuis in San Francisco op me wachtte, waarschijnlijk net zo kwetsbaar zou voelen als onverschillig welke andere vrouw die net een wildvreemde man gepijpt had, en dat ik er dan nooit zo luchthartig over had kunnen doen. Op de dagen dat we niet bij elkaar waren, e-mailden en sms'ten we, maar vaak belden we 's avonds niet, om intuïtief emotionele afstand te houden tot datgene waar de ander op dat moment wellicht mee bezig was. Een deel van de afspraak luidde dat we niet naar elkaars contacten zouden informeren en dat we daar ook geen details over wilden weten. Mobiele telefoons zorgden voor extra dekking; we konden namelijk overal vandaan bellen of sms'en.

Alleen even om je welterusten te wensen, sms'te ik naar de man die mij nooit op handen en knieën zette, letterlijk dan.

Welterusten, liefje, sms'te Scott terug, van waar hij ook zat.

11

OneTaste

Als ik iemand in San Francisco over mijn open huwelijk vertelde, kon ik twee soorten reacties krijgen. De eerste was een slappe versie van de waarschuwingen die onze vrienden uit Sacramento hadden geuit. Inwoners van San Francisco veroordeelden me niet, in elk geval niet met zoveel woorden, maar ik zag aan hun gezicht wel dat ze bezorgd waren. 'Dat klinkt riskant,' zeiden ze dan. Of: 'Jullie maakten juist zo'n gelukkige indruk.'

De tweede reactie, meestal afkomstig van een vrouw, was een stille blik van verbaasde eerbied. 'Jeetje, wat moedig.' Daar keek ik van op. Ik voelde me niet moedig. Wat ik deed voelde als een instinct, als iets onvermijdelijks.

In Omaha of Baton Rouge zou dit hele concept beslist niet goed gevallen zijn. In San Francisco was het helemaal niet zo vreemd dat iemand meerdere geliefden had. Veel homo's die ik kende, en zelfs een paar heterostellen, hadden met de partner met wie ze al heel lang samen waren een open relatie. De halve stad ging in september altijd naar het Burning Man-festival en nam dan even 'vrij' van zijn of haar relatie – wat tijdens Burning Man gebeurt, blijft daar ook. San Francisco was de stad van de knuffelfeesten, groepsseksgelegenheden als de Power Exchange, doordeweekse happy hours in The Porn Palace, en van de sekstherapeuten die zichzelf plaatsvervanger noemen en met hun cliënten naar bed gaan.

OneTaste vond ik de meest intrigerende subcultuur, een 'stadscommune' in South of Market, waarbij het draaide om iets wat 'orgastische meditatie' genoemd werd, een oefening waarbij de clitoris van de vrouw een kwartier lang heel zacht gevingerd wordt. In een artikel in het weekblad las ik dat OneTaste een stuk of twintig bewoners had die weken of maanden achterelkaar met verschillende 'onderzoekpartners' aan de slag gingen en dan vaak allemaal bij elkaar in één grote loft sliepen, een paar deuren verderop naast hun cursuscentrum. Op de gelikte website van OneTaste stonden allerlei workshops die in het weekend gegeven werden, maar ook een vaste woensdagavond met een kennismakingsbijeenkomst, InGroup genaamd.

Op een woensdagavond reed ik naar South of Market en parkeerde voor het hoofdkwartier van OneTaste, een nietszeggend pand van twee verdiepingen, tussen een pizzarestaurant en een cafetaria, aan een druk stuk van Folsom Street. Achter de receptie zat een tenger meisje met bruin haar. Ik moest een formulier met mijn gegevens invullen. Het centrum zag eruit als een yogastudio: schoon, schaars gemeubileerd, met hoge plafonds en zware houten tafels. Aan de muren hingen zwart-witfoto's van naakte vrouwen. Er liepen een stuk of twintig mensen rond, van halverwege de twintig tot halverwege de veertig. Toen ik over OneTaste had gelezen, had ik me er een stel hippies bij voorgesteld. Deze mensen waren daarentegen goedverzorgd en goedgekleed en zaten op hun smartphone of laptop te tikken.

Toen het tijd was om te beginnen, ging een man van een jaar of veertig, Noah genaamd, die eruitzag alsof hij in een ander leven rabbijn geweest had kunnen zijn, ons voor een brede trap op naar de eerste verdieping. Via een dik fluwelen gordijn kwamen we in een andere lichte ruimte met een bank en daaromheen in een halve cirkel rijen stoelen opgesteld. Ik ging op de tweede rij zitten.

Noah ging op de bank zitten, naast een vrouw met een blonde bob die voortdurend glimlachte. Ze had een zwarte broek aan, een zwart shirt met een draperie, en zwarte schoenen met hoge hakken. Ze zat met haar benen wijd, met op elke knie een hand. 'Ik oefen deze houding, met mijn kut open, om te kijken of dat anders voelt dan met mijn benen over elkaar,' liet ze ons weten.

Niemand verblikte of verbloosde bij het woord 'kut'. Dankzij Regena was ik er inmiddels zo aan gewend dat ik vergeten was dat het ooit als een vulgair woord werd beschouwd. We stelden ons om de beurt voor en deden daarna woordspelletjes, waarbij we zinnen moesten afmaken, zoals 'Ik voel me op dit moment...', 'Wat jullie nooit van me gedacht zouden hebben is dat ik...' en 'Als ik een meester in het orgasme was zou ik...' Noah draaide zich om naar de hoge stoel die naast de bank stond. 'Dit noemen wij de "hot seat",' zei hij. 'Het is precies wat de naam al zegt. Je gaat er uit vrije wil op zitten en dan mogen wij je vragen wat we maar willen. Je hebt drie keuzen: je vertelt de waarheid, je liegt of je past. We hebben het liefst dat je de waarheid vertelt.' Noah legde uit dat degene op de stoel niet verder mocht praten zodra de vraagsteller 'Dank je wel' zei, ook al was dat midden in een zin. 'Wie wil er beginnen?' vroeg hij.

Er gingen een paar handen de lucht in. Noah wees een slanke jonge vrouw op de voorste rij aan, met een skinny jeans en een hipster-T-shirt aan. Haar lange donkere haar kwam tot halverwege haar rug. De helft van de mannen in het vertrek stak zijn hand op om een vraag te stellen.

'Ben je gelukkig?' vroeg de eerste man.

Ze dacht even na en hield haar kin schuin omhoog. 'Mmm, best wel, ja.'

'Wat wil je?' vroeg de tweede man.

Ze ging wat verzitten. 'Ik wil meer hartstocht in het leven.'

'Bespeel je mannen met je schoonheid?' vroeg Noah.

'Ja,' zei ze met een glimlach. Iedereen moest lachen. Je voelde gewoon dat de aanwezigen zich ontspanden.

Naarmate het spel vorderde, boden meer mensen zich aan. Zo ook ik. Noah wees me aan en ik ging op de kruk zitten. Ik was zenuwachtig en opgewonden, als een kind dat voor de achtbaan in de rij staat, en ik schoof mijn handen onder mijn bovenbenen. Er gingen een paar handen de lucht in, en Noah wees een man achterin als eerste aan.

'Wat zegt je lichaamstaal op dit moment?' vroeg hij.

Ik keek naar mijn verstopte handen en legde ze op mijn schoot. 'Ik denk dat ik mezelf een beetje probeer te beschermen, omdat ik hier niemand ken.'

'Waar ben je dan bang voor?' vroeg een vrouw vooraan.

'Dat ik veroordeeld word.'

'Wat is er erg aan veroordeeld worden?'

Het antwoord leek me voor de hand liggen, maar ik speelde het spel mee. Liegen of passen kwam niet eens in me op.

'Ik wil niet dat andere mensen hun psychologische onzin op me loslaten.'

'Bescherm je jezelf ook weleens tegen mensen die je wel kent?' mengde Noah zich erin.

'Ja.'

'Tegen wie zoal?'

Het werd wazig in mijn hoofd, zoals me ook tijdens mijn therapie gebeurde als een vraag te gevoelig lag.

'Waarschijnlijk tegen mijn man.' Mijn hart beukte tegen mijn ribbenkast. Alle ogen waren op mij gericht.

'Wat wil je?' vroeg een man.

'Ik wil intimiteit.'

Toen stak het meisje met het bruine haar van de receptie haar hand op. 'Wat vind je zo eng aan intimiteit?' vroeg ze. Ze had een koninklijk, vogelachtig gezicht en een lange hals.

'Eh... nee, ik heb gezegd dat ik intimiteit...'

'Dank je wel,' onderbrak ze me. 'Waarom ben je hier?'

'Wil je dat echt weten? Omdat ik net aan een open huwelijk begonnen ben. Ik ben hier omdat ik minnaars wil.' Mijn hals en wangen begonnen te gloeien, maar ik dwong mezelf haar strak aan te kijken en dacht: kom maar op, meid.

'Wat verwacht je van minnaars te krijgen wat je man je niet kan geven?'

'Levenservaring,' zei ik. 'Mannelijke energie.'

'Oké,' zei Noah. 'Heel goed.' Ik liep terug naar mijn stoel en de groep applaudisseerde. Ik voelde me verkwikt en helder, zoals na het sporten.

Toen er anderhalf uur verstreken was, zei Noah dat we nu iedereen langs zouden gaan en de emotionele resten van de interactie zouden opruimen. 'Dus als iemand iets wil zeggen, kan dat nu.' Een paar stoelen rechts van mij zat een magere man met een lang gezicht, volle lippen en een kuiltje in zijn kin. 'Toen die vrouw op de hot seat zei dat ze minnaars wilde, wond me dat op. Ik wilde me aanbieden.' Hij heette Jude en had een spijkerjasje aan en droeg op zijn bijna kaalgeschoren hoofd een gestreepte beanie. Dat had niet veel mannen goed gestaan.

Twee stoelen verderop verstijfde een vrouw met weerbarstige krullen. Toen zij aan de beurt was, zei ze: 'Ik ben kwaad en voel me geschoffeerd door mannen die onomwonden tegen een vrouw zeggen dat ze zin in haar hebben. Ik kom hier om me veilig te voelen.' Haar afkeuring was voelbaar. Judes gezicht betrok even, maar toen hervond hij een yogiachtige kalmte.

Toen ik aan de beurt was, zat ik nog steeds na te denken over wat Jude gezegd had. 'Ik geloof dat ik alleen Jude wil bedanken. Het is een fijn gevoel als iemand je leuk vindt.' Toen ik dat zei, leek iedereen zich te ontspannen, behalve de boze vrouw. De stress van de hot seat en het ongemakkelijke gevoel dat de vrouw me met haar reactie had bezorgd, maakten de kick alleen nog maar groter. Jude glimlachte met serene blik naar me. Minnaar nummer vier, dacht ik.

Ik sloot me aan bij OneTaste. Voor negentig dollar per maand mocht ik aan net zoveel weekendworkshops deelnemen als ik wilde, die per stuk allemaal een paar honderd dollar kostten. Toen Noah me inschreef, zei ik: 'Ik denk niet dat ik ooit in het openbaar mijn broek zal uittrekken en een man aan mijn clitoris zal laten zitten.' Hij glimlachte alsof hij wel beter wist en zei: 'Prima, dat mag je helemaal zelf bepalen.'

Ik had geen behoefte aan orgastische meditatie. Het woordspel van OneTaste was meer dan genoeg. Wat wil je, waar ben je bang voor, waar bescherm je jezelf tegen... die vragen had ik Scott zeventien jaar lang gesteld, maar er nauwelijks antwoord op gekregen. Hij had wat hij wilde. Hij was niet echt ergens bang voor. Als hij dronken was, werd hij soms overdreven spraakzaam en liet hij weleens iets los over zijn ongecensureerde gevoelens, maar dan kon ik hem niet goed volgen, en als ik er de volgende dag op terugkwam, kon hij zich het gesprek niet herinneren. Als hij nuchter was, beantwoordde hij mijn vragen meestal met: 'Daar heb ik nog nooit over nagedacht', of: 'Jij weet net zoveel over mij als ik zelf.'

De eerste workshop die ik bijwoonde duurde van zaterdagochtend tot zondagavond. Er deden ongeveer twintig mensen aan mee, met ongeveer net zoveel mannen als vrouwen. Jude was er ook bij. Deze keer werd de cursus geleid door Grace, een vrouw met een fris gezicht, en Silas, een heel grote kale man, die eruitzag alsof hij alles wat hij tegenkwam met zijn blote handen kon fijn drukken.

We deden nog een paar woordspelletjes, zoals bij de In-Group: wat voel ik op dit moment, wat zou je nooit achter mij gezocht zou hebben, waar heb ik een ontzettende hekel aan. We moesten allemaal om de beurt opstaan en spontaan dansen op een nummer dat de cursusleiders voor ons hadden uitgekozen en bij onze persoonlijkheid vonden passen. Ik kreeg een ritmisch dansnummer van Shakira. De helft van de deelnemers deed een blinddoek voor en de andere helft liep tussen hen door en luisterde, terwijl de geblinddoekte mensen gevoelens opbiechtten die ze normaal gesproken voor zich hielden. Ik ging voor een man zitten, Andrew genaamd, en hij vertelde me dat hij ontzettend kwaad was op zijn moeder, die hem met behulp van manipulatie en schuldgevoel de mond had gesnoerd en haar haat jegens mannen over hem had uitgestort. Toen ik hem vroeg hoe het voelde om hierover te vertellen, legde hij zijn handen op zijn bekken en zei: 'Ik voel dat zich hier heel veel energie ophoopt. Het voelt goed, alsof ik groter word. Het voelt alsof ik het naar buiten wil duwen.'

Ik wilde plotseling dat hij me de kleren van het lijf zou rukken en de woede jegens zijn moeder op mij zou botvieren. Ik mocht niets zeggen.

Grace en Silas vertelden dat mannen in onze cultuur onophoudelijk naar vrouwen lonken en naar vrouwenlichamen verlangen, terwijl vrouwen niet geleerd wordt om mannen als een object te zien of hun eigen lichamelijke behoeften op hen los te laten. Vrouwen hadden zelfs helemaal geen voeling met hun verlangens. Om dit proces te illustreren en om te keren moesten de mannen in een lange rij op hun rug op de grond gaan liggen. De vrouwen moesten tussen de mannen door lopen, hen aanraken hoe ze maar wilden, gewoon omdat we dat zelf prettig vonden. De enige regel was dat ze hen niet mochten kussen en niet in hun kruis mochten tasten, en de mannen moesten hun ogen gesloten houden en hun armen langs hun lichaam laten. Er werd een langzaam zwoel nummer opgezet en de vrouwen liepen langzaam en onzeker naar de rij liggende mannen.

Ik wilde eigenlijk aan het ene eind van de rij beginnen en met elke man iets doen, uit het oogpunt van eerlijkheid en omdat ik niemand wilde kwetsen. Toen herinnerde ik me dat ze hun ogen niet open mochten doen en dat ik op mijn eigen impulsen moest afgaan en me niet moest bekommeren om hoe ik zou overkomen. Ik liep linea recta naar Jude toe. Ik ging op mijn knieën naast zijn hoofd zitten en voelde aan de donkere zweem van de stoppels, daar waar hij zijn haar eraf geschoren had. Ik ging met mijn vinger over zijn wang tot in de cupidoboog van zijn bovenlip en keek naar zijn mond zonder bang te zijn dat ik betrapt werd. Ik legde mijn hand op zijn zachte t-shirt en voelde zijn ribben eronder. Hij was heel mager. Ik tilde een van zijn handen op, trok zachtjes aan zijn vingers en liet hem toen weer los.

Ik kroop voorzichtig van Jude weg, over een berg benen heen, naar Andrew toe, zette mijn benen aan weerskanten en schoof omhoog, zodat ik schrijlings op zijn buik zat. Ik voelde de warmte van zijn buik door onze kleren heen. Ik legde mijn hand op zijn borst, in de opening van zijn spijkerhemd, boog me toen over hem heen en ging met mijn wang over de haartjes die erdoor naar buiten staken. Hij rook schoon, gezond. Ik liet mijn haar over zijn gezicht vallen en over zijn hals strijken. Hij kreunde zacht. Plotseling werd ik bang – stel nou dat hij een stijve kreeg? – maar besefte toen dat dat niet erg zou zijn. Ik zou er niet op aangekeken worden. Ik hoefde alleen maar te doen wat mijn lichaam wilde.

Ik ging even rechtop zitten om dit nieuwe besef goed tot me

door te laten dringen. Dit was voor zover ik me kon heugen de allereerste keer dat ik uitsluitend vanuit mijn eigen behoeften had gehandeld, zonder de druk om te presteren, zonder me verplicht te voelen, zonder mezelf als lustobject voor de man te beschouwen – lust waar ik altijd omzichtig mee moest omgaan en die ik vaak moest afzwakken. Plotseling was ík de hoofdrolspeler. Zelfs als ik masturbeerde had ik meer een beeld van mezelf als degene die reageerde dan als degene die vingerde. Ik keek naar links en naar rechts, zag hoe de andere vrouwen tegen de mannen aan kronkelden en hun handen over hun lichaam lieten gaan. De meesten hadden hun ogen dicht en glimlachten. Ze zagen er vrij uit. En gretig.

Toen de eerste dag van de workshop ten einde was, kwamen we weer in een halve kring voor de bank bij elkaar. Ik ging op de grond zitten, vóór Andrew, die op een stoel zat. Hoewel hij beide keren dat ik iets met hem had gedaan zijn ogen gesloten had gehad, hadden we wel al een band, misschien door onze geur. Ik kon zijn knie bijna vóelen, een paar centimeter achter mijn hoofd. Terwijl Silas sprak over hoe je van het hoge energiegehalte van die dag kon 'neerdalen' door een warm bad te nemen of naar een ontspannende film te kijken, legde Andrew zijn handen op mijn schouders en begon die langzaam zachtjes te masseren.

Hij boog zich naar me over. 'Mag ik?' vroeg hij in mijn oor.

Ik knikte en schoof achteruit tot ik tegen zijn scheenbenen leunde. Er ging geen drang uit van de manier waarop hij me aanraakte. Hij straalde een uitermate wakker, meditatief gevoel uit van volledig in het nu zijn, alsof hij niets van tevoren bedacht.

Toen we weggingen, liep ik bij de deur langs Jude. 'Hallo, ik ben Robin. We hebben elkaar min of meer bij de InGroup ontmoet. Je vond me leuk.'

'Ik vind je nog steeds leuk,' zei hij. 'Ga morgen met me lunchen.' Die directheid had ik niet van iemand met zo'n etherisch lichaam verwacht.

De volgende dag liep Jude bij de lunchpauze meteen naar me toe, trok zijn spijkerjack aan en zei: 'Zullen we?' We liepen naar een grote overdekte markt met natuurvoedingszaken een paar straten verderop; op zondagmiddag was er niet veel open in SoMa.

Jude was veganist. We schepten ons bord vol met sla en groente van de biologische saladebar en gingen aan een tafeltje zitten. De zomerzon viel door de glazen wanden van de overdekte markt naar binnen. Ik had kip en feta op mijn salade gelegd.

'Hoe lang ben je al veganist?' vroeg ik.

'Sinds ik *Earthlings* gezien heb.'

'Is dat een documentaire?'

'Ja. Vreselijk. Je mag hem wel van me lenen, als je wilt, maar weet wel waar je aan begint.'

'Wat doe jij voor werk?'

'Ik ben healer.' In San Francisco was dat vaak een van de vele eufemismen voor iemand die werkloos was. Jude leek er echter echt een te zijn. Hij had in New York aan twee verschillende scholen astrologie, hindoeïstische filosofie, meditatie en intuïtieve healing gestudeerd. Hij deed uitgebreide astrologische readings met geboortegegevens en voerde elke week een vuurceremonie uit waarbij de deelnemers zich van oude problemen en negativiteit ontdeden. Dat had me voor hetzelfde geld kunnen afschrikken, ware het niet dat hij iets gewieksts over zich had. Ik vroeg hem naar zijn achternaam.

'Liebman,' zei hij. Aha, Joods. Opgegroeid in New Jersey. Dat verklaarde veel.

'Voor een spirituele man vind ik je erg met beide benen op de grond staan.' Inmiddels zat hij heel dicht bij me.

'Dat komt doordat ik een Stier ben,' zei hij, terwijl hij naar mijn armen en handen keek.

'Echt? Ik ook. Ik ben van 22 april.'

'Dat meen je niet,' zei hij, en hij trok zijn kin in om me eens goed aan te kunnen kijken. 'Ik ook.'

Ik had pas één keer iemand anders, een man, ontmoet die ook op dezelfde dag jarig was. Dat was toen ik in de twintig was. Ik had het gevoel gehad dat die man een verwante ziel was, hoewel ik uiteindelijk toch niet op zijn avances was ingegaan en voor Scott had gekozen.

'Maar vast niet in hetzelfde jaar,' zei ik, en ik glimlachte overdreven zelfverzekerd om elk spoortje onzekerheid te verhullen. 'Ik ben van 1964.'

Hij zette grote ogen op. 'Wauw... ik heb een oudere vrouw voor me.' Twaalf jaar ouder, om precies te zijn.

Jude was bezig met een novelle, een soort fabel, over een getalenteerde jongen die een mythische reis maakt. Hij werkte als ober in Café Gratitude, het beruchte veganistische restaurant van San Francisco. Hij schreef liedjes, nam die op en speelde gitaar. Hij boog zich naar voren om me te kussen en ik schoof naar achteren.

'Mijn man en ik zijn in het weekend monogaam. Door de week wonen we apart.'

'Cool, zeg. Dinsdag dan maar?' Op de terugweg naar One-Taste zorgde hij ervoor dat hij me niet aanraakte.

Die middag maakten we kennis met de orgastische meditatie. Een Aziatische vrouw met lang donker haar en een roodzijden kamerjas aan kwam het vertrek binnen, vergezeld door een man van middelbare leeftijd met grote blauwe ogen en een lief gezicht. Ze deed haar kamerjas uit en ging naakt op de massagetafel liggen die midden in het vertrek was neergezet. We schoven onze stoelen voor de tafel en keken recht tussen haar gespreide benen.

Haar knieën wezen naar buiten, haar voetzolen lagen tegen elkaar. Haar vettige bruine huid omspande glad haar stevige spieren. De man ging rechts van haar naast de tafel staan en legde zijn linkerhand voorzichtig op haar schaambeen. Grace stond aan de andere kant en leverde commentaar.

'Joe zal May eerst vragen of ze er klaar voor is en of hij haar mag aanraken,' zei Grace. May knikte en sloot haar ogen. Haar handen lagen op haar kleine puntige borsten. 'Dan begint hij met lichte strelingen over de linkerbovenkant van haar clitoris, zo licht als hij maar kan.'

Joe stak zijn hand in een pot zalf, vaseline zo te zien, boog zich naar voren en begon heel zacht en geconcentreerd met zijn vinger te bewegen. May begon bijna meteen te kreunen en ademde op het ritme van Joes streling uit met een 'ja'-geluid. De lucht om ons heen condenseerde. We gingen wat verzitten. Joes bewegingen werden geleidelijk steeds sneller, waardoor zij luider begon te kreunen. 'Ja-ja-ja-ja-ja-ja.' Ze klonk als een instrument waarop getokkeld werd. Joe boog zich over haar heen, keek iets naast de plaats van handeling en luisterde of hij nuances hoorde, als een cellist in een orkest.

'Hij brengt haar nu naar een hoger plan,' zei Grace. 'Opwaartse vingerbewegingen verhogen de energie.' Zo nu en dan hield Joe even op, en dan maakte May geen geluid meer, tot hij weer verderging. Dan hervatte ze haar gekreun en nam de intensiteit toe, tot ze na ruim tien minuten een hoogtepunt leek te bereiken.

'Nu brengt Joe haar terug,' legde Grace uit. Joe ging met zijn vinger een paar keer van boven aan Mays clitoris naar omlaag, stak toen zijn rechterduim in haar vagina en drukte stevig met de muis van zijn linkerhand op haar schaambeen. 'Door zijn duim in haar vaginamond en de druk van zijn andere hand komt ze terug in het hier en nu,' besloot Grace.

Joe pakte een handdoek en veegde voorzichtig Mays vulva droog. Hij hielp haar overeind en ze trok met een glimlach haar kamerjas aan. Zowel Joe als zij had een dieprode kleur. De cursisten applaudisseerden.

In de taal van OneTaste was het genot dat May van de eerste tot de laatste streling ervoer het 'orgasme'. Haar hoogtepunt noemden ze 'overgaan'. Overgaan betekende niet het einde van een OM-sessie, die altijd een kwartier duurde, en was er ook nooit het doel van. Grace vertelde dat veel vrouwen tijdens OM helemaal nooit overgaan, en sommige meerdere keren. Het doel was gewoonweg dat beide partners elke sensatie ten volle beleefden. Na afloop vertelden ze aan elkaar wat ze ervaren hadden. May beschreef hoe het genot tot in haar buik had rondgewerveld en Joe vertelde over de spiralen van energie die van zijn vingertop tot in zijn arm omhoog waren getrokken.

Het leek allemaal erg op wat ik gelezen had in *The Illustrated Guide to Extended Massive Orgasm*, geschreven door twee vrienden van Regena uit Bay Area, Steve en Vera Bodansky. Ook zij beweerden dat het magische punt van de clitoris gelegen was in 'het kwadrant linksboven', voor de kijker op één uur. Ook in Regena's vocabulaire stond orgasme gewoon voor genot en werd er aan het daadwerkelijke hoogtepunt minder belang gehecht, en gebagatelliseerd als 'kruisniezen'.

Ik vond het goed dat OneTaste een seksmodel wilde onderwijzen waarbij de vrouw het middelpunt was. Maar ik wilde niet alle genot 'orgasme' noemen en ook mijn echte orgasmes wilde ik niet 'overgaan' noemen. Ik noemde de dingen graag bij hun naam. Zowel de praktijk als de taal kwam uit de koker van de oprichter van OneTaste, een zekere Nicole Daedone, die ik later nog zou ontmoeten.

Toen het avond werd en we opstonden, liep ik naar Jude toe.

'Mijn man komt me ophalen,' zei ik, en ik voelde me een beetje als Assepoester die het bal verlaat. 'Ik zie je dinsdag om zeven uur, bij mij thuis.'

'Ik verheug me erop,' zei hij. Ik liep weg en hij keek me na.

12

Acht dagen

Bij het tijdschrift werkte ik samen met acht andere redacteuren, allemaal vrouw, in een open ruimte met een hoog plafond, boven een winkel van Agnès B., midden op Union Square. Het kantoor had mintgroene wanden, witte vitrage en bloembakken op de vensterbanken, waardoor het er vrolijk uitzag, ondanks de stapels post waar geen einde aan leek te komen. Claxons, sirenes en een handjevol vreemde talen dreven vanaf straatniveau naar ons omhoog, terwijl wij op een non-stop-soundtrack van *alt-rock* rustig zaten te typen: Gomez, Arcade Fire, The Shins. Ik zat naast de hoofdredacteur, en achter onze twee bureaus hingen in horizontale rijen lay-outs van alle fasen van het productieproces. Als ik 's ochtends op mijn werk kwam, of als ik terugkwam van even koffie halen bij de Franse bakker om de hoek, werd ik altijd vrolijk als ik die pagina's achter mijn bureau zag hangen. Ik vond mijn werk leuk en kon het goed vinden met mijn collega's, meer dan ik ooit voor mogelijk had gehouden. De lange dagen, steeds weer die deadlines en het matige salaris werden in ruime mate goedgemaakt door de creatieve vrijheid en de vriendschappelijke omgang, en bovendien werden we voor elk concert, toneelstuk, nieuw restaurant en feest in de stad uitgenodigd.

Iedereen had een iPhone. Die gingen voortdurend: sms'jes en het allesdoordringende marimbageluid van de gemiste oproepen. Op de dag dat ik met Jude had afgesproken trilde mijn telefoon rond lunchtijd en lichtte zijn naam in het bekende blauwe kadertje op. *Hoe voel je je?* stond er.

Bestaat er een vraag die een vrouw liever wil horen?

Blij, en ik vind het spannend, schreef ik terug. Het was hoogzomer en ik had een echte date met een man die ik persoonlijk had ontmoet in plaats van via internet. Hoewel ik een drukke, vleesetende tijdschriftredacteur was en hij een kalme, veganistische ober, voelde ik toch een potentiële verwantschap.

Ik ook. Ik ben er om 7 uur. Ik neem iets voor je mee.

Ik ging later van kantoor weg dan ik van plan was geweest en rende naar Whole Foods, een paar straten verderop. Ik had nog nooit voor een veganist gekookt. Ik liep snel de gangpaden door en deed pasta, zongedroogde tomaten, broccoli, veganistische 'worst' van tofoe en een fles biologische wijn in mijn mandje. Toen ik eindelijk met een zware tas boodschappen de winkel uit kwam, was ik te laat voor de metro. Het kostte me een kwartier voor ik een taxi had.

Om vijf voor zeven rende ik het appartement binnen. Ik hoopte maar dat Jude te laat zou zijn. Ik gooide de boodschappen neer, waste mijn gezicht en zocht in Joies kast iets om aan te trekken. We hadden al vastgesteld dat we dezelfde maat hadden, en de kleren die we in de kast lieten hangen mocht de ander lenen. Door die afspraak verliep de overgang tussen mijn twee levens iets soepeler. Ik trok een katoenen rokje van mezelf aan en een zwart geribbeld shirtje van Joie, met daarop in grote witte letters HUGS FOR THUGS.

Er werd gebeld. Joies deurzoemer deed het niet, dus rende ik trap af om Jude binnen te laten. Hij stond voor de glazen deur met over één schouder een rugzak en met in zijn andere hand een heel klein vetplantje met de bijnaam 'kip-met-kuikens'. 'Dit is voor jou,' zei hij, en hij gaf me de plant.

'Wauw,' zei ik, en ik keek ernaar. 'Dat is mijn lievelingsplant.

Ik heb er zelfs weleens over gedroomd. Vreemd, vind je niet?'

'Ik ben een beetje helderziend,' zei hij, terwijl hij binnenkwam.

'Heel erg bedankt.' Mijn handen, mijn gehoor en mijn zicht trilden terwijl hij achter me aan de trap op liep. Ik kon gewoonweg niet geloven dat hij me, van alles wat hij had kunnen kiezen, uitgerekend een kip-met-kuikensplantje had gegeven.

Terwijl ik kookte, liep hij door de keuken achter me aan. Ik gaf hem een glas wijn. 'Ik kan niet zo goed praten als ik aan het koken ben, maar ik kan wel luisteren, dus brand los.'

Hij vertelde dat zijn ouders gescheiden waren, over zijn studie astrologie, en dat hij genoeg geld van zijn oma geërfd had om niet fulltime te hoeven werken, maar dat hij wel meer moest verdienen zodat hij zijn moeder kon helpen. We hadden het vooral over muziek. Hij plugde zijn iPhone in Joies stereo in. Tot mijn grote vreugde bevatte de playlist die hij gemaakt had een heleboel nummers die voor mij belangrijk waren geweest: Dire Straits, Talking Heads, Tom Petty and The Heartbreakers.

'Jij was iets van zes jaar toen deze muziek uitkwam,' zei ik terwijl ik de koelkastdeur dichtdeed.

'Jij bent echt helemaal mijn type,' zei hij, en hij kwam dichter bij me staan, zodat ik zijn adem op mijn huid voelde. 'Je gezicht, je haar, je lichaam, alles.'

'O ja?' Ik kreunde, maar ik was natuurlijk dolblij. Dit was precies het soort aandacht dat ik gemist had toen ik twintig was. Mijn eerste vriendjes waren of te jong om die te geven of ik was te onzeker om er oor voor te hebben. Scott vond me geweldig, zoveel was zeker; een van de vele koosnaampjes die hij voor me had luidde 'Seks'. Maar als ik vroeg hoe hij mijn haar vond zitten, zei hij: 'Als jij het mooi vindt, vind ik het ook mooi.' Als ik vroeg of ik er mooi uitzag, zei hij: 'Je bent aantrekkelijk. Je straalt een energie uit die mensen aantrekt.' Het voelde vreemd om die lang gekoesterde verlangens à la minute vervuld te zien worden, en ook nog door iemand anders dan Scott.

We zaten op Joies bank te eten, wijn te drinken en naar zijn playlist te luisteren. Ik stoorde me nergens aan, niet aan wat hij vertelde over leidende geesten en ook niet aan zijn niet-lederen veganistische schoenen. Onder de beanie zag ik de aan de Oostkust opgegroeide, gitaar spelende Joodse jongen. Hij zette de beanie af en wreef met zijn elegante muzikantenvingers over zijn geschoren hoofdhuid. 'Ik schaam me voor mijn wijkende haargrens.'

'Ik vind dat kale juist mooi,' zei ik, en hij begon te stralen. Hij knoopte zijn manchetten open en rolde zijn mouwen op, zodat er twee Keltisch uitziende tatoeages zichtbaar werden, op allebei zijn onderarmen één woord. Hij stak zijn armen uit en ik draaide zijn polsen, zodat ik de woorden kon zien. 'Go love,' las ik. 'Te gek.'

'Nee, er staat "Be love",' verbeterde hij me.

Ik keek naar zijn linkeronderarm. 'O ja. Maar "Go love" vind ik mooier.'

Ik wilde mijn hand weer wegtrekken, maar hij pakte mijn arm en trok me naar zich toe. 'O-o,' zei ik, en ik lachte zenuwachtig.

Hij kuste me zacht. Ik had nog nooit gezoend met een man die vollere lippen had dan ik. We liepen de twee meter van de bank naar het bed en hij trok mijn shirtje over mijn hoofd uit en duwde me toen zachtjes achterover op de matras.

'Jeetje, wat een prachtige borsten.'

'Dan had je ze moeten zien toen ik twintig was,' zei ik, terwijl ik mijn handen onder mijn zwarte push-upbeha legde.

'Verwaand, hoor. Dat vind ik wel leuk.'

'Dat zeg ik alleen maar om me een houding te geven.'

'Zoiets vermoedde ik al,' zei hij, terwijl hij mijn behabandje omlaag liet glijden. Uit de speakers klonken de openingsakkoorden van 'More Than This' van Roxy Music, hetzelfde nummer waar ik altijd naar luisterde met de man van lang geleden die op dezelfde dag jarig was als ik.

Weer schunnige taal en de penisshow, en weer geen klacht van mijn kant. Hij was hoffelijk, heel energiek en niet bang om te vragen. 'Pijpen, meisje,' zei hij, met zijn hand stevig op mijn hoofd. Ik vond het zo lekker om zijn pik tegen mijn tong te voelen dat ik helemaal samentrok van genot.

'Benen wijd,' beval hij, en toen ik dat deed, stak hij zijn vinger bij me naar binnen en drukte hem tegen hetzelfde plekje dat Paul gevonden had de eerste keer dat hij in me kwam, vermoedelijk mijn G-spot. Dat joeg een stroomstoot door mijn ruggengraat, waardoor die zich kromde, en mijn hele lichaam werd overspoeld door een schok die me vulde met een allesverslindende honger naar de afgrond. Ik had hem wel in zijn geheel kunnen opslokken, alsof ik een soort krankzinnige was. Toen we eenmaal begonnen te neuken, bleef het tempo net zo hoog, alsof we ons aan elkaar vastgezogen hadden, bewusteloos waren geraakt en onze lichamen als één organisme lieten functioneren.

Na afloop lag ik te gloeien en te trillen. Wat stelde een zeven seconden durend orgasme nou helemaal voor, vergeleken met deze euforie van lichaam en geest? Voor mij hoefde het genot waarvan ik doortrokken was niet aan te zwellen, een hoogtepunt te bereiken of af te nemen; ik had geen *bell curve* of wat voor pad ook door het genot heen nodig; ik vond het prima om er gewoon in rond te dobberen. De feministe in mij zou hier misschien harde feiten tegen in willen brengen – ik herinnerde me vaag een verhandeling van mijn colleges vrouwenstudies waarin gesteld werd dat vrouwen die beweren dat ze genieten van seks zonder orgasme tegen zichzelf liegen – maar die feministe was te moe en had te lekker geneukt om echt een argumentatie op poten te zetten.

Ik had als puber en jonge vrouw van alles in het werk gesteld om maar vooral niet door een man 'gebruikt te worden' – de schandelijke valkuil die je als vrouw moest zien te vermijden. Waarom was mij nog nooit verteld dat het ook fijn was om 'nuttig' te zijn, om via mijn lichaam genot en steun met iemand te delen? Terwijl ik in slaap viel begon het fysiologische proces van verliefdheid, de behoefte om voor Jude te zorgen en hem blij te maken, door mijn aderen te stromen.

Het viel me niet moeilijk om van mijn promiscue leven als single in Mission op vrijdag weer over te schakelen naar mijn knusse huiselijke leven in Castro. Ik vond het zelfs wel prettig. De opwinding van de advertenties op Nerve.com waar ik op wilde reageren, de bijeenkomsten bij OneTaste en het gehannes met flirterige sms'jes van Paul en Jude boden tegenwicht tegen de huiselijkheid die me in het weekend wachtte. Ik verheugde me erop om voor Scott te koken, in ons bed wakker te worden, de buurt in te lopen om ergens te brunchen. Maandagochtend was ik weer klaar om terug te gaan naar mijn drukke baan en wisselende minnaars. Alle eventuele teleurstellingen die zich aan het thuisfront aandienden, waren opeens niet zo belangrijk meer.

Jarenlang had ik er af en aan bij Scott op aangedrongen dat hij eens wat romantischer moest zijn. Hij reageerde dan altijd met: 'Ik weet het, ik ben lui geworden, ik zal mijn leven beteren,' of met: 'Als je romantiek wilt, zorg je er zelf maar voor.' Ik had geprobeerd de relatie voor Scott romantisch te maken door weekendjes weg te plannen, door les in de vrouwelijke kunsten te nemen, door te gaan paaldansen. Ik had alleen geen idee hoe ik het voor mezelf romantisch moest maken. Een vrouw die haar eigen romantiek regelt is net een kat die achter zijn eigen staart aan zit. Tien jaar geleden had ik een boek over romantische weekendjes weg in Noord-Californië gekocht en op zijn nachtkastje gelegd. Na jaren zeuren had hij er één keer een weekend uit geboekt.

De ochtend nadat ik in het appartement van Joie afscheid van Jude had genomen en naar mijn werk ging, kreeg ik een e-mail van OpenTable, met daarin de mededeling dat Scott een tafel bij Michael Mina had gereserveerd, het duurste restaurant van de stad.

'Michael Mina?!' schreef ik terug. 'Alleen maar omdat ik verhuisd ben!'

'Je weet dat ik een langzame leerling ben,' schreef hij. 'Maar uiteindelijk leer ik het wel.'

Die vrijdag liep ik na mijn werk naar het St. Francis Hotel aan Union Square, de marmeren lobby door en de tempel van de gastronomie in. Scott zat met een glas wijn aan een tafel te wachten en op zijn BlackBerry te lezen. Het was hoogzomer en zijn huid had een zinderend gezonde kleur. Zijn brede schouders vulden zijn saliegroene sportieve jasje mooi uit.

Ik gaf hem een kus op zijn wang – de warme geur van schone aarde – en ging zitten. 'Wat ben je aan het lezen?' vroeg ik. Tegenwoordig begonnen onze gesprekken steevast met wat we op dat moment aan het lezen waren.

'*The Barbary Coast*,' zei hij, en hij liet zijn BlackBerry in zijn zak glijden en zette zijn zwarte leesbril af. 'Tijdens de goldrush was het hier echt een compleet gekkenhuis.'

'Hoe dat zo?'

'Hier vlak in de buurt, aan Embarcadero, hadden ze saloons met valluiken in de vloer, en dan deden die kidnappers iets in iemands drankje, lieten hem door het valluik vallen en dan werd hij wakker aan boord van een schip op weg naar China. Daar komt het woord "shanghaaien" vandaan.'

'Waarom dan?'

'Gratis arbeidskrachten. Zo'n man kon jaren op dat schip vastzitten. Het was gewoon een ordeloze bende. Het was hier het wilde Westen.'

'Nog steeds wel, eigenlijk.'

'Sociaal gezien misschien. Politiek. Maar bij lange na niet zoals het toen was. Wij zijn een stelletje watjes vergeleken met die tijd.'

Een ober in smoking en met witte handschoenen aan kwam de bestelling opnemen: goede Franse wijn, oesters, sashimi, de beroemde kreeftenpastei van Mina. Tijdens het eten praatte hij aan één stuk door over *The Barbary Coast*, over de figuren die de logementen runden, de corrupte politici die de ontvoeringen onder het tapijt veegden. Scott vond geschiedenis razend interessant, en het had mij altijd geërgerd dat hij meer belangstelling leek te hebben voor het leven van dode onbekenden dan voor wat er in het hier en nu tussen ons gebeurde. Trouwens, nu ik erover nadacht: niet alleen voor dode onbekenden, ook levende onbekenden interesseerden hem. Onze hele huwelijksceremonie lang had hij het drooggehouden, zelfs toen hij mij voor het eerst in mijn jurk zag, maar ik had niet anders verwacht. Ik vond het pas erg toen hij een paar jaar later bij de bruiloft van een vriend zijn tranen moest bedwingen toen de bruid binnenkwam. Op de een of andere manier had hun grote dag hem meer gedaan dan de onze. Later die avond had ik me, na de receptie van onze vriend, in slaap gehuild.

Ik had altijd geprobeerd om het gesprek met Scott aan te gaan door hem te vragen hoe hij over onderwerpen dacht die hem of ons aangingen: werk, geld, familie, zijn jeugd, zijn vriendschappen, seks. Na een snelle opsomming van zijn vaak genoemde standpunt – en over elk onderwerp had hij een goed doordacht standpunt, zo erg zelfs dat hij op zijn laptop een bestand had met de titel 'mijn wereldbeeld' – liep het gesprek meestal dood, bleef ik gefrustreerd achter en voelde me buitengesloten. Hoe meer ik het probeerde, hoe ellendiger ik me voelde. Erger nog, ik dacht dat deze onhandige dynamiek te wijten was aan een tekortkoming van mijn kant, aan een gebrek aan hetzij communicatie hetzij begrip of, als dat het niet was, aan afstandelijkheid.

Nu kon ik er natuurlijk niet over klagen dat hij het alleen over onpersoonlijke onderwerpen had. Het was nou ook weer niet zo dat hij kon vragen hoe mijn week geweest was. Eigenlijk ontspande ik wel in de gedempte luxe van het restaurant, en voelde ik me er krachtiger door. De pastei van vijfenzeventig dollar was verrukkelijk. Die kleur groen stond Scott echt heel goed.

'... dus die gast huurt een boot, nodigt honderd matrozen uit voor een feestje aan boord en doet opium in de drankjes. En dan dumpt hij die jongens met tientallen tegelijk op drie verschillende schepen, allemaal op één avond...'

In de tas die tegen mijn bovenbeen rustte trilde mijn telefoon. Toen ik naar de wc ging, keek ik even wat het was: één sms'je van Paul, één van Jude en nog één van een nummer dat ik niet kende.

Hé Robin, Andrew hier, van de workshop van OneTaste. Zin om volgende week iets te drinken? Hij had mijn nummer vast van de contactenlijst die online stond.

Leuk, schreef ik terug. *Donderdag?*

Toen ik terugkwam bij het tafeltje, was Scott de rekening nog aan het tekenen. Ik boog me over zijn schouder heen om hem een kus op zijn wang te geven. Vierhonderd dollar. Drie keer zoveel als we normaal op een avondje uit uitgaven. 'Ontzettend bedankt, schat,' zei ik. 'Het was echt heerlijk. Ik hou van je.'

'Graag gedaan, liefje,' zei hij, en hij gaf mij ook een kus en klopte op mijn hand die op zijn schouder lag. 'Ik hou ook van jou.'

Na zeventien jaar kon ik eindelijk wat afstandelijkheid opbrengen. Ik verliet Michael Mina als een tevreden echtgenote.

Maandagavond kwam Jude weer langs, een en al voorpret en hormonen. Deze keer had hij een glanzende nieuwe paperbackuitgave van *Autobiography of a Yogi* voor me bij zich. Ik maakte weer veganistische pasta en hij draaide weer muziek. De seks was net zoals de eerste keer: snel, verbaal, intens. Na afloop lag ik te denken aan May die, terwijl Joe haar vingerde, zingend haar orgasme bereikte.

Dinsdagavond ging ik naar een vrouwengroep van One-Taste. We zaten in kleermakerszit op veel te grote kussens in een kring en spraken over jaloezie, competitie, seks en je lichaamsbeeld. Ik hoorde dat vrouwen vaak andere vrouwen vingerden; er was geen regel die voorschreef dat dat per se door een man gedaan moest worden. Toen ik rond een uur of elf thuis was, belde ik Jude.

'Hallo,' zei hij met zijn rustige, hese stem.

'Hallo. Heb je zin om langs te komen?'

'Ja, maar het is al laat. Tegen de tijd dat ik een taxi heb is het al twaalf uur.'

Stilte.

'Niet boos zijn,' zei hij.

'Ik ben niet boos.' Ik had hem drie keer gezien en de problemen begonnen nu al. Ik mocht er niet aan toegeven; mijn probleemoplossingsgerichte energie moest naar mijn huwelijk gaan, niet naar tijdelijke minnaars. We kletsten nog wat en toen hingen we op.

Vijf minuten later sms'te hij: *Ik zit in een taxi. Ben er over een halfuur.* Geluk.

Toen hij er was, stapte hij echter meteen in bed, vree met me en viel in slaap. Ik merkte dat er diep in mijn keel langzaam een prop ontstond; meestal betekende dat dat ik me voorbereidde om iets vervelends te gaan zeggen.

De volgende ochtend viel het licht door de op het noorden gerichte ramen naar binnen en vroeg ik: 'Heb jij weleens zo'n OM-sessie gedaan?'

'Ja, een paar keer.'

'Ik wil het graag proberen.'

Hij glimlachte. 'Ga op je rug liggen!'

Ik ging in de houding liggen die ik bij May had gezien, deed mijn knieën wijd uit elkaar en legde mijn handen kruislings op mijn buik. Jude kwam naast me zitten, sloeg zijn benen in de lotushouding over elkaar en legde mijn rechterknie eroverheen. Hij smeerde wat glijmiddel op zijn linkerwijsvinger en vroeg of hij me mocht aanraken.

'Ja,' zei ik, en nauwelijks merkbaar zette ik me schrap. Een nieuwe man schonk me zijn volledige seksuele aandacht, en dat maakte me onzeker. Het voelde veiliger om gewoon zelf actief te zijn, hem te pijpen of op hem te gaan zitten.

Mijn clitoris was altijd al zo gevoelig geweest dat direct contact vaak eerst irritatie gaf en daarna pas genot. Als een man er met zijn vinger of tong aan kwam, moest het langzaam en rustig gaan. Jude bewoog zijn vinger langzaam genoeg, maar zijn streling – of misschien was het de karakteristieke One-Taste-streling – was te licht en veroorzaakte elke keer dat hij erlangs kwam een inwendige hobbel, waardoor ik een bekend koud gevoel in mijn benen kreeg dat tot in mijn voeten trok.

Het was mijn taak om kenbaar te maken wat ik voelde en wat ik anders wilde. Dat viel nog niet mee. Zelfs als ik mezelf vingerde, ging dat met vallen en opstaan; elke keer kon anders zijn, afhankelijk van mijn stemming en mijn cyclus. Het was net alsof je muziek probeerde uit te leggen.

'Iets meer naar rechts,' probeerde ik. En toen: 'Ja, daar. Nu iets meer druk.' Dat was al beter, maar binnen dertig seconden veranderde het gevoel weer. Ik besloot dat ik me maar gewoon moest ontspannen en het proces gade moest slaan in plaats van het te willen sturen. Na een kwartier stak Jude zijn duim in me en drukte tegen mijn schaambeen. Ik stond op en kleedde me aan om naar mijn werk te gaan.

Donderdag had ik met Andrew afgesproken in Dalva, een café in Mission dat bekendstond om zijn fantastische jukebox en de poëzieavonden in het zaaltje erachter. Hij was net zo lang als Scott en kleedde zich ook zoals hij, met een loszittende spijkerbroek en een loszittend spijkerhemd, alsof mode hem niet zo interesseerde. Door zijn knappe gezicht en sterke bouw viel hij toch op. Hij was vijf jaar jonger dan ik. Hij bestelde een whisky, ik bestelde wijn en we begonnen aan het bekende 'wat doe je voor werk'-gesprek.

'Ik ben redacteur bij 7x7, het stadsmagazine,' zei ik. Hij leek hier minder van onder de indruk dan de meeste mensen. 'En jij?'

'Ik ben met mijn proefschrift bezig, aan het CIIS.' Dat was het California Institute of Integral Studies, een opleidingsinstituut in de stad waar academische en mystieke spirituele tradities gecombineerd werden.

'Wauw. Ben je aan het promoveren? Waar gaat je proefschrift over?'

'In principe over de relatie tussen de theorieën van Schopenhauer en de *Bhagavad Gita*. Dat is een beetje erg simplistisch gesteld, maar...' Hij haalde zijn schouders op.

'Dat klinkt als een gigantische klus.'

'Dat is het ook,' zei hij lachend, terwijl hij zijn whisky liet rondwalsen. 'Ik ben er al vier jaar mee bezig. Ik ben onderhand blut.'

Ik moest me heel goed concentreren om de kronkelende wegen van Andrews intellect te kunnen volgen, maar desondanks kostte het me moeite om die later te reproduceren of om ze me te herinneren. Hij vertelde dat hij ook iets bestudeerde wat holistische seksualiteit heette, samen met een echtpaar dat via het CIIS workshops gaf en aan het Esalen Institute in Big Sur. Hij noemde het 'een manier om je spirituele en intellectuele energieën, die hierboven zitten,' – hierbij omkaderde hij zijn hoofd met zijn handen – 'te integreren met je seksuele en levensenergie, die hierbeneden huizen,' en daarbij bracht hij zijn handen omlaag naar zijn buik.

'En doen jullie tijdens die workshops ook echt aan seks?'

'Nee. Er is geen seksueel contact. Deelnemers leggen hun handen over je kleren heen op je lichaam, om je te helpen in contact te komen met de energiecentra. Het gaat erom dat je dat allemaal vanbinnen integreert, niet per se met iemand anders erbij.'

Andrew was opgegroeid in Philadelphia, dus dat hadden we gemeen. 'Ik heb er drie jaar gewoond en ik ben opgegroeid in de buurt van Scranton,' zei ik.

'Ik vond het prettig om tijdens de workshop bij je in de buurt te zijn omdat je me een sterke vrouw leek,' zei hij. 'Stevig. Alsof ik tegen je aan kon duwen en dat je dan niet zou omvallen.'

'Dat krijg je als je in de buurt van Scranton opgroeit,' zei ik lachend. 'Nee, maar echt, ik ben niet zo sterk. Ik was vroeger helemaal geobsedeerd door ballet en mijn studie. Ik heb bij mijn afstuderen nota bene de afscheidsspeech gehouden.' Ik had waarschijnlijk het gevoel dat ik dat moest vertellen, gezien zijn intellectuele prestaties.

Hij zette zijn glas neer en rechtte zijn rug.

'Echt?'

'Ja. We hadden maar een kleine klas, hoor.'

'Ik heb een zwak voor mensen die de afscheidsspeech houden.'

'Dat is ook toevallig. Ik heb een zwak voor mannen die een zwak hebben voor mensen die de afscheidsspeech houden.'

We dronken nog wat en liepen toen de drukke Valencia Street in om ergens falafel te gaan eten. Voor Andrew mocht het allemaal niet te veel geld kosten, aangezien hij van een heel mager budget moest leven. Na het eten zei ik: 'Ik woon hier maar een paar straten vandaan.'

Toen we bij mij thuis waren, gingen we ieder met een glas wijn aan één kant van de bank zitten, met onze benen omhoog, en bleven we praten over de Oostkust, over onze ellendige jeugd en over oosterse filosofie.

'Laat me eens een voorbeeld zien van wat jullie in die workshop holistische seksualiteit doen,' zei ik.

Hij ging op zijn rug op de bank liggen en legde zijn handen plat op zijn borst, daarna op zijn middenrif, daarna op zijn bekken, en ondertussen vertelde hij hoe hij de energie tussen die drie plekken voelde stromen. Hij gebruikte uitdrukkingen als 'ik voel me heel aanwezig...' en 'wat er nu door me heen stroomt', alsof hij niet zozeer een persoon was als wel een waarnemende entiteit. Hij wekte de indruk het prettig te vinden om bij me te zijn, maar maakte geen aanstalten om me te verleiden. We waren inmiddels meer dan vier uur bij elkaar.

Toen hij klaar was, ging hij zitten en zei dat ik moest gaan liggen. Hij legde één hand op mijn onderbuik en de andere op mijn voorhoofd. 'Concentreer je alleen maar op wat je hier voelt,' zei hij, en hij drukte op mijn buik, 'en voel dan hoe alle gedachten en alle spanning hier in je hoofd stollen. Stel je voor dat de geestelijke spanning afdaalt en de oerenergie naar boven trekt, tot die twee elkaar tegenkomen.' Hij raakte met zijn vingertoppen mijn borstbeen aan.

Zijn handen bezorgden me dezelfde opwinding als eerder tijdens de workshop. Al snel waren we aan het zoenen, en daarna liepen we langzaam naar het bed. Hij ging boven op me liggen, allebei met onze kleren nog aan, en drukte mijn armen omlaag. Hij was met afstand de grootste man met wie ik ooit in bed had gelegen, nog groter dan Scott zelfs. Heel anders dan bij de orgastische meditatie met de vederlichte penseelstreken liet hij zich met zijn volle gewicht op me neerzinken. Ik ging breeduit liggen, in het bed gedrukt. Ik knoopte zijn overhemd los en deed zijn rits open. Hij trok mijn jurk over mijn hoofd heen uit. Hij sloeg geen schunnige taal uit, maar stond zichzelf wel allerlei soorten luidruchtige organische geluiden toe. Als hij iets zei, was dat om te zeggen wat hij wilde of om te vragen wat ik wilde. Ik had het gevoel dat hij volledig aanwezig was, zonder masker, zonder aanstellerij.

Dat bevrijdde me van een heel oud, onuitgesproken gebod. Ik lag onder hem en drukte tegen hem aan en plotseling werd de druk in mij te hoog. Ik ging boven op hem liggen en we keken elkaar aan, zwijgend en vol begrip. Zonder een woord te zeggen ging hij op zijn buik liggen, met zijn kont omhoog. Ik ging op hem zitten, pakte zijn schouder met één hand vast en zijn haar met de andere en trok er hard aan, terwijl ik tegen zijn kont aan reed. Nu kreunden we allebei luidkeels. Met een hese grom kwam ik klaar.

Ik zeeg verbijsterd neer op het kussen. Over extase gesproken. Al die tijd had ik me afgevraagd wanneer een nieuwe minnaar me een orgasme zou bezorgen, en nu bleek dat ik dat gewoon zelf moest opeisen.

13

Glory Road

In Old Forge, Pennsylvania, heb je een gelijkbenige driehoek met op elke hoek een pand. Het eerste ligt aan Grace Street, en dat is het huis waarin ik ben opgegroeid en waar mijn gescheiden moeder woont. Zevenhonderd meter verderop, op de top van de driehoek, ligt het huis van mijn oma van moederskant. En weer terug in Grace Street, drie straten verder dan mijn ouderlijk huis, ligt de katholieke kerk St. Mary, waar mijn broers en ik allemaal gedoopt zijn, de eerste communie en het heilig vormsel hebben gedaan.

Als je rond 1970, 1975 of 1980 in het eerste huis een kijkje zou kunnen nemen zag je mij in een eenpersoonsbed liggen, achter dunne wanden, terwijl ik luister naar het escalerende gefluister van mijn ouders. Het is een weekend in het najaar. Mijn vader heeft kettingrokend naar de ene na de andere footballwedstrijd gekeken en naar de televisie zitten schreeuwen. Mijn broertjes liggen in de kamer ernaast te slapen. De keuken is hooguit een meter van mijn deur. Ik hoor mijn vader de woorden 'stomme trut' mompelen, net iets luider dan wat hij verder zegt. Dan nog iets luider: 'Lelijk kutwijf.' Mijn moeder zwijgt niet en uit ervaring weet ik dat ze niet wegkruipt. Ze reageert, maar ik versta niet wat ze zegt, ik versta alleen wat mijn vader zegt. 'Ik snij je strot door, zo snel dat je al dood bent voor de ambulance er is.'

Vreemd, denk ik, terwijl ik in het donker lig. Ik ben niet

bang en ook helemaal niet overstuur. Ik moet wel heel sterk zijn. Mijn hart klopt normaal. Ik denk aan andere kinderen, die als ze in mijn schoenen stonden zouden gaan huilen of het licht aan zouden knippen. Ik heb aan het een noch het ander behoefte. Ik wil alleen niet in slaap vallen, voor het geval mijn moeder me roept. Ik weet wel wanneer het zover is. Het schelden loopt bijna nooit uit op lichamelijk geweld; in het ergste geval leeft hij zich uit op de meubels of de deuren, maar ze gaan die grens eigenlijk nooit over. 'Robin!' zal ze dan uitdagend roepen, en dan ren ik naar de keuken, ga tussen hen in staan en praat rustig op mijn vader in, met allebei mijn handen omhoog. 'Papa, alsjeblieft, ik ben het: Robin,' zeg ik dan. 'Papa, toe, ga nou maar gewoon naar bed.' Dan doet hij net of hij me niet hoort, duwt langs mij heen zijn vingers tegen mijn moeders schouder, en roept ondertussen nog steeds kutwijf, vuile hoer tegen haar. Door de woorden 'Papa, toe' krijg ik een vreemd gevoel in mijn borst. Dat duurt maar een paar seconden. Soms, als ik maar lang genoeg tussen hen in blijf staan, gaat hij op een gegeven moment terug naar de slaapkamer. Het gebeurt maar een paar keer dat hij me een klap geeft of opzijduwt om bij haar te kunnen komen.

Naarmate ik ouder word, word ik luidruchtiger en brutaler, en kan ik zo nu en dan een klap wel hebben, die ik dan uitlok met opmerkingen als: 'Zo, grote vent, hoor! Vrouwen en kinderen duwen, kun je wel?' Met als gevolg dat ik tegen de grond geslagen word. Het lichaam van mijn vader is groot en genadeloos. Het is een muur van wreedheid, en ik ben gedoemd ertegenaan te knallen. De wetenschap dat ik nooit van hem kan winnen weerhoudt me niet, want het gaat om het gevecht. Dat heeft hij me zelf geleerd.

Eén keer, ik ben twaalf jaar, ga ik tijdens een wel heel felle ruzie tussen hen in staan. Hij schopt me naar de andere kant van de kamer, waar ik in foetushouding blijf liggen. Als ik de volgende ochtend wakker word, poep ik bloed. Ik schreeuw om mijn moeder, en zij gaat op haar beurt brullend tegen hem tekeer. Als hij de badkamer binnen komt, zie ik hem verstijven en wit wegtrekken, alsof God hem hoogstpersoonlijk een klap in het gezicht heeft gegeven.

Een maand later krijg ik mijn eerste paniekaanval. Ik doe mijn kluisje dicht, loop de gang in naar mijn lokaal en dan helt de horde kinderen voor mij en in mijn perifeer gezichtsveld opeens naar opzij en wijkt dan terug, alsof ik uit hun wereld ben gevallen en in een parallel universum ben terechtgekomen. Hun stemmen galmen. Ik krijg geen adem. In een poging mijn zicht te herstellen concentreer ik me op de oranje bakstenen muur en zie de lijnen daarin onregelmatig worden. Ik steek mijn hand ernaar uit om niet om te vallen, blijf als verlamd staan in de rondtollende gang en wacht tot ik word opgeslokt. Betekent dit dat ik doodga? Op de een of andere manier weet ik mijn lokaal te bereiken en daar leg ik mijn hoofd op mijn tafeltje. In de donkere ruimte achter mijn ogen, tegen de rug van mijn op het tafeltje gevouwen handen gedrukt, begint de angst als deeltjes op te lossen en verandert van massief zwart in een korrelige waas. Naarmate hij optrekt neemt een warm licht zijn plaats in, dat heller wordt en me een vredig gevoel geeft. Het is niet alleen maar licht. In het midden bevindt zich een aanwezigheid, een bewustzijn dat zowel onbetwistbare kracht als goedheid uitstraalt. 'Stil maar. Ik zorg voor je,' laat deze aanwezigheid weten. Elke cel in mijn lichaam reageert daar vreugdevol op. Die geruststellende woorden slepen me door de vijf jaar die volgen heen en gelden tot op de dag van vandaag als de meest intense spirituele ervaring van mijn leven. Als in het eindexamenjaar een klasgenoot overlijdt en de paniekaanvallen terugkomen, wacht ik op de geruststellende slotfrase. Die komt nooit meer.

De meeste nachtelijke ruzies eindigen echter niet met klappen. Ze eindigen ermee dat mijn vader 'Eruit!' schreeuwt. 'Oprotten, en neem de kinderen mee. Ik word knettergek van jullie. Ik kan niet meer voor jullie zorgen!' Mijn moeder en ik pakken mijn broertjes, wij allemaal in pyjama, en rijden naar het huis van mijn opa en oma. Daar logeren we het weekend, in de woonkamer in slaapzakken op de grond, waar we met mijn opa naar *Hee Haw* en *Lawrence Welk* kijken, en we allemaal in zijn Chrysler Cordoba stappen om ijs te gaan halen. Mijn oma bakt eieren voor het ontbijt en maakt spaghetti met gehaktballetjes voor het avondeten. Zondagavond of anders maandag na school gaan we terug naar huis. Als we thuiskomen liggen er soms kapotte borden op de grond, of omvergevallen stoelen. Eén keer steekt er een bijl in het dikke hout van de voordeur.

Mijn vader biedt nooit zijn excuses aan. We gaan allemaal gewoon door, en dat is niet eens moeilijk. We gaan naar school, ballet, footballwedstrijden en -training, allemaal in een stadje waarin kinderen in groepjes over straat zwerven en er nooit iemand van buiten de stad komt. We hebben een zwembad in onze tuin en zoveel kleren, speelgoed en geld als we maar willen. Als mijn vader niet dronken en over de rooie is zegt hij dat ik slim en mooi ben en dat hij heel trots op me is. Mijn moeder kookt en maakt mijn bed op. Ze knuffelen ons viertjes altijd en zeggen dat ze van ons houden. Zelfs op de dagen dat ik een van hen of hen allebei haat, weet ik dat dat waar is.

Tijdens een van de keren dat mijn moeder in Californië op bezoek is, vraag ik haar, in de wetenschap dat kinderen flink kunnen overdrijven: 'Hoe vaak heeft papa ons het huis uit gezet? Twintig keer? Of wel vijftig keer?'

Ze kijkt me aan. 'Twintig keer of vijftig keer? Laat me niet lachen. Wel honderden keren.'

Datgene wat mij achttien jaar lang beschermd heeft als ik in het donker lag te luisteren hoe mijn ouders ruziemaakten, verdween binnen een paar weken nadat ik uit het huis van mijn vader was weggegaan en in een studentenhuis in Penn State was getrokken, op twee uur rijden daarvandaan. Ik was uit mijn vertrouwde omgeving gehaald en moest het helemaal in m'n eentje rooien, maar ik kon niet op mezelf terugvallen. Zodra ik 's ochtends wakker werd, trok er een brandend gevoel langs mijn wervelkolom omhoog en vervolgens brak het koude zweet me uit. Braaksel kwam in mijn keel omhoog, zodat ik van mijn bed naar de wc moest rennen. Overal daalde een zwarte lelijkheid over neer. Op de universiteit, waar ik alleen maar door goede cijfers te halen kon voorkomen dat ik volledig instortte, zag ik vol ongeloof op de klok hoe langzaam de minuten voorbijgingen en had geen idee hoe ik het komende uur moest doorkomen. Als ik mezelf de gedachte toestond dat ik pas achttien jaar was en dus nog zestig of zeventig jaar voor de boeg had, kermde ik van de pijn. Een paar keer per dag keek ik als gestoken om, omdat ik dacht dat ik iemand op heel gemene toon mijn naam hoorde fluisteren. 's Avonds liep ik na het laatste college naar huis, als een koorddanser over de stoeprand, en hield ik mezelf voor dat als ik mijn kamer bereikte zonder ervan af te vallen, alles goed zou komen, maar als ik ook maar één keer mijn evenwicht verloor, betekende dat dat ik krankzinnig zou worden.

Ik vertelde het aan niemand. Als ik in het weekend thuis was, zag mijn moeder weleens dat ik in een misselijkmakende paniek wakker werd en dan probeerde ze me met loze praatjes op te peppen, maar die geloofde ik niet. Wat wist zij er nou van hoe het was om in je eentje te zijn, het huis uit, en je op een universiteit met zesendertigduizend nieuwe mensen te moeten aanpassen? Niets. Ik stond er alleen voor.

Ik zette een halfjaar verbeten door en gaf het toen op en verkaste naar een andere vestiging in Scranton. Toen ik daar eenmaal woonde, kon ik me er opeens niet toe zetten om het huis van mijn ouders binnen te lopen – ook weer zo'n vreemd verschijnsel. Op het trapje voor het huis verstijfde mijn lichaam alsof het zich schrap zette voor een dreun. Tegen de tijd dat ik op de veranda stond, kon ik me bijna niet meer bewegen. Emoties waarvan ik het bestaan niet wist stuiterden als de ballen in een flipperkast door me heen. Er was geen uitweg en geen context, en ik wist ze louter op wilskracht binnen de perken te houden.

Ik mocht bij mijn opa en oma gaan wonen. Ik trok me terug in hun kleine huis met één bovenverdieping, waar het altijd naar spek of naar uien rook. Ik verstopte me achter hun dikke groene gordijnen. Ze kochten een tweedehandsauto voor me, gingen op zaterdagavond sint-jakobsschelpen met me eten en zorgden ervoor dat ik wekelijks vijfentwintig dollar spaarde van wat ik bijverdiende als serveerster. Ik sliep in hun piepkleine logeerkamertje boven aan de krakende trap met de smeedijzeren leuning, allemaal proportioneel zo teruggeschroefd dat ik me er als een te groot kind in een sprookje door omsloten voelde. Daar kwam ik op krachten en maakte ik plannen om naar Californië te vluchten; ik was nog te jong om te beseffen dat ik nooit voor mezelf zou kunnen vluchten.

In diezelfde slaapkamer in het huis van mijn oma sliepen Scott en ik als we over waren uit Californië. We gingen wel elke dag naar mijn moeder om te eten en op bezoek te gaan, maar ik heb er drieëntwintig jaar lang geen nacht meer geslapen.

Mijn oma van negentig protesteerde wel als Scott opsprong om de ontbijtboel af te wassen zodra we haar wentelteefjes ophadden. Hij duwde haar lachend weg. Hij zat in de oude leunstoel van mijn opa zaliger, terwijl mijn oma en ik naar *The*

Price Is Right en *The Young and the Restless* zaten te kijken, met het geluid te hard. Ingelijste foto's van haar kinderen en klein-kinderen hingen aan alle muren en stonden op alle tafeltjes, onder andere foto's van Scott en mij: lekker dicht tegen elkaar aan op de oever van Lake Tahoe, met een wollen trui aan, tegen elkaar aan geleund in Puerto Vallarta, met kleurige zomerkle-ren aan, waarin we nog bruiner leken dan we al waren. Op de oudste foto, rond mijn achtentwintigste verjaardag genomen in Venetië, zitten we arm in arm op een heel klein loopbrug-getje boven een gracht. Elke keer als ik vanuit Californië mijn oma belde, vroeg ze, vaste prik, wat ik die avond voor Scott ging koken. Door alle tijd die we in de loop der jaren bij haar thuis hebben doorgebracht kreeg ik het gevoel dat een gezins-leven de moeite waard was en tot de mogelijkheden behoorde.

Het eenvoudige kruis en het enkele rozetraam van de St. Mary waakten plechtig over de omringende panden aan Glory Road. Het jaartal van de bouw stond in Romeinse cijfers in de hoek-steen gebeiteld. Binnen viel het licht gefilterd en vermenig-vuldigd door twee rijen heel hoge glas-in-loodramen op een rondlopend, hemelsblauw geschilderd altaar, en onder een beeld van de Heilige Maagd flakkerden rijen votiefkaarsjes. De laatste keer dat ik voor haar had gestaan had ik mijn trouwjurk aangehad en gehuild toen Scott en ik met trillende handen rin-gen uitwisselden. Ik had op een strand willen trouwen, maar omwille van mijn oma voor het traditionele podium gekozen. En dus liep ik die lenteavond licht in mijn hoofd en trillend het gangpad van de St. Mary door, terwijl de angsten waar ik mijn hele leven aan had geleden werden samengebald tot één enkel punt dat zowel in de werkelijkheid bestond – te weten een snel dichterbij komend moment – als in mijn lichaam, diep in mijn borstholte. Tot mijn verbazing zorgde het ritueel ervoor dat deze angst transformeerde en de duistere dreiging in iets prachtigs veranderde. Ik strompelde oppervlakkig ademhalend over de drempel, en twintig minuten later kwam ik stralend weer naar buiten, hand in hand met Scott, een en al ontspanning.

Na onze luidruchtige receptie waren Scott en ik helemaal kapot en gingen we meteen slapen. De volgende middag deden we in een beachresort in Jamaica een dutje in een kingsize bed onder een zachtjes snorrende ventilator, terwijl het buiten keihard regende, achter de hordeur de palmbomen ruisten en de geur van frangipane en gras vrijkwam. In de verduisterde kamer kwam Scott boven op me liggen, zoals hij altijd deed, maar toch was er iets anders. Op dezelfde plek waar de dag ervoor mijn hart nog had gezwoegd, was er een radertje een fractie verschoven, net genoeg om van het slot te gaan. Scotts handen maakten een onbekende overgave in me los. Mijn huid werd poreus en zijn houtachtige geur dwarrelde er zo doorheen. Ik werkte naar een orgasme toe, niet op de bekende plek, maar hoog achter mijn navel. Het schoot door mijn borst, mijn keel en ledematen, en ondertussen werd ik herijkt, alsof er een snaar diep in mijn binnenste voor het eerst werd aangeraakt. Alle twijfels die ik eerder over het huwelijk had gehad, werden meteen getemperd.

Scott en ik waren in Pennsylvania voor de doop van het eerste kind van mijn broer Rocco. Het was drie weken oud. Ik zou zijn peetmoeder worden. Mijn moeder had me een paar foto's gemaild: een foto van Rocco met zijn armen om zijn vrouw en het kindje heen; een foto van Rocco met de pasgeboren ingebakerde baby in zijn armen, met naast hem mijn glimlachende vader en twee andere broers; een derde foto van de baby, net uit de buik gekomen en gewassen, vuurrood als een herfstblad.

Hij ligt op witte handdoeken met de knietjes opgetrokken en zijn piepkleine vuistjes in de lucht, alsof hij zichzelf moet verdedigen. Een verpleegster ondersteunt met haar in een handschoen gestoken hand zijn hoofdje, dat grotendeels aan het zicht wordt onttrokken doordat hij het in de nek gooit, zijn mond wijd open en donker, de tong trillend van een existentiële brul.

Ik was niet van plan mijn oma ooit over mijn project te vertellen, en het doopfeest was ook niet het juiste moment om er met mijn broers over te beginnen. Maar ik had een te goede band met mijn moeder om het voor haar verborgen te houden. Ik vertelde het toen we bij haar in de keuken stonden; zij was boodschappen aan het uitpakken en ik de vaatwasser aan het volladen. Ondertussen keek ik door het raam boven de gootsteen de tuin in, naar het oude zwembad, dat inmiddels ingestort was en vol stond met onkruid zo hoog als bomen.

'Zeg, Scott en ik wonen tegenwoordig door de week apart,' begon ik. 'Ik heb een appartement.'

'Hoezo? Heeft hij iets gedaan?' Ze bleef even staan bij de koelkast en draaide zich om.

'Nee hoor, niks dramatisch. Maar na die sterilisatie... Ik weet het niet, mam. Ik word er ook niet jonger op. Ik moet een paar dingen over mezelf ontdekken, en wat let me dat te doen als ik toch geen kinderen krijg? In San Francisco hebben een heleboel mensen een open relatie.'

'Prima,' zei ze op afrondende toon. Ze draaide zich om en ging verder met de koelkast inruimen. 'Groot gelijk. Je moet de dingen doen waar je gelukkig van wordt. Scott doet ook waar hij gelukkig van wordt.'

Ik kon niet goed bepalen wat haar motivatie was. Nadat ze toen ze halverwege de veertig was van mijn vader was gescheiden, had ze twaalf jaar samengewoond met een hardwerkende man van wie ze op een gegeven moment helemaal gek werd doordat hij niet in staat was te communiceren. Ze had beide uitersten van de hartstocht meegemaakt en gaf nu hoog op van de geneugten van het alleen wonen. Ze deed de koelkastdeur dicht, die volhing met familiefoto's en magneetjes met slogans uit het twaalfstappenprogramma: 'DAG VOOR DAG', 'SCHENK MIJ SERENITEIT', 'GOD, MAAK HET NIET TE MOEILIJK'. Midden tussen de inspirerende citaten hing een glanzende paarse magneet met daarop: MET MANNEN ZIJN MAAR TWEE DINGEN MIS: ALLES WAT ZE ZEGGEN EN ALLES WAT ZE DOEN.

'Ik heb toen ik rond de veertig was ook een wilde periode gehad,' zei ze, terwijl ze de keuken door liep en boodschappentassen opvouwde. 'Iedere vrouw heeft daar op een gegeven moment behoefte aan.'

Die avond had ik in een café in de buurt afgesproken met mijn twee oudste vriendinnen, Stacey en Maria. We kenden elkaar al sinds de kleuterschool.

'Oké, ik moet jullie even vertellen over mijn midlifecrisis. Na de sterilisatie van Scott wist ik niet meer hoe het verder moest. Toen heb ik tegen Scott gezegd dat ik mijn seksualiteit verder wilde verkennen, voor het te laat is. Door de week wonen we apart en staat het ons vrij andere mensen te ontmoeten. En in het weekend ga ik naar huis.'

Ze keken er zo te merken niet erg van op. Stacey, de meest vrijzinnige van de twee, wierp even een blik op haar drankje en toen weer op mij. 'Het verbaast me niets, Rob. Ik ben dol op Scott, maar het moet wel altijd gaan zoals hij het wil. Hij wilde niet hier wonen, dus zijn jullie naar Philadelphia gegaan. Hij wilde niet in Philadelphia blijven, dus zijn jullie teruggegaan naar Californië. Hij wilde geen kinderen, dus hebben jullie die niet gekregen.'

'Ik weet het,' zei ik. 'Maar deze keer gaat het zoals ik het wil.'

'Toch zou ik het niet doen als ik jou was,' ging ze verder. 'Dat loopt nooit goed af.'

'Ik weet dat het riskant is. Maar ik moet het doen.'

'Je bent niet goed wijs,' kwam Maria ertussen, en ze schudde haar hoofd. Ze was nog steeds samen met de man met wie ze op haar negentiende getrouwd was. Hoewel onze wegen lang geleden uiteen waren gegaan, vertrouwde ik erop dat zij me onomwonden zou zeggen waar het op stond.

'Wat moet ik dan?' vroeg ik haar. 'We willen allebei niet scheiden. Maar ik ben niet van plan om als een stille, kinderloze vrouw zonder avontuurtjes mijn graf in te gaan. Ik was bereid om eventuele minnaars op te geven als ik een gezin zou krijgen, maar allebei opgeven, dat gaat niet.'

'Maar door met een heleboel mannen naar bed te gaan voel je je toch niet beter over het feit dat je geen kinderen hebt?'

'Nee, daar voel ik me niet beter over. Maar als ik met een heleboel mannen naar bed ga voel ik me straks op mijn sterfbed wel beter. Dan zal ik het gevoel hebben dat ik geleefd heb, dat ik mijn leven niet in een kooi hebt doorgebracht. Als ik op mijn sterfbed kinderen en kleinkinderen om me heen had, zou ik daar geen behoefte aan hebben. Kinderen zijn het bewijs dat je geleefd hebt.'

'Maar waarom ben je dan getrouwd?'

'Omdat ik van Scott hield en omdat ik hoopte dat we kinderen zouden krijgen!' zei ik een beetje te hard. 'Maria, echt, zou jij het gevoel hebben dat je met Jim helemaal aan je trekken was gekomen als je je zonen niet had gekregen? Kijk me aan en zeg dat het zo is.'

Ze dacht er even over na. 'Ik kan me er niet eens een voorstelling van maken.'

'Jim en jij, helemaal alleen in dat huis, dag in dag uit, tot de dood jullie scheidt. En hij weigert een kind te krijgen, terwijl jij hem erom gesmeekt hebt. Zou jij dan gelukkig zijn?'

'Bernie en ik willen geen kinderen en ik wil alleen maar met hem samen zijn,' zei Stacey.

'Ja, maar jij hebt al een volwassen kind, Stace. En als je nog een kind zou willen, zou Bernie daar ogenblikkelijk aan meewerken. Hij zou het je nooit weigeren.'

'Dus dit is je wraak op Scott, omdat hij geen kind wilde.'

'Het is geen wraak, het is opstand,' zei ik, intens opgelucht dat ik vriendinnen had die niet bang waren om de dingen bij hun naam te noemen, want ook al pleitte ik voor eigen parochie, in werkelijkheid wist ik ook niet precies waar ik mee bezig was of waarom ik het deed. Met hun vragen hielpen ze me daarachter te komen. 'Ik ben er echt niet op uit om Scott pijn te doen. Maar ik kan me niet langer schikken. Ik kan het gewoon niet meer. Ik ga zorgen dat ik krijg waar ik behoefte aan heb.'

'Waar heb jij dan behoefte aan wat Scott je niet kan geven?' vroeg Maria.

Ik zocht naar de juiste woorden. 'Leven,' zei ik. 'Het is zo stil als we met z'n tweeën zijn. Ik moet leven om me heen hebben.'

Ze keken elkaar aan. Stacey haalde zo'n beetje haar schouders op. Maria schudde zo'n beetje haar hoofd.

'Vinden jullie me een slecht mens?' vroeg ik.

'Nee,' zei Maria. 'Je bent geen slecht mens. Maar je bent wel echt knettergek.' Ze moesten allebei glimlachen, en ik daardoor ook, en we sloegen ons bier achterover zoals we sinds de middelbare school al deden en gingen over op een ander onderwerp.

Ik zat in de voorste bank van de St. Mary, samen met Scott, Rocco, zijn vrouw en de peetvader van de baby. Rocco was pas eenendertig, maar droeg niettemin de elegante pakken van een oudere man, en had ook al de bijbehorende wijkende haargrens. Als jongste broertje kwam hij voor mij nog het dichtst in de buurt van een kind van mezelf. Zijn vrouw, vijf jaar jonger dan hij, was een langbenige schoonheid met enorme bruine ogen en glanzend donker haar dat in een dikke staart gebonden zat. Zij hield de baby vast, een glimp van een roze gezichtje, in wit satijn verpakt.

Scott bleef zitten en de anderen, de ouders en de peetouders, liepen achter elkaar naar het marmeren doopvont bij het altaar, waar de priester in een goudkleurig gewaad stond te wachten. Hij begon met de watergietingen, waarmee hij Satan verjoeg en de ziel van de baby voor Christus behield. Toen ik aan de beurt was, maakte ik het kruisteken op zijn voorhoofd. Ik voelde me geen hypocriet. Ik mocht dan geen praktiserend katholiek meer zijn, ik geloofde wel in God – in de mysterieuze kracht die mij als kind beschermd had, in het licht waar ik vervuld van was geweest na mijn eerste paniekaanval. Ik geloofde ook in een duisterder, heidens aspect van het goddelijke, vertolkt door het schilderij van Pele in de spreekkamer van Delphyne, de godin die het nieuwe leven schept door het oude te verbranden. Ik was er heilig van overtuigd dat de beeltenis van Demeter, de godin van het moederschap, getekend op de kaars die Delphyne voor me had gemaakt, de zwangerschapscrisis tot stand had gebracht die een einde had gemaakt aan het dilemma waar Scott en ik jaren mee hadden geworsteld. En ik begon zelfs in Jezus Christus te geloven. Hoe ouder ik werd, hoe verder ik van de Kerk af raakte, hoe meer ik in zijn ogen en woorden een stille, allesdoordringende aanwezigheid zag, een kracht die niet bezoedeld werd door dogma's, schandalen of patriarchaat. Ik wilde Jezus leren kennen, niet op de bevreesde manier van een keurig meisje dat bang is om gestraft te worden, maar op de manier van een zondaar van vlees en bloed – intiem, dus.

Rocco's vrouw gaf de baby aan mij en ik drukte het acht pond zware wriemelende, dierbare lichaampje tegen me aan. Ik voelde diep in mijn buik de behoefte om hem te beschermen. Dat gevoel kwam voort uit hetzelfde kanaal waaruit op mijn huwelijksreis het orgasme zich had ontvouwen en voer mee op dezelfde stroom die mij nu naar het bed van minnaars bracht. Ik keek naar Scott, die in de voorste bank zat, met een zalmkleurig overhemd aan, een stropdas om en een mooi pak aan. Achter zijn rustige glimlach voelde je onmiskenbaar zijn kracht – een kracht die hij voor zichzelf hield. Ergens wilde ik dat hij mijn arm zou pakken en zou zeggen: 'Die onzin met die open relatie is voorbij. Je bent mijn vrouw. We gaan weg uit San Francisco en we gaan naar...' Waarnaartoe? Neem me mee, Scott. Als je me niet naar het moederschap kunt brengen, neem me dan mee ergens anders naartoe.

De baby spartelde in mijn armen, hij stompte en schopte met zijn handjes en voetjes in de lucht, elke inspanning ging gepaard met een ademstootje. Ik was meteen weer bij de les. Ik zat bijna op de helft van mijn leven, als ik geluk had. Ik had gewoonweg geen tijd meer om te wachten tot iemand me waar dan ook mee naartoe zou nemen.

14

De schrijver

Zodra ik in mijn inbox van Nerve.com het bericht las van ene Alden, een schrijver van eind dertig, die op ongeveer een uur rijden ten noorden van de stad woonde, wist ik gewoon meteen dat er iets bijzonders te gebeuren stond. De eerste aanwijzing daarvan kreeg ik toen hij zei dat mijn profiel eruit sprong omdat daarin stond dat *Middlemarch* mijn lievelingsboek was. Iedere man die oog had voor het genie van George Eliot was op z'n minst één afspraakje waard.

Hij schreef korte, bondige e-mails. Hij stelde voor om elkaar te zien in Dogpatch, een industriële wijk aan de rand van de stad waar onlangs wat nieuwe cafés en restaurants waren geopend. 'Laat me weten op welke avond je kunt, dan regel ik het verder,' schreef hij. Toen het zover was en ik hem sms'te dat ik onderweg was, antwoordde hij met: *Je herkent me meteen. Ik ben de langste man van het hele café.*

Aandacht. Bevestiging. Die voelde ik meteen toen ik hem aan een hoektafel bij een raam zag zitten. Hij vroeg wat voor wijn ik lekker vond en koos toen een viognier voor me. Hij vroeg of ik honger had, en toen ik zei dat dat zo was, riep hij de serveerster en bestelde een kaasplankje. Hij was inderdaad de langste man van het hele café. Hij droeg een kraakhelder wit overhemd, kasjmieren trui, spijkerbroek en doorleefde zwarte laarzen. Met zijn brede jukbeenderen en kortgeknipte haar deed hij denken aan een geheim agent. Zijn voorkomen schakelde vlot over van een hoffelijk soort knap naar iets kwajongensachtigs.

Na een glas wijn en de vereiste opsomming van wie we in de buitenwereld waren – carrière, opleiding, geboorteplaats – ging ik naar de wc. Toen ik opstond, was ik me er terdege van bewust dat Alden naar mijn achterwerk keek, gehuld in een zwarte tricotjurk met witte stippen. Ik was vierenveertig en had me nog nooit zo lekker in mijn vel gevoeld. Het verlies van enig jeugdig collageen werd gecompenseerd doordat mijn tred een sensueel gemak had gekregen. Over een paar jaar zou de weegschaal naar de andere kant doorslaan, maar op dit moment was ik als rijpe vrouw op mijn best. Stevigheid begon net plaats te maken voor elan.

Ik ging weer zitten, sloeg mijn benen over elkaar. Hij keek onbeschaamd naar mijn zichtbaar geworden knie, beet op zijn onderlip en zei: 'Zullen we hier weggaan en ergens een hapje gaan eten?'

We gingen naar Slow Club, een klein restaurant in een onbekend deel van de wijk Potrero Hill. Binnen was het druk, en zo donker dat we de kaart bij het licht van de kaars moesten lezen. Onder het genot van hamburgers, patat en nog meer wijn hadden we het over literatuur, muziek en de wereldreis die hij onlangs had gemaakt.

'In je advertentie schreef je dat je maar drie dates wilde,' begon hij.

'Ja.'

Meteen daarop stak hij zijn hand naar me uit, alsof hij zich er maar half van bewust was, en pakte zacht mijn vingertoppen vast. Hij had lange, elegante vingers, als die van een pianist, maar dan groter, mannelijker. 'Denk je dat het ons lukt om het bij drie keer te houden?'

Zijn zelfverzekerdheid gaf me moed. 'Daar komen we vanzelf achter.'

We besloten dat hij nog niet met me mee naar huis zou gaan. We moesten de volgende dag allebei vroeg op. We liepen naar zijn auto, hij deed het portier aan de kant van de bijrijder van het slot, draaide zich naar me om en trok me zachtjes naar zich toe. 'Mag ik een kus?' vroeg hij.

'Misschien.'

'Waarom misschien?' zei hij, en hij boog zich glimlachend naar achteren.

'Omdat misschien interessanter is dan ja.' Daar kon hij een halve seconde om lachen, en toen kuste hij me. Een zelfverzekerde kus, zacht, maar toch dringend. Na afloop legde hij zijn handen om mijn wangen en zei: 'Wat kun jij heerlijk zoenen.'

'Ik volg jou alleen maar.'

Onderweg naar huis verdwenen de lichten en geluiden van Mission naar de achtergrond en betrad ik het grensgebied tussen mijn wereld en de zijne. Ik genoot van de verwachtingsvolle momenten vlak voordat het gordijn opgaat: een ander mens, negenendertig jaar in ontwikkeling, met al zijn blijdschap en verdriet verzameld in dit unieke wezen. Hij parkeerde zijn auto voor mijn deur, zette de motor uit en we gleden een andere dimensie in, een universum van twee mensen, waarin we elkaar herkenden als reizigers die elkaar heel lang niet gezien hebben. Ik weet dat we met elkaar spraken, al herinner ik me niet meer wat we gezegd hebben. Op een gegeven moment stak ik mijn hand onder mijn jurk en leunde ik achterover op de stoel. Het licht van een lantaarn viel recht op de zwarte versnellingspook. Ik weet niet hoelang we daar gezeten hebben en of er iemand langsgelopen is. Ik had mezelf nog nooit eerder ten overstaan van een man gevingerd.

De volgende herinneringen die ik aan Alden heb, springen er, vergeleken met de overige, scherp uit. Hij e-mailde me de volgende dag om te zeggen dat het een van de meest erotische ervaringen van zijn leven was geweest. Ik chatte online met hem en we eindigden op het rand van chatseks – ook de eerste keer – wat bevredigender bleek dan de meeste echte seks. Ik sprak met hem af in het Presidio-park, in het donker, halverwege onze woonadressen, om twaalf uur 's nachts, en ik kroop met hem op de achterbank van zijn Mercedes. Ik menstrueerde hevig en had mijn witte lievelings-T-shirt aan. De vlekken kreeg ik er niet uit. Tot op de dag van vandaag hoef ik het woord 'Presidio' maar te horen of een glimp te zien van de grote, groene hoek die het beslaat op een plattegrond van San Francisco, en de precieze, kostbare herinnering duikt op die voor mij de hele opzet van dit project was geweest: mijn bloedende dierlijke lichaam heeft ooit op deze aarde rondgezworven en zich ermee vermengd.

Alden wilde bij hem thuis voor me koken. Op een avond in augustus, terwijl de zon heel langzaam achter de landtong zakte, reed ik de Golden Gate Bridge over. Hij was op zijn veranda lamsvlees aan het grillen. Hij gaf me een felrode negroni met een beetje vers sinaasappelsap erdoor, bitter en verkwikkend. Hij zocht zijn vinylcollectie door en zette een plaat op: *Pastel Blues* van Nina Simone. Zijn huis was schaars gemeubileerd, maar alles was met zorg gekozen. Sommige stukken waren geometrisch en modern, andere gemaakt met het oog op comfort. Terwijl hij stond te koken bekeek ik zijn boekenkast. Hij had ontzettend veel boeken, prachtige gebonden edities van bijna elke schrijver die ik goed vond en van veel schrijvers die ik nog wilde lezen. Dikke klassiekers, koffietafelboeken over architectuur, romans van James Salter en Italo Calvino. In de afdeling non-fictie niet de nieuwste bestsellers, maar wel Lao Tse, Kierkegaard en *Passionate Marriage*, waarover ik een paar jaar daarvoor ruzie had gekregen met Scott toen ik hem had gevraagd dat samen met mij te lezen.

Mijn blik viel op een paar boeken van David Deida, een docent – bij gebrek aan een beter woord – in neotantra met een kleine, maar enthousiaste groep volgelingen. Ik was een jaar geleden op Deida gestuit toen ik in mijn lunchpauze verkleumd bij Barnes & Nobles stond te neuzen. Het boek heette *Finding God Through Sex*. Het voorwoord was van de hand van integraal filosoof Ken Wilber, en Marianne Williamson en Gabriel Cousens hadden aanbevelingsteksten geschreven waarin ze Deida prezen om zijn vermogen het seksuele met het spirituele te combineren. Ik had achterelkaar zeven boeken van Deida gelezen, helemaal in de ban van wat hij te melden had over universele mannelijke en vrouwelijke energie en hoe die te kanaliseren. Een paar maanden terug had ik me bijna ingeschreven voor een workshop van een weekend in de Bay Area, maar ik had me uiteindelijk laten weerhouden door het prijskaartje van duizend dollar.

Ik liep de veranda op en ging aan de tafel zitten, waarop Alden het eten klaarzette. Hij schonk een glas pinot noir voor me in. Aan de diepblauwe lucht verschenen de eerste sterren.

'Geweldige boeken heb je,' zei ik. 'Dat je David Deida hebt, niet te geloven. Ik heb alles van hem gelezen.'

'Ik heb hem afgelopen jaar pas ontdekt, toen ik op het huis van een vriendin paste. Afgelopen voorjaar ben ik naar een van zijn workshops geweest.'

'Daar had ik me bijna voor ingeschreven!'

'Bizar. Dan had ik je ontmoet. Het was niet zo'n grote groep, en je wisselt vaak van partner, dus je gaat met iedereen aan de slag. Ik ga trouwens volgende maand weer naar een workshop, in LA.'

Ik viel aan op het lamsvlees, dat net zo lekker was als in een restaurant. Ik probeerde me voor te stellen dat ik Alden bij een workshop van Deida had leren kennen en niet via Nerve.com.

'Wat voor oefeningen doet hij?' vroeg ik.

Alden vertelde dat de vrouwen en de mannen op een rij moesten gaan staan, vlak tegenover elkaar, en dat ze elkaar recht moesten aankijken. 'De vrouw moest mijn aanwezigheid dan een cijfer geven op een schaal van 1 tot 10. Dus als ze voelde dat ik echt contact met haar maakte, zei ze 8 of 9, en als ze voelde dat ik niet meer geconcentreerd was of wegdroomde, begon het cijfer te dalen: 7, 5, 4... Het was eerlijk gezegd een beetje verontrustend. Toen moesten we wisselen en moest ik een cijfer geven voor haar straling.' Hij glimlachte wrang.

Ik ging wat verzitten en nam een slokje wijn.

'Daarna schuif je een plaats op en doe je hetzelfde met de volgende vrouw. Dat is het in principe. Ik herinner me ook een oefening waarbij we zinnen die Deida ons gaf moesten herhalen. Even denken.' Hij keek naar het servet op zijn schoot. 'Oké, ik moest tegen die vrouw zeggen: "Je bent mooi." Toen zwegen we even en zei zij: "Ik zou je over de hele wereld volgen."'

'Dat meen je niet,' zei ik, en ik legde mijn vork neer. 'Jij zegt dat ze mooi is en in ruil daarvoor legt ze haar hele leven in jouw handen? Dat vind ik geen gelijkwaardige ruil.'

Alden moest lachen. 'Nou ja, je kent het uitgangspunt, toch? Deida is meer geïnteresseerd in tegenpolen dan in gelijkwaardigheid.'

Ik kende het uitgangspunt inderdaad. Deida onderscheidde drie stadia in een relatie. Prefeministische stereotypen van mannelijke autoriteit en vrouwelijke onderdanigheid, waaraan uit angst of afhankelijkheid wordt vastgehouden, vormden het eerste stadium. Moderne relaties waarin het ging om autonomie, gelijkwaardigheid en de dingen met elkaar uitpraten vormden het tweede stadium. Voor al dat overdreven gepraat moest het paar boeten met een gebrek aan spanning in de slaapkamer. Deida probeerde stellen het derde stadium binnen te loodsen, waarin de man bewust zijn vrouwelijke kant tijdelijk liet voor wat die was, zodat de vrouw energie en emotie kon belichamen, en waarin de vrouw haar mannelijke drive tijdelijk opgaf en de man die rol op zich liet nemen. Dit model mocht dan niet politiek correct zijn, maar maakte dat volgens Deida goed met lichamelijke en spirituele vervoering, als resultaat van het samenspel van de goddelijke tegengestelde energieën: mannelijk bewustzijn en vrouwelijk licht.

Ik prikte met een steakmes in mijn lamsvlees en sneed er een flink stuk af. Zo reageerde ik steevast op Deida: een spontane combinatie van gerechtvaardigde woede en pijnlijk verlangen dat me daar jeuk bezorgde waar ik niet kon krabben. Ik wist niet of ik mijn benen uit elkaar moest doen of het moest uitschreeuwen, maar toch bleef ik zijn boeken kopen en werd ik er onverbiddelijk door aangetrokken.

'Ik heb een haat-liefdeverhouding met Deida,' zei ik. 'Ik verlang naar de tegenpolen, maar als ik een en al energie ben en jij bent een en al bewustzijn, dan ben jij de enige echte mens van ons tweeën. Planten en aarde hebben namelijk ook energie.'

'Veel vrouwen reageren zo,' zei Alden. 'In die workshop had hij het erover dat make-up en sieraden onontbeerlijk zijn voor vrouwen, en veel vrouwen protesteerden daartegen.'

Mooi zo. Alden ging dus niet klakkeloos overal in mee. Mijn blijdschap over het feit dat hij zich tot Deida aangetrokken voelde woog veel zwaarder dan de angst dat mijn feministische ankers los zouden raken.

In zijn slaapkamer, waar een groot bed stond met een brede rand eromheen, daarnaast twee nachtkastjes uit de jaren vijftig, met op één daarvan een stapel interessante boeken, liet ik Alden nog meer dan wie ook mijn verbale en lichamelijke grenzen opzoeken. Hoe hij me ook wilde noemen, ik vond het best. Waar hij zijn hand ook wilde leggen, hoeveel druk hij ook wilde uitoefenen, hoe scherp hij ook in me wilde dringen, het mocht allemaal.

Hij richtte zijn energie naar buiten, en daar speelde ik mee. Het voelde niet onderdanig en ook niet eens ontvangend. Het voelde creatief. Elk woord dat hij sprak vatte ik op als een aanwijzing, waar ik even over nadacht en dan heel vlot uitdrukking aan gaf. Tussen zijn lakens ontdekte ik vrouwen die jarenlang latent binnen in mij aanwezig waren geweest. Elke keer dat hij kracht uitoefende, werd ik groter of, liever gezegd, werd ik eraan herinnerd hoe groot ik was. Hij liet me mijn grenzen opzoeken tot die zich zo ver verlegden dat er geen einde aan leek te komen. Toen keek hij me diep in de ogen en zei dat ik een godin was en dat hij me geweldig vond.

Een paar uur later gingen we naakt de woonkamer in. Ik ging op zijn brede bank liggen en hij zette nog een plaat op. Hij schonk een glas water in, ging zitten, boog zich naar me toe om me te kussen en besteeg me binnen een paar seconden weer, deze keer zonder condoom. Voor mijn mond woorden kon formuleren over veilig vrijen of over de afspraken met mijn man, bogen mijn heupen zich naar hem toe en zodra hij in me kwam, kwam ik klaar. Dat was me nog nooit gebeurd, een orgasme zo pal op de penetratie.

We hielden het niet bij drie dates. Ik reed wel vijf, zes, zeven keer de Golden Gate Bridge over. Ik sprak met Alden af in de stad. We sms'ten dagelijks en chatten online. Op een vrijdagavond, eind augustus, toen Joie plotseling weer fulltime in haar appartement moest en ik dus geen woonruimte meer had, stopte ik al mijn spullen in mijn Volkswagen-coupé, reed naar een café om met Alden iets te drinken, nam hem mee naar Joies lege appartement, waar we een uur bleven, en reed toen naar huis. Het was na enen 's nachts. Ik was bang dat Scott aan me zou ruiken dat ik seks had gehad, maar ik durfde niet te gaan douchen, want dan zou hij wakker worden, dus stapte ik zo stilletjes mogelijk in bed.

Nu Joie weer fulltime in haar appartement woonde en ik weer thuis tot ik iets anders gevonden had, kon ik Alden alleen maar zien door zo nu en dan ergens een paar discrete uurtjes in te plannen. En Alden had het er moeilijk mee. Hij had zijn portie vrijblijvende verhoudingen wel gehad en was aan een mono-game relatie toe. Toen ik inmiddels een maand met hem om-ging, voelde ik mijn oude bekende verlangen naar exclusieve binding de kop opsteken. Ik fantaseerde hoe het zou zijn om hem elke dag te kunnen zien. Ik luisterde naar zijn verhalen over zijn reizen, eerdere relaties, zijn schrijven. Een paar li-teraire tijdschriften hadden werk van hem gepubliceerd. Hij leende me een exemplaar van een van die tijdschriften en ik las zijn werk: een niet-lineair verhaal over iemand die een be-roerte heeft gehad en die verliefd is op zijn verzorgster. De ver-haallijn kronkelde en greep telkens terug, zodat ik mijn best moest doen om hem te kunnen volgen. Het groef diep, bleef ook op dat niveau en verwoordde verdriet en verlangen waar-van ik dacht dat alleen vrouwen en schrijvers die kenden. Ik las het roerloos in één adem uit en toen ik het tijdschrift neerleg-de, dacht ik: bij zo'n man hoor ik. Maar ik kon me er niet toe zetten om bij Scott weg te gaan en mijn enige poging om wat avontuur te beleven op te geven om vervolgens gewoon weer met iemand anders een vaste relatie aan te gaan. Als ik me pro-beerde voor te stellen hoe het dagelijks leven met Alden eruit zou zien, deinsde ik terug. Dat zag er net zo goed intens rijk als uitermate verraderlijk uit. Het vertrouwen in Scott en de geschiedenis die ik met hem had doemden daarentegen voor me op als iets wat zo vast was als de grond onder mijn voeten. Dit fundament gaf me de kracht om me op onbekend terrein te wagen, hoewel ik er met elke stap die ik zette verder van af-dwaalde.

De avond voordat Alden naar Los Angeles vertrok, voor de workshop met Deida, spraken we af dat ik die nacht bij hem zou slapen. Hij haalde me op van mijn werk, we reden de brug over en voor het eerst werden we in hetzelfde bed wakker. De volgende ochtend gooide hij een weekendtas in zijn kofferbak, bracht me terug naar de stad en zette me voor mijn lege huis af. 'Wacht even,' zei ik spontaan. 'Ik wil je even Cleo laten zien.'

Ik liep met de kleine lapjeskat in mijn armen Sanchez Street op. 'Wat een schatje,' zei hij. Ze gaapte en keek hem doezelig aan. Toen hij zijn hand uitstak om haar over haar wang te krabben, gingen er twee vuurwerkpijltjes in mijn hart af: één van een onontkoombaar verlies, één van een ijdele hoop.

Ik bukte me en gaf hem een kusje op zijn mond. 'Rij voorzichtig,' zei ik. Ik keek hem na, en Cleo spinde. Ik ging naar binnen en zette haar op haar vaste plekje op de bank. Toen liep ik de badkamer in en keek in de spiegel. Roze wangen, stralende ogen, haar dat opeens drie centimeter gegroeid leek te zijn, alsof ik een geheim elixer had geslikt. Ik pakte mijn telefoon en nam een foto. Ik wilde me later kunnen herinneren hoe dit voelde.

15

Sanchez Street

In de loop der jaren had ik Scott niet alleen gevraagd om samen te wonen, met me te trouwen, weer naar het oosten van het land te verhuizen, een kind te krijgen, romantische weekendjes weg te regelen, me tijdens het vrijen aan te kijken, nee, ik had hem ook gevraagd hoe hij zich voelde (prima), of ik hem ergens mee kon helpen (zou hij me laten weten), hoe ik een betere partner kon zijn (ik was prima zo). Ik kocht een video met een introductie op tantra (die we één keer bekeken hebben) en boeken over relaties (waarvan hij er een paar uiteindelijk gelezen heeft). Ik heb hem gevraagd om kerken te proberen (we zijn ongeveer een halfjaar naar een kerk van de Unitarian Universalists gegaan) en of hij met me aan meditatie wilde gaan doen (nee, dank je). Ik vroeg in wat voor lingerie hij me graag zou zien (hij zag me het liefst naakt) en of hij samen porno wilde kijken (nou nee).

Jarenlang had ik het vermoeden dat Scott mijn pogingen tot intimiteit bewust, of in elk geval halfbewust, probeerde te dwarsbomen. Ik begon in te zien – en het was gewoon zielig dat ik daar zo lang voor nodig had gehad – dat hij gewoon zichzelf was. Hij was van nature niet romantisch, oosterse spiritualiteit interesseerde hem niet en hij besteedde geen tijd aan overpeinzingen over onze relatie. Hij dacht in brede termen na over de wereld en zijn plaats daarin. Hij hield van de natuur. Hij wilde dat ik met hem ging fietsen en wandelen en dat ik het boek over wijnmaken dat hij aan het schrijven was zou redigeren. En ik gíng ook met hem fietsen; in Philadelphia door de week bijna elke ochtend en in San Francisco in het weekend. Ik maakte misschien één keer per jaar een lange wandeltocht en vond het een verschrikking. Wat dat boek betreft weerhield een reusachtige weerzin, waar ik geen uitleg voor had, me ervan om er gewoon voor te gaan zitten en het te redigeren.

Toen door het project de onvermijdelijke afstand tussen ons eenmaal was opgetreden, trok de mist van mijn vertrouwde projecties een beetje op en werden de echte contouren wat beter zichtbaar. Hadden we ons niet juist door onze verschillen tot elkaar aangetrokken gevoeld? Bestonden veel goede huwelijken niet juist uit tegenpolen? Ik begon zelfs respect voor hem te voelen omdat hij voor sterilisatie had gekozen. Ik was er nog wel steeds van overtuigd dat we onze verschillen bij uitstek door het ouderschap tot een harmonieus geheel hadden kunnen smeden, maar uiteindelijk deed het er niet toe wat ik vond. Hij had het recht op zeggenschap over zijn lichaam en over de manier waarop hij zijn leven wilde inrichten. Terwijl ik hem daarin zo voet bij stuk zag houden, voelde ik, ondanks de verschrikkelijke onzekerheid die zowel de sterilisatie als het daaruit voortvloeiende project met zich meebracht, een nieuw glimpje waardering voor hem.

En het project haalde natuurlijk ook kanten in Scott naar boven die ik met de beste wil van de wereld nooit naar boven had kunnen halen, of dat nu door de invloed van zijn eigen nieuwe minnaressen kwam of gewoon doordat hij bang was mij kwijt te raken. Hij werd steevast voor dag en dauw wakker en kroop dan zonder een woord te zeggen boven op me. Soms pakte hij me tijdens het vrijen bij de hand, trok me mee naar de keuken en tilde me daar op het hakblok, waar het er vervolgens nog wat ruwer aan toe ging – hij staand en ik met mijn benen om zijn middel.

Als er een open relatie aan te pas had moeten komen om eindelijk wat veranderingen te bewerkstelligen, dan leek het mij dat we, als we er te snel mee ophielden, gewoon weer terug bij af zouden zijn. En het project was inmiddels, vijf maanden na aanvang, goed op stoom gekomen. De minnaars vielen over het algemeen niet na drie dates af. In plaats daarvan waaierden de contacten die we opbouwden zich uit als condensstrepen. Na Denver en zonder de alcohol of verafgelegen stad om ons in te verstoppen, werden Paul en ik gaandeweg goede vrienden. Jude en ik hadden na de eerste maand geen seks meer met elkaar, maar we zagen elkaar wel eens in de zoveel weken een paar uur, waarin we aten, naar muziek luisterden en met elkaar praatten. Na twee dates vond Andrew een nieuwe vriendin, maar we bleven wel sms'en en mailen. Alden was teruggekomen uit Los Angeles met de mededeling dat hij er uiteindelijk mee zou moeten stoppen, maar ik was blij met de tijd die ik nog met hem had, hoe kort die ook mocht zijn. Wat betreft de vrienden die ik nog steeds bij OneTaste ontmoette, vielen er een heleboel nieuwe relaties bij te houden. Ik ging er gewoon in mee, misschien wel meegesleurd door de aanzuigende werking van de vrijheid die ik mezelf tot dan toe ontzegd had. Ik was nog steeds op zoek naar een nieuw appartement.

Ik kwam een keer op dinsdagavond thuis en toen zat Scott toonladders te oefenen op een elektronisch keyboard dat ik hem had gegeven. 'Ik heb iets op Craigslist gezien waar ik vanavond even naar moet gaan kijken,' zei ik. 'Het is in Sunset, dus ik ben wel even weg.' Ik vertelde er niet bij dat ik na afloop naar Jude zou gaan.

Jude woonde op de tweede verdieping van een statig oud negentiende-eeuws pand in Outer Sunset, een mistige woonwijk ten zuiden van het Golden Gate Park. Aan het ene eind van een lange gang lag zijn slaapkamer, waar we in die zomer maar één keer gebruik van hadden gemaakt, en aan het andere eind een grote woonkamer met daarin alleen muziekinstrumenten en heel grote vloerkussens, verspreid over een reusachtig oosters tapijt. Jude en ik zaten meestal in de ouderwetse keuken, waar hij op een krakkemikkige bank gitaar zat te spelen en ik een veganistische maaltijd probeerde te bereiden in de twee goedkope pannen die hij bezat.

Waarom moest ik na tien uur achterelkaar werken bij het krankzinnig drukke tijdschrift naar Outer Sunset rijden om een astroloog te zien met wie ik niet eens naar bed ging, als ik ook naar mijn schone, mooie huis met mijn comfortabele meubels en knappe echtgenoot kon, die hoewel hij geen kind en geen tantracursus wilde mij wel in stilte aanbad en gewoon wijn wilde maken terwijl ik in de woonkamer zat te lezen? Die vraag stelde ik mijzelf meer dan eens. Waarom kon ik niet gewoon in de kamer zitten lezen en gelukkig zijn?

Daarom. Terwijl ik fijngesneden knoflook en sojaworst in de koekenpan gooide, tokkelde Jude achter mij een nummer dat hij net geschreven had op zijn gitaar. Met zijn spannende bariton zong hij bij de zachte akkoorden een lied over de strijd tegen twijfel en duisternis. Het maakte mij niet uit dat hij een hippie was en vuurrituelen voltrok. Het ging mij erom dat ik zijn schoonheid kon zien. Die zag ik in zijn muziek, in zijn vriendenkring van filmmakers en dansers, in het geld dat hij elke maand naar zijn moeder stuurde. Het ging me ook om het feit dat Jude de interactie met me aanging. Hij stelde me vragen en wees me op aspecten van mijn gedrag waar ik nooit oog voor had gehad en waar mijn man nooit iets over zei. 'Als je iets wilt vragen wat je graag wilt, kun je soms zo pruilen,' zei Jude een keer. En ook: 'Je zou in bed wel wat assertiever kunnen zijn.' Wie anders zou dat ooit tegen me zeggen?

Ik had de chemische werking van verliefdheid inmiddels vaak genoeg meegemaakt om te weten dat die cyclus niet alleen maar persoonlijk was. Die had iets te maken met de mensheid. Paul, Jude, Alden en alle onbekenden vóór hen hadden me benaderd en me toegestaan hen aan te raken. Ik koesterde me in hun aanwezigheid, gebiologeerd door alle details van hun kleren, hun smaak, hun accent, hun gewoonten. Zelfs als de intensiteit een beetje van de seks af was, bleef er een glans over. Alles ving het licht – de toeristen op Union Square, de bloemen in de bakken voor een winkel, de metro die 's ochtends vaart maakte en een tunnel in reed nadat ik was uitgestapt.

'Ben je bang dat je manisch bent?' had Andrea gevraagd toen ze me het project uit mijn hoofd probeerde te praten. 'Ga zelf naar de dokter,' beet ik boos terug. 'Andrea, jij weet net zo goed als ik dat ik nooit manisch ben geweest.'

Nu begreep ik haar vraag wel. Het kon best dat ik manisch was; ik joeg met al die contacten het ene piekmoment na het andere na om de frustratie te verdoven van een huwelijk van twee tegenpolen, de verveling van de middelbare leeftijd, het verlangen van mijn kinderloze bestaan. Maar het zou ook kunnen zijn dat mijn minnaars een meer accurate werkelijkheid aan het licht brachten, die onder de dagelijkse werkelijkheid lag, namelijk dat je door verliefd te worden een glimp opvangt, ook al is die nog zo kort, van de innerlijke grandeur.

Jude en ik gingen aan tafel zitten om te eten en ik haalde mijn telefoon uit mijn tas. *Ik eet hier even iets*, sms'te ik Scott. *Ik ben om tien uur thuis.* Binnen een paar seconden sms'te hij terug: *Ik wil scheiden.*

Ik verstijfde helemaal. *Ik kom nu naar huis*, sms'te ik en ik smeet mijn telefoon in mijn tas. 'Sorry, ik moet weg,' zei ik tegen Jude. 'Nu meteen.'

'Echt?' zei hij, en hij stond op. 'Gaat het?'

'Ja, maar ik moet weg. Ik leg het je morgen wel uit. Het spijt me.'

Ik stapte in de auto en probeerde mijn snelheid binnen de perken te houden. Ik had het woord 'scheiden' in de loop der jaren twee of drie keer uitgesproken, maar binnen een paar minuten weer teruggenomen. Dit was de eerste keer dat Scott het had uitgesproken. Naaldjes van paniek prikten onder mijn huid. Ik belde Scott één, twee, drie keer. Er werd niet opgenomen. Toen ik thuiskwam, lag zijn telefoon op het aanrecht.

Hij kwam die avond niet meer thuis, en de volgende ochtend ook niet. Ik lag de hele nacht in bed in het donker voor me uit te staren en dacht: oké, dit is het dus, het einde dat eraan zat te komen.

Om zeven uur sleepte ik me naar mijn werk en belde zijn kantoor.

Hij nam op. 'Met Scott.'

'Hallo,' zei ik, en ik begon te huilen.

'Hallo,' zei hij.

'Was je van plan om na je werk naar huis te komen?' was het enige wat ik wist uit te brengen.

'Ja.'

'Oké, dan zie ik je dan.'

'Oké. Dag.'

Toen het tijd was voor mijn lunchpauze werd het slaapgebrek me te veel. Ik ging naar huis, liet zodra ik binnen was al mijn spullen vallen en ging naar bed. Cleo sprong op en ging lekker in de holte van mijn arm liggen. Zo lagen we samen mijn lot af te wachten.

Jaren geleden, toen ik eenendertig was, hadden Cleo en ik een hele zomer, van mei tot en met augustus, in Scotts huis in Sacramento op bed doorgebracht. Dan lag ik op mijn rug, met haar op mijn borst, naar een krul in het stucwerk in het witte plafond te kijken die precies een man met brede schouders en een toga aan leek. Zo nu en dan draaide ik me om en keek door de hor van het slaapkamerraam naar buiten, waar Scotts tomatenplanten bloeiden. In de Chinese iep in de achtertuin zaten de hele dag vogels te fluiten. De witkatoenen sprei onder me, ooit nog gemaakt door Scotts moeder, had een dessin van blauwe bloemetjes. Naast me lag Scotts oude zachte rode zakdoek, met gerafelde randen en nat van de tranen.

Die zomer in Sacramento stond ik 's ochtends op, poetste mijn tanden, waste mijn gezicht, trok mijn pyjama uit en een loszittende short en t-shirt aan, en dan ging ik roerloos op de sprei liggen, met de kat, de vogels en de man in toga. Ik kon me niet genoeg concentreren om een boek te lezen. De tv zette ik ook niet aan, want ik verdroeg die simulaties van normale mensen met hun luidruchtige levens niet. Soms schuifelde ik 's middags het keukentje in en deed ik een poging de vaat te doen, met mijn roerloze blik gericht op de bladeren van de vetplant op de vensterbank. Maar als ik mezelf in de verticale stand hield, moest ik nog harder huilen. Dan draaide ik de kraan dicht, boog me voorover en huilde, waarbij er snot in de gootsteen droop, met de theedoek in mijn hand.

Sinds ik op achtentwintigjarige leeftijd bij een fietsongeluk mijn grote schaamlippen had gescheurd en ik languit op een verlaten fietspad terecht was gekomen, was het bergafwaarts met me gegaan. Tegen de tijd dat Scott was toegesneld was mijn t-shirt al nat van het bloed. De gynaecoloog die me hechtte, weigerde te vertellen hoeveel hechtingen hij daarvoor nodig had gehad; hij zei alleen maar dat het 'niet erger was dan wanneer je bij een bevalling was uitgescheurd'. Hij verzekerde me dat ik over een maand of twee weer helemaal de oude zou zijn.

Het duurde vier jaar voor ik weer de oude was. De meeste dagen had ik keelpijn. Soms deden mijn armen zo'n pijn dat ik mijn haar niet kon borstelen. Ik had scherpe pijnscheuten door mijn borst en moest me aan de muur vasthouden om op de been te blijven. Er schoten golvende verticale lijnen door mijn gezichtsveld en mijn ogen brandden. Ik viel tien kilo af en droomde regelmatig dat er dikke pus uit mijn lichaam liep. Zo nu en dan voelde ik een druk rond mijn hals alsof iemand me probeerde te wurgen. Ik werd getest op de ziekte van Lyme, schildklierproblemen, multiple sclerose, leukemie en nog een stuk of tien andere aandoeningen. Naast de lopende therapie-sessies probeerde ik bodywork, acupunctuur, vitamine B12-injecties, antidepressiva en anti-epileptica, en liet ik me op allergieën testen. Eén arts noemde het een depressie, al had ik er nog nooit van gehoord dat een depressie zulke acute klachten kon veroorzaken. Iemand anders zei dat ik moest stoppen met tarwe en suiker eten. Weer iemand zei: 'Soms worden mensen ziek en gaan dood zonder dat daar ooit de oorzaak voor wordt gevonden.' Ik leerde in die vier jaar veel over de wisselende kwaliteit van bejegening door artsen. Ik werd ervaringsdeskundige. Op een gegeven moment hielden ze het er maar op dat het het chronischevermoeidheidssyndroom was, wat verder geen informatie toevoegde, behalve dan dat er een etiket op geplakt was en dat ik er een nieuwe lijst met lotgenoten-praatgroepen bij kreeg waar ik naartoe kon. Tegen de tijd dat ik eenendertig was en de ziekte inmiddels al drie jaar duurde, deden die etiketten er toch niet meer toe. De lichamelijke klachten bleken hooguit herkenningspunten te zijn op een pad dat een donkere bodemloze put in liep.

In een poging een en ander te verklaren schreef ik Scott een brief waarin ik vertelde dat ik een verschrikkelijke wond binnen in mij had, iets waarvoor geen woorden bestonden, en dat hij die met zijn zachtmoedige geduld eerst zou verzachten en dan tot een nog dieper niveau zou openmaken. Dat ik door lagen van dodelijke wanhoop heen viel, dat ik elke dag het gevoel had dat ik zou doodgaan, wat vervolgens niet gebeurde. Toen Scott klein was, gaven zijn ouders hem de bijnaam 'Sunshine', vanwege zijn opgewekte natuur. Ik legde uit dat ik nu eens dankbaar was voor zijn kracht, maar me dan weer schaamde voor mijn eigen ellende. Scott stopte de brief in zijn bovenste la, naast de naamplaatjes uit de Tweede Wereldoorlog van zijn vader. Als hij thuiskwam van zijn werk bij het softwarebedrijf, elke dag stipt om kwart over vijf, kwam hij naar de slaapkamer en ging hij naast me liggen, met zijn gezicht naar me toe.

'Hé poppie,' zei hij dan. Soms noemde hij me schatje, snoes of scheetje. Dan vertelde hij hoe zijn dag was geweest en ik hoe het met mij ging, waarbij elk woord door een handschoen van zelfhaat uit me getrokken moest worden. Dan draaide hij zich op zijn rug en hield me vast, terwijl ik tegen zijn schouder aan huilde. Deze twintig minuten durende dosis eenvoudig contact gaf me de kracht om uit bed te komen, iets te eten op te warmen en eventueel op de bank een film met hem te kijken, waarna ik terugging naar de slaapkamer.

Als ik er nu op terugkijk, kan ik het mysterie wel waarderen. Ik beschouw het als mijn eerste afdaling in het lichaam, met het fietsongeluk als de schok die mijn bewustzijn voor het eerst tot onder mijn nek omlaaggetrokken had, naar mijn buik, benen, armen en geslacht. Terwijl ik rondtolde in een ketel van lang onderdrukte gevoelens, werd ik beetje bij beetje gedwongen om alles nu het hoofd te bieden. Ik leerde door middel van mijn ademhaling de pijn, de uitputting, de duizeligheid en het verdriet toe te laten. Toen ik drie jaar ziek was en vier maanden lang roerloos op Scotts bed had gelegen, bereikte ik het dieptepunt. Ik was er niet het type naar om zelfmoord te plegen, dus besloot ik dat ik, als deze verlamming zou voortduren, mijn droom over journalistiek, reizen en intimiteit zou opgeven en dat ik ergens non in een boeddhistisch klooster zou worden. Ik keek uren achtereen naar de man in toga in het stucwerk, vroeg God waar Hij was, waarom Hij sinds de basisschool niet meer op ondubbelzinnige wijze aan mij was verschenen. Zijn stilte moest te wijten zijn aan mijn gebrek aan oprechtheid, want hoe gigantisch groot mijn behoefte aan God ook was, mijn angst had de overhand: angst die mij was aangepraat door de katholieken, die me hadden geleerd dat zelfs heiligen God amper onder ogen konden komen zonder hun heiligheid te verliezen, dus dat stervelingen dat niet eens hoefden te proberen. Bij gebrek aan Gods genade moest ik het dus met die van mezelf stellen. In mijn slechtste momenten probeerde ik een piezeltje mededogen op te brengen voor wat ik doormaakte. Een fractie van een seconde eenvoudige vriendelijkheid in een zee van chaos, verzet en wanhoop.

Op een middag in augustus slaagde ik erin uit bed te komen en mezelf naar de bioscoop te slepen. Ik zag een film waarin Patricia Arquette een jong weduwe geworden arts speelde die zich tijdens de oorlog een weg baant door het oerwoud van Birma, terug naar huis. Het was een kleine film die verder niemand was opgevallen, maar er zat één cruciale scène in waarin het personage van Arquette plotseling besluit om in het verwoeste land te blijven om de vluchtelingen te helpen en haar verdriet aldus in iets nuttigs om te zetten. Na de middagvoorstelling liep ik naar buiten, naar een klein plankier aan de Sacramento-rivier, en keek ik omlaag naar het troebele water. Ik volgde de rivier met mijn blik stroomopwaarts naar de armzalige skyline en de gebleekte lucht van de stad waar ik mijn toevlucht toe had genomen, en op dat moment opende zich binnen in mij iets heel kleins, een speldenprikje licht en lucht.

Een paar maanden later begon ik weer parttime te werken. Het jaar daarna volgde ik wat cursussen journalistiek, zodat ik eindelijk met de technische schrijfopdrachten kon stoppen. Toen ik weer voorzichtig mijn eerste schreden in de wereld zette, merkte ik dat er iets veranderd was. Als ik Scotts huis binnenkwam, had ik niet meer het vage gevoel dat er gevaar dreigde. Als ik over straat liep, glansden de bladeren aan de bomen me niet meer met een allesdoordringend verdriet toe. De radeloze behoefte om mijn omgeving te beheersen had niet meer zo'n verstikkende greep op me. Aanvankelijk wist ik niet hoe ik dit nieuwe gevoel moest noemen. Het was niet echt geluk en het was ook niet echt vrede, maar meer een gedempte vrolijkheid, een gevoel van ruimte, daar waar eerst nog iets vastzat. Uiteindelijk wist ik hoe het heette: veiligheid. Een ander mens had alles van me gezien, en hij was er nog steeds. Hij was nog steeds lief voor me.

De deelnemers aan het twaalfstappenprogramma, de therapeuten en de zelfhulpboeken zeiden allemaal dat een ander mens jou niet kan genezen. Je moest het zelf doen, of God vragen het voor je te doen. Ze hadden het bij het verkeerde eind. Ik was genezen door Scotts stoïcijnse, zachtmoedige liefde, of in elk geval had die het fundament voor mijn genezing gevormd. Dezelfde liefde waar ik me nu tegen verzette.

Ik werd wakker na een dutje, met Cleo nog steeds lekker dicht tegen me aan. Het woord 'scheiden' galmde nog na. Ik stond op, ging aan de keukentafel zitten en probeerde genoeg moed te verzamelen om deze mogelijkheid onder ogen te zien, in elk geval gedurende een paar minuten. Ik zag een toekomst voor me die niet uit eindeloze verhoudingen, seksworkshops en nieuwe vrienden bestond, maar uit... niets. Een leegte. Toch had ik net zomin het gevoel dat ik me op dit moment weer in de kooi van ons conventionele, kinderloze huwelijk kon laten opsluiten. Jarenlang was de veiligheid die ik bij Scott gevonden had genoeg geweest. Tot nu.

Scott kwam zoals altijd om kwart voor vijf thuis. Ik zette me schrap. Hij kwam de keuken in, ging naast me zitten en zei: 'Het spijt me. Ik was boos. Ik meende het niet.'

'Niet erg,' zei ik, en ik pakte zijn hand. Tranen van opluchting vertroebelden mijn zicht. 'Je hoeft geen sorry te zeggen.'

'Ik wil ons huwelijk terug,' zei hij. 'Dit duurt nu al bijna vijf maanden. Heb je gevonden wat je zocht?'

Ik wilde ja zeggen; ja, ik heb meer gevonden dan ik gezocht heb. Je hebt je grootmoediger gedragen dan van welke man ook verwacht kon worden, en nu is het voorbij en zijn we weer veilig. Het spijt míj. Het spijt me dat ik niet gewoon kon accepteren dat je je hebt laten steriliseren en daarna verder kon gaan, dat ik niet volwassen kon worden en me aan de belofte kon houden die ik je op onze trouwdag heb gedaan, dat ik bezig ben met een of andere puberale zoektocht naar god mag weten wat. Jij verdient dit niet.

'Ik heb meer tijd nodig,' zei ik.

Hij dacht even na. 'Hoelang dan nog?'

'Het is bijna oktober. Als ik op 1 oktober weer een appartement heb, zouden we aan het begin van het jaar de boel opnieuw kunnen bekijken.'

'Januari is niet het goede moment om grote beslissingen te nemen, zo vlak na de feestdagen en al dat familiegedoe,' zei hij. Die stelregel hoorde ik vaak van hem. 'Laten we het op 1 februari houden.'

'Oké, 1 februari.' Zou met vier maanden extra deze storm uit mijn systeem gewoed zijn?

We bleven nog even zitten en hielden zwijgend elkaars hand

vast. Zijn handen waren voor zo'n lange man aan de kleine kant. Maar ze waren wel zacht. Aan de ruwe handpalmen merkte je dat ze gewend waren aan dingen repareren.

'Ik zal even iets te eten voor je maken,' zei ik. Cleo sprong loom van mijn schoot op de grond en toen moeiteloos van de grond op zijn schoot. Ze nestelde zich en hij aaide haar over haar nek.

'Als er een kat op je schoot ligt te spinnen kan het allemaal nog zo erg niet zijn,' zei hij. Dat was ook zo'n geliefde uitspraak van hem.

En zo was het ook. Hij had gelijk.

16

South of Market

Ik vond een studio die ik per maand kon huren in een loft in South of Market, hoewel 'studio' een beetje overdreven was. Hij was kleiner dan de meeste hotelkamers, met een tweepersoonsbed, een keukentje, een kast en een flatscreentelevisie, en naast de deur een badkamer. Het gebouw was gloednieuw, met zeven verdiepingen van beton en glas. Het lag in Bluxome Street, een van de vele smalle steegjes van deze wijk. Elke studio had een raam dat de hele muur besloeg; het mijne, gelegen op de vierde verdieping, zag uit op de binnenplaats met fontein. Van het dak was een heel groot terras gemaakt, met uitzicht op het centrum, dat slechts een paar straten verderop lag.

Ik pakte mijn kleren uit, kocht alleen de hoognodige boodschappen voor in de minikoelkast en hing een schilderij op dat ik bij Joie had gemaakt, een heel groot abstract doek in blauw, rood en oranje, dat deed denken aan een waterplant. Op het hoektafeltje zette ik de foto van mijn pasgeboren neefje, krijsend in de verloskamer.

Ik had Alden sinds hij terug was uit Los Angeles maar één keer gezien. Hij paste twee avonden op het huis van vrienden in de stad en zou daarna naar Death Valley rijden en daar een week blijven, waar hij geen bereik en geen internet had. Hij vroeg of ik naar de Philosophers' Club kon komen, een oud buurtcafé in een wijkje achter Twin Peaks. Toen we allebei op een kruk aan de bar zaten, zei hij dat onze verhouding afgelopen moest zijn. Hij wilde geen lange relatie met een vrouw die niet beschikbaar was. Hij wilde er geen gebroken hart aan overhouden.

'Voor je het weet is het Kerstmis,' zei hij. 'Ik moet er niet aan denken dat ik dat met jou wil vieren, terwijl ik weet dat dat niet kan.'

Hij leunde met zijn elleboog op de bar, een getatoeëerde slang kronkelde zich helemaal om de spier van zijn onderarm en beet in zijn eigen staart, in tinten rood en paars die ik nog nooit eerder in een tatoeage had gezien. Om de een of andere reden, waarschijnlijk gewoon door mijn egoïstische behoefte om hem te blijven zien, kon ik niet geloven dat hij echt zo kwetsbaar was als hij beweerde.

'Bedoel je nou te zeggen dat we er nu meteen een punt achter moeten zetten?' vroeg ik.

'Nee, maar wel binnenkort.'

Terwijl hij afrekende, keek hij me met een mengeling van verlangen en beheersing aan. 'Ga je mee naar mij?' vroeg hij.

Ik ging met hem mee naar het appartement van zijn vriend, niet ver van het café. Het lag hoog tegen de steile heuvel van Twin Peaks aan, en de brede ramen van de woonkamer boden uitzicht over het hele verlichte raster van de stad, de pieren, het water en nog verder, helemaal tot aan Oakland toe. In plaats van mij mee te nemen naar de slaapkamer deed Alden het licht uit en ging op de bank zitten. Hij legde een kussen op zijn schoot en klopte erop. Ik ging liggen en hij trok zwijgend de rits van mijn spijkerbroek open en schoof hem omlaag, net als mijn slip. 'Gewoon ontspannen,' zei hij, terwijl hij zijn linkerhand op mijn schaambeen liet liggen. 'Gewoon ademhalen.'

Hij begon zachtjes met zijn vinger te duwen, onmerkbaar bijna, alsof hij een piepklein, heel kwetsbaar pasgeboren diertje aaide. Hij bleef aan de oppervlakte, bijna een centimeter bij mijn clitoris vandaan, en kwam dichterbij toen mijn benen verslapten, waarna hij nog langzamer streelde dan ik voor mogelijk hield. Hij zei geen woord. Op een gegeven moment vielen mijn knieën naar opzij en daarna mijn armen. Mijn rechterhand hing op de grond. Ik had mijn ogen dicht, mijn hoofd rolde naar rechts en mijn kaak hing slap. Mijn huid voelde helemaal glinsterend en wakker, doortrokken van een genot dat ontdaan was van aandrang of spanning. Ik zou het niet eens opwinding kunnen noemen. Het was meer een oceaanachtige rust, een rust zoals ik die nog nooit door middel van drugs, meditatie of yoga had weten te bereiken.

De volgende avond was Aldens laatste avond in de stad. Daarna zou hij vertrekken. Ik had een etentje met vrienden, maar ging daarna linea recta naar hem toe. Ik was een beetje aangeschoten en hoopte op een herhaling van de avond ervoor. Mijn iPod schetterde Wolf Parade in mijn koptelefoon. Toen hij opendeed, haalde ik één oortje uit mijn oor en stak hem dat toe. Hij luisterde een paar seconden, legde de iPod toen op het tafeltje in de gang, kuste me, draaide me met mijn gezicht naar de muur en tilde mijn rok op. Hij neukte me ter plekke in de gang, en toen nog een keer een paar meter verderop op het bed in de logeerkamer. Toen we na afloop in het donker op bed lagen, de vloer bezaaid met onze kleren, zei hij: 'Vergeet alsjeblieft niet wat ik voor je voel.'

Op dat moment had ik moeten weten dat ik hem niet meer zou zien, maar ik had mijn uitwerking op hem overschat, en de zijne op mij volledig onderschat.

Toen Alden terugkwam uit Death Valley, vroeg ik of hij mijn nieuwe studio wilde komen bekijken, maar dat sloeg hij af. Zijn sms'jes werden vriendschappelijker en minder flirterig.

Tijdens de debatten voor de presidentsverkiezingen van 2008, waar ik met collega's in een bomvolle hotelbar in het centrum naar keek, wisselden we grapjes uit en zetten we in op Joe Biden, die net als ik uit Scranton kwam. Toen het afgelopen was, sms'te ik: *Mag ik dan nu naar je toe komen?*

Beter van niet.

Toen Alden afstand hield, begon ik me zorgen te maken over het feit dat we het zo vaak zonder condoom hadden gedaan. Toen dat voor het eerst was gebeurd, had hij gezegd dat ik me geen zorgen moest maken, dat hij zich onlangs nog had laten onderzoeken en dat daaruit gebleken was dat hij geen soa had. Hij had er in zijn werkkamer thuis zelfs nog ergens een uitdraai van liggen. 'Die laat ik je wel zien als dat je geruststelt,' had hij gezegd.

'Sorry dat ik zo zeur, maar ik moet hem echt zien, voor mijn gemoedsrust.'

Rationeel gezien dacht ik niet dat Alden hiv of iets anders had, maar hoe moest ik dat zeker weten? Ik kende hem amper. Mijn onderliggende schuldgevoel over het overtreden van de condoomregel was onlosmakelijk verbonden met de obsessieve angst dat ik Scott met een ziekte zou opzadelen. Ik had geen rust tot ik het zeker wist. Ik vroeg mijn huisarts om een uitgebreide soatest, maar ze zei dat ik acht weken moest wachten, want zo lang duurde het voordat sommige markers traceerbaar waren. Tijdens een chatgesprek beloofde Alden dat hij me een kopie van zijn uitslag zou sturen, zodat ik voorlopig gerustgesteld was. Hij vroeg ook of ik hem het literaire tijdschrift terug wilde sturen waarin zijn verhaal gepubliceerd was, aangezien dat zijn enige exemplaar was. Op dat moment begreep ik dat ik hem nooit meer zou zien, en hoewel hij me ervoor had gewaarschuwd, kon ik het nu het zover was niet aan. Ik belde hem en kreeg zijn voicemail.

'Hé, Alden, met Robin. Ik weet dat je het niet hoeft te doen, maar zouden we elkaar nog één keer kunnen zien, in het openbaar als je wilt, gewoon om afscheid te nemen? Ik... ik weet niet... ik geloof dat ik een paar weken op jou achterloop wat dit loslaten betreft. Die avond in Twin Peaks had ik niet door dat het de laatste keer was dat ik je zou zien. Dan geef ik je het tijdschrift, jij laat me de uitslag van jouw onderzoek zien en dan zijn we klaar. Zelfs als je maar een kwartiertje kunt vrijmaken ben ik al blij. Laat het me weten, oké?' Helemaal bevend hing ik op.

Hij belde die dag niet terug, en de volgende dag ook niet. Mijn zelfbeheersing nam met de minuut af. Toen ik 's avonds in het donker bij mijn studio arriveerde, sms'te ik vanuit de auto of ik langs kon komen om het tijdschrift te brengen, de uitslag te zien, afscheid te nemen en dan weer weg te gaan.

Nee, Robin. Stuur het tijdschrift gewoon per post terug.

Ik verstijfde. Probeerde hij me nou knock-out te slaan? Ik wist het niet, want zijn woorden waren zo kil dat ze in mijn hersenen kortsluiting veroorzaakten. Een boosaardige hitte kronkelde door mijn borst en in mijn nek omhoog. Het interieur van de auto draaide om me heen en sloot me in, en de SoMa-steeg zag er plotseling uit als Pennsylvania: een troosteloze straat, waarin het in snel tempo nacht werd en alles en iedereen door een wazige handbeweging werd weggevaagd. Ik kon hooguit bedenken dat ik me in de steek gelaten voelde, maar dat was maar een vermoeden. Het gevoel was te groot en ging te diep om door een woord gevangen te kunnen worden. Ik had mijn hele volwassen leven geprobeerd het de baas te worden, maar er was nog steeds niets aan veranderd en het was zo groot dat het me in z'n geheel opslokte.

Ik startte de auto en reed Bluxome Street in en daarna Fifth Street op. Ik ging naar hem toe.

Nee, Robin. Zet je auto aan de kant.

Keer om. Parkeer je auto. Ga naar boven.

Ik deed de deur van mijn studio achter me dicht, ging op bed zitten en pakte mijn telefoon. *Ik stuur het je terug zodra ik een kopie van die uitslag heb*, schreef ik.

De telefoon ging.

'Waar ben je mee bezig, Robin?'

'Ik vroeg of ik persoonlijk afscheid van je mocht nemen, meer niet.' Terwijl ik het zei kromp ik in elkaar, tot ik nog maar een meter lang was.

'Ik heb gezegd dat ik je niet wil zien. Ik wil dat tijdschrift terug.'

Mijn hele lichaam werd koud. Een verschrikkelijk gevaar doemde vlak voor mij op.

'Prima, je hoeft me niet te zien. Maar je hebt ook gezegd dat je me die uitslag zou laten zien, weet je nog?'

'Je kunt dat tijdschrift niet zomaar gijzelen...'

'Ik gijzel helemaal niets.'

'Je respecteert mijn grenzen niet. Jij wilt er een mooie strik omheen doen en dat is heel narcistisch van je.'

'Waar heb je het over? Waarom doe je opeens alsof ik een soort stalker ben?'

'Zo gedraag je je ook, als een stalker!'

'En jij gedraagt je als een achterlijke idioot!' schreeuwde ik, zo hard dat het pijn moest doen aan zijn oren. Woede hielp. Die drukte de verstikkende pijn vanuit mijn borst een stukje de kamer in.

Hij hing op. Toen hij weer belde, nam ik niet op. De pijn zat nu opgeborgen achter een keiharde terughoudendheid. Ik lag de hele nacht wakker en luisterde naar de fontein, vier verdiepingen lager, en probeerde het gapende gat binnen in mij de baas te worden. Als ik me er niet tegen verzette en ernaar kon kijken zonder ineen te krimpen, kon ik misschien eindelijk zo groot worden dat ik het zou kunnen beheersen. Dat hield ik mezelf de hele tijd voor, en elke keer dat ik me deze situatie probeerde voor te stellen zonder dat mijn man thuis op me wachtte, deinsde ik ervoor terug. Wat voor masochist zorgt er nu voor dat ze buiten haar stabiele huwelijk om in de steek gelaten wordt, terwijl dat huwelijk zelf allang niet meer zulke dramatische toestanden oplevert?

De volgende ochtend had ik een e-mail van Alden waarin hij zei dat hij me de uitslag zou sturen. 'Dank je wel,' schreef ik terug. 'Bluxome Street 55. Ik stuur je het tijdschrift vandaag terug en dan hoor je nooit meer iets van me.' Ik verwijderde de e-mail, toen zijn e-mailadres, toen zijn sms'jes en voicemail-berichten, en tot slot zijn telefoonnummer. Ik ontvriendde hem op Facebook en blokkeerde hem op Nerve.com. Ik stopte zijn tijdschrift in een bruine envelop met een briefje met: 'Ik vertrouw erop dat je me die uitslag stuurt. Groeten.' Met elke afsluiting kreeg ik iets meer grip op de zaak terug, zodat ik de lege kamers van mijn hart die het zwijgen was opgelegd kon afsluiten.

Twee dagen later kwam er met de post een envelop op mijn adres aan Bluxome Street. Daarin een met de hand geschreven briefje. 'Het spijt me dat het zo moest lopen, Robin. Ik hoop dat je vindt waarnaar je op zoek bent.' Daarbij ingesloten een fotokopie van zijn bloedonderzoek. Hij had geen ziektes. Ik keek naar zijn volledige naam, geboortedatum, adres, lengte en gewicht, allemaal tastbare symbolen die getuigden van het be-staan van minstens één man op deze aarde die wist hoe hij met me moest omgaan. Ik verscheurde de uitslag en gooide hem weg. Ik vouwde het briefje dubbel en stopte het in het doosje waarin ik gebeden en zorgen opborg. Dit briefje en zijn adres waren nu nog het enige houvast dat ik had. Ik boog mijn hoofd en bad in stilte om de kracht die ik nodig had om hem verder met rust te laten.

Ik stopte het gebedsdoosje in de la. Dit was dus de keerzijde van hartstocht, de prijs die je ervoor moest betalen. Ik begreep waarom hij het moest uitmaken, maar ik begreep niet waarom het zo abrupt moest, en waarom hij het die avond in Twin Peaks niet gewoon eerlijk gezegd had als hij toen al had geweten dat het onze laatste keer zou zijn. Of misschien was dat precies wat hij bedoelde toen hij zei 'Vergeet alsjeblieft nooit wat ik voor je voel', en kon ik dat gewoon niet accepteren. Misschien dacht hij dat ik alle kaarten in handen had, omdat ik getrouwd was, gevaarlijk, en hij het dus niet aankon om nog een keer afscheid te moeten nemen. Die verklaring klonk me plausibel in de oren en ik putte er troost uit. Het pijnlijkst van alles vond ik nog wel de gedachte dat deze intense manier van erin duiken en zich er weer van losmaken hem misschien niet eens moeite kostte, dat het iets was waar hij zich in de loop der tijd met heel veel vrouwen in had bekwaamd.

Ik zou nooit precies te weten komen waarom hij me niet nog een kwartiertje van zijn tijd kon geven. Maar het verbaasde me niet dat de enige man aan wie ik me vrijwillig had overgegeven ook uitgerekend degene was die zich zo spijkerhard betoonde. Dat had elk stom zelfhulpboek dat ik ooit had gelezen me al voorspeld.

De gate van Virgin America op de luchthaven van San Francisco was een fonkelende witte oase te midden van het bekende saaie grijs, stiller en chiquer. Jude zat op een ronde witte bank met felrode kussens op me te wachten. Ik ging naar de Oostkust voor het zoveelste petekind – deze keer ging mijn peetdochter trouwen – en zou eerst nog een paar dagen in New York blijven. Jude vertrok toevallig dezelfde dag naar New York, en dus hadden we dezelfde vlucht genomen. Toen ik hem zag zitten met zijn spijkerjack aan en zijn beanie op, een kleine zwarte canvastas naast zich op de grond, golfde mijn maag omhoog.

'Hé, hallo,' zei hij met een glimlach toen ik me bukte om hem een kus op zijn wang te geven.

'Hallo,' zei ik. 'Eh... ik ga nog even snel naar de wc voor we moeten instappen.'

Ik bleef zo lang ik kon op de wc zitten. Bij de wasbak liet ik een paar keer achterelkaar warm water over mijn handen stromen. Ik zag dat ze trilden. Ik keek omhoog in de spiegel en wendde mijn blik meteen weer af. Ik liet de handendroger drie keer langdurig zijn kalmerende warme lucht uitblazen. Ik keek op mijn telefoon; over vijf minuten moesten we boarden. Ik liep zo langzaam als ik kon terug naar Jude. Het wc-ritueel had niet gewerkt. Ik hoefde hem maar te zien of ik wilde huilend in een hoekje wegkruipen.

'Wat is er?' vroeg hij toen ik ging zitten. Ik wilde het liefst wegrennen, zo de luchthaven uit en naar huis, naar mijn bed in Sanchez Street.

'Ik weet niet,' zei ik. 'Ik ben altijd gespannen als ik moet vliegen, maar...' Ik zocht naar woorden. Hij keek me recht aan, kalm en luisterend. 'Samen reizen voelt vreemd.'

Jude en ik waren al maanden niet meer met elkaar naar bed geweest. Het eten dat ik voor hem had bereid, de liedjes die hij voor me had gezongen, de gesprekken over onze jeugd en godsdienst bleken allemaal minder intiem dan vijf uur lang naast hem in een vliegtuig te moeten zitten. Eten, muziek en op zachte toon gevoerde gesprekken vielen binnen het kader van seks. Samen door een luchthaven lopen was het echte leven, en het echte leven wilde ik alleen maar delen met Scott.

'Ik snap het,' zei hij. 'We kunnen in het vliegtuig gewoon onze mond houden of iets lezen of zo. We hoeven niet veel te praten.' Zelfs dat – naast elkaar zitten lezen – was iets wat ik alleen met Scott wilde. Ik kon ook de hand van een andere man niet vasthouden, of bij een minnaar op schoot zitten. Als ik thuis aan het schoonmaken was ging ik tussendoor altijd even bij Scott op schoot zitten als hij op zijn computer aan het werk was, met mijn benen over één kant, mijn hoofd tegen zijn schouder en mijn handen in elkaar geslagen om zijn nek.

Ik werd stil en verdrietig van de vlucht, maar verder ging het prima. Toen we geland waren, pakten Jude en ik onze tassen. Hij ging naar Brooklyn. Hij omhelsde me stevig.

'Red je het verder?' vroeg hij.

'Ja hoor, dank je wel. Ik zie je in San Francisco wel weer.'

Ik nam de trein naar Penn Station en ging daarna met de taxi naar mijn hotel in Chelsea. Ik had de chauffeur de naam van het hotel nog niet opgegeven of er sloeg een golf van misselijkheid door me heen.

Negen van de tien keer kwam misselijkheid bij mij niet uit mijn maag en beperkte zich ook niet tot dat gebied. Het was een direct gevolg van een op hol geslagen *nervus vagus*. Dat wist ik doordat ik veel research had gedaan naar de kip-en-eisymptomen van een paniekaanval, met als doel die beter te baas te kunnen. De nervus vagus is een netwerk van zenuwknopen die van de hersenstam omlaagkronkelen, rond de slokdarm en vandaar tot in elk orgaan van het lichaam. Bepaalde triggers, zoals bloed zien of hevige pijn voelen, kunnen ervoor zorgen dat de nervus vagus te sterk reageert, hetgeen meestal flauwvallen tot gevolg heeft. Van jongs af aan was ik flauwgevallen bij het zien van bloed en naalden, en als ik een dreun tegen mijn botten kreeg. Sinds ik volwassen was raakte de nervus vagus meestal van slag door een paniekaanval of een emotionele klap.

Het begint met een uitbarsting van hevige hitte op mijn

169

bovenrug, die als vergif omhoogtrekt naar mijn nek. Er klapt in mijn borst iets in elkaar, waardoor ademhalen moeite kost, mijn maag samenkrimpt en mijn oren dichtklappen. Ik begin heel hevig te transpireren en om de extreme daling van mijn bloeddruk te compenseren slaat mijn hart ongeveer honderd-vijftig keer per minuut. Ik moet plat gaan liggen om te voorkomen dat ik flauwval, en al mijn lichaamsfuncties vallen uit. Tot het voorbij is kan ik niet zitten, praten of bewegen. Ik kan geen telefoonnummer kiezen of om hulp roepen. Het is net zo'n droom waarin je het probeert uit te schreeuwen, maar er geen geluid uit je mond komt. Al gebeurt het nog zo vaak, ik kan me op zo'n moment toch niet voorstellen dat ik het er levend van af zal brengen. Ik kan niet opstaan om naar de wc te gaan, dus ga ik op mijn zij liggen voor het geval ik moet overgeven, maar dat gebeurt zelden. Ik lig daar gewoon en probeer mijn ademhaling rustig te krijgen, tot mijn functies weer aanslaan. Dat kan een minuut duren of in golven meer dan een uur aanhouden.

Dat overviel me op dat moment dus ook, in de taxi op weg naar Chelsea. Ik lag op de achterbank, wat de chauffeur niet erg leek te vinden of niet leek te merken, en toen ik weer overeind kon komen, draaide ik het raampje open voor wat frisse lucht. Tegen de tijd dat we bij het hotel aankwamen, was de eerste golf geweken. Ik liep langzaam naar de balie en hoopte maar dat er niet nog een golf zou komen.

'Hallo. Ik heb een kamer gereserveerd.'

De vrouw vroeg hoe ik heette en voerde mijn naam in. 'Het spijt me, maar uw kamer is nog niet klaar. Over een halfuur kunt u erin.'

Ik haalde diep adem.

'Gaat het wel?' vroeg ze. 'U ziet helemaal groen.'

'Nee, ik voel me niet goed. Kunt u mij wijzen waar het toilet is?'

Dat was gelukkig niet ver van de lobby, en er was niemand. Ik ging op een wc zitten, voorovergebogen met mijn hoofd tussen mijn knieën, en zo zat ik stilletjes een hele tijd onafgebroken te huilen. Langzaam maar zeker werd ik me bewust van een nieuwe gewaarwording: een bekende steek in mijn onderbuik, vlak bij het schaambeen. Moest ik ongesteld worden? Ik keek in mijn telefoon op de kalender. Mijn laatste ongesteldheid was... zes weken geleden.

Alden. Kon dat, op vierenveertigjarige leeftijd? Een vriendin van zesenveertig had net haar eerste kind gekregen, zonder medisch ingrijpen. De afgelopen maand had ik zeker tien keer zonder condoom seks met hem gehad, meer dan in welke maand van mijn leven ook.

Ik bleef op de wc zitten tot ik zeker wist dat ik kon opstaan zonder van mijn stokje te gaan. Daarna liep ik wankel naar een apotheek verderop in de straat en kocht een zwangerschapstest. Ik nam niet het merk dat ik de vorige keer gebruikt had en waarvan de uitslag misschien wel ten onrechte positief was geweest. Toen ik eindelijk op mijn kamer kon, ging ik naar de badkamer, maakte het pakje open, plaste op het staafje, legde het neer en ging op bed zitten wachten.

Ben je aanspreekbaar? sms'te ik naar Ellen. *Ik ben in NY, ben overtijd, doe nu test. Weet me even helemaal geen raad.*

Ben er voor je, schreef ze. *Ik hoor het wel.*

Ik had Aldens telefoonnummer of e-mailadres niet eens. Ik zag al voor me dat ik hem een briefje stuurde met daarin alleen: 'Ben zwanger. Het is van jou.' Die gedachte bezorgde me een rilling van heimelijke opwinding. Net als mijn geheime wens om in de baan van een ophanden zijnde orkaan te zitten. Blaas me omver. Schud de boel eens flink op. Laten we maar eens kijken waar we allemaal toe in staat zijn.

Ik liep de badkamer in, te moe om nog iets van hoop of

angst aan te wakkeren. Ik pakte de tester met bevende hand op. Door het natte ovale venstertje lichtte één vlekkerige roze lijn op. De tweede lijn, de lijn die de overwinning van de natuur op de wilskracht weergaf, was nergens te bekennen.

Negatief, schreef ik naar Ellen.

Het zou ook wel ongelooflijk geweest zijn als het uiteindelijk zo had uitgepakt.

Was dat zo? Was het project als puntje bij paaltje kwam niets meer dan een zoektocht naar vers, levensvatbaar zaad? Dat zou verklaren waarom ik het nu twee mannen zonder condoom had laten doen. Ik wist het niet meer. Ik wist alleen maar dat Ruby wederom geboft had en veilig aan de zijlijn van de eeuwigheid kon blijven staan in plaats van af te dalen in mijn chaotische baarmoeder om aldaar verwekt te worden door een man die haar niet kende en haar niet wilde.

17

Eenzaamheid in beweging

Door de internetbubbel van eind jaren negentig was South of Market van een industriële wijk met nietszeggende pakhuizen, meubeloutlets en kantoren van borgverstrekkers veranderd in een wijk met hoge lofts en hier en daar een trendy restaurant of wijnbar met onbewerkte bakstenen muren. Tien jaar later vormde deze wijk ook het hoofdkwartier voor de heropleving van internetbedrijven. Alles was omgeven met beton, nergens stonden bomen en de brede kruispunten voerden naar diverse snelwegopritten. Ik zou nooit permanent in dit deel van de stad willen wonen. Maar doordat ik wist dat ik maar een paar maanden zou blijven, paste ik me snel aan het nieuwe ritme aan.

Als ik naar mijn werk ging, liep ik Bluxome Street af, langs de open garagedeuren van Station No. 8, waar brandweerlieden in donkerblauwe broek en t-shirt elke ochtend hun brandweerwagen kwamen wassen. Bij een donutwinkel op de hoek haalde ik een goedkope beker koffie en dan liep ik Fourth Street in. Ongeveer een kwartier later stond ik op Union Square, en op elke hoek zwol de menigte aan van in het zwart geklede dertigers met een grote schoudertas diagonaal over hun borst. Terwijl we stonden te wachten tot het voetgangerslicht op groen sprong, nam iedereen een slokje koffie uit de beker in zijn ene hand en keek op de iPhone in zijn andere hand. Mijn telefoon leverde een onophoudelijke stroom berichtjes van recente en potentiële minnaars – mannen die ik bij OneTaste ontmoet had, of bij bezigheden voor mijn werk, de laatst overgebleven kandidaten van Nerve.com – dus elke keer dat ik erop keek, leidde dat tot dagdromen of voorpret. Eerlijk gezegd kon ik een groot deel van de dag in een van die twee gemoedstoestanden doorbrengen. Als ik in de supermarkt in de rij stond te wachten of als ik in de trein zat, zonk ik weg in een dagdroom, waarin ik aan de laatste zinnelijke vervoering dacht of me verheugde op de volgende.

Paul en ik waren sinds het weekend in Denver maar een paar keer met elkaar naar bed geweest. Dat hij Scott kende en ik zijn vriendin had ontmoet, weerhield ons ervan ermee door te gaan. Maar we spraken nog wel vaak af om na het werk iets te gaan drinken of 's avonds laat nog even naar de kroeg te gaan. Eerlijk gezegd was ik sinds die eerste avond bij hem thuis in Pacific Heights een beetje verliefd op hem geworden, precies zoals ik zelf al had voorspeld. Niet hoteldebotel. Ik vond Paul leuk zoals ik de eerste jongens leuk had gevonden op wie in de prepuberteit mijn oog was gevallen, deels als speelkameraadje, deels als voorbeeld van eenvoudige mannelijkheid: stevig gebouwd, hartelijk, vrolijk en ondeugend.

Paul had als scheepsbouwkundig ingenieur de beschikking over diverse lichtgewicht speedboten die heel snel waren en niet tot zinken te brengen, zodat ze eigenlijk voornamelijk aan de kustwacht werden verkocht. Zo nu en dan sms'te hij me aan het begin van de middag.

Ben op het water. Over halfuur bij de veerboot?

Dan pakte ik mijn spullen en vloog de deur uit alsof ik ging lunchen. Op Market Street pakte ik metro F of een bus die in westelijke richting naar de kade reed en stapte zo dicht mogelijk bij de veerboot uit. Ik rende langs de mensen die in de rij stonden te wachten voor een taco of een hamburger naar de kleine botensteiger even voorbij de terminal van de veerdienst, waar Paul dan stond te wachten. Aan de achterkant van de boot bromden twee grote zwarte identieke motoren, die er met hun gewicht voor zorgden dat de boeg verder omhoogkwam. De hele boot straalde een en al glanzende paardenkracht uit. 'Hé, schat,' zei hij, terwijl hij me hielp om over de grote opblaasbare rand heen in te stappen. 'Hé, Paulie,' zei ik, en ik omhelsde hem, gaf hem een kusje op zijn wang en ging toen op het dikke kussen van de zitplaats vlak voor de motoren zitten.

Zelf nam hij plaats op de hoge stoel voor de stuurman midden in de boot, pakte het roer vast en loodste de boot langzaam achteruit de baai in, waarna hij in een bocht van de pier en de drukte bij de terminal wegvoer. Dan vond ik altijd het leukste: wegvaren van het land, wegvaren van iedereen en dan het water rond Alcatraz op. De krachtige motoren maakten snel vaart. Door de voorspelbare korte golfslag stuiterden we op en neer als in een kermisattractie – *boem, boem, boem,* en elke keer dat we neerkwamen vervulde me met jeugdige vreugde – tot we bij de Golden Gate Bridge kwamen. Zo midden op de dag was de mist opgetrokken en temperde de felle zon de verkleumende kou. Auto's zagen eruit als kleine voorwerpen in de verte die langzaam de overspanning boven ons overstaken. We voeren onder de onheilspellende schaduw van de torenhoge oranje balken door. Aan de andere kant, daar waar de baai overging in de oceaan, kreeg de boot plotseling met grotere golven te maken en vloog hij door de lucht. Op deze plek sloegen vroeger altijd schepen uit Azië te pletter en zonken in de mist. Paul navigeerde rustig met snelle wendingen tussen de witte schuimkoppen door en ik leunde achterover, bij de motoren, en liet het zeewater in mijn gezicht sproeien. Als hij naar rechts draaide, boog ik me zo ver ik kon naar opzij en liet mijn hand in het ondoorzichtige water zakken. Het was steenkoud.

Op de terugweg naar de stad ging ik op de stoel naast hem zitten en keek hoe de hartvormige voorsteven zich een weg door de sproeinevel baande. De muziek vloeide samen met het kabaal van de motoren en het bevredigende geluid waarmee de glasvezel tegen het water sloeg. Hij pakte mijn hand, boog zich dichter naar me toe zodat ik hem kon verstaan en zei: 'Ik hou van je.'

'Ik hou ook van jou.'

'Als vriend.'

'Ik ook. Als vriendin.' We proestten het uit om hoe stom dat klonk en ik kneep in zijn hand. Ik voelde een golf hartstocht, zoals we die in Denver hadden beleefd, maar vond het prima om die langzaam en lang te laten branden, zodat hij onze vriendschap met zijn cellulair geheugen kon voeden.

De ansichtkaartachtige schoonheid van de skyline van San Francisco is omsloten door compact mediterraan wit. Dat wekt de suggestie dat de bekende zonden van de grote stad hier wel plaatsvinden, maar dat de zee die zal schoonspoelen, zoals hij dat al gedaan heeft sinds de eerste vermoeide stedeling de wijk nam naar een kustplaatsje om zijn verleden te ontvluchten. Naarmate we de kade naderden, werd het aanlokkelijke beeld vóór ons groter. Paul nam gas terug, voer verder op een snelheid die geen kielzog meer veroorzaakte en legde de boot aan waar we vertrokken waren. Ik stond op, omhelsde hem, sprong eruit en liep op een holletje Market Street in. Ik sloeg mijn lunch over en verscheen weer aan mijn bureau met de smaak van zout op mijn lippen.

Als we niet in een boot zaten, zaten we op de motor. Paul belde om een uur of zeven, als de werkdag ten einde liep, en vroeg of ik zin had om naar Ocean Beach te rijden. Ik hield op met schrijven, aan wat voor artikel ik ook bezig was, en rende naar beneden. Dan kwam hij aanrijden op zijn zwarte Viper, met een gerafelde spijkerbroek aan, laarzen met dikke zolen, en een duur leren motorjack, helemaal tot bovenaan dichtgeritst en vol geheime vakken. 'Robs!' zei hij terwijl hij het vizier van zijn helm omhoogschoof en de extra helm die aan de zijkant van de motor vastzat van het slot deed. 'We gaan.' Ik stopte mijn haar onder de helm, gooide mijn tas over mijn schouder en kroop achterop.

Paul reed snel, de steile helling van California Street op en weer af, en vandaar naar Fulton, waar minder verkeerslichten waren en hij op snelwegsnelheid kon rijden. Ik had allebei mijn handen nodig om niet weg te glijden; met mijn rechterhand hield ik de greep van de zitting achter me stevig vast en mijn linkerhand lag om zijn middel. Hij vlocht zich zo scherp een weg tussen het verkeer door dat ik mijn knieën bijna langs de zijkant van de auto's voelde strijken en de zijspiegels van de Viper bijna tegen die van de auto's zag slaan. We reden langs het kilometerslange Golden Gate Park, een strook koel groen aan de rand van de stad, zo donker dat het bijna zwart leek, en als we bij het strand aankwamen, sloeg hij links af de Great Highway op en gaf hij de motor vrij spel, tot 120, 130, 140 kilometer per uur.

Rechts van mij de branding. Links van mij een waas van lage pastelkleurige huizen. De gele onderbroken lijn vervloeide onder mijn laarzen tot een ononderbroken lijn. Eén remlicht, één steen en we waren er geweest. Dat moest dan maar, dacht ik dan. Dit is een mooi moment om dood te gaan. Ik, de vrouw die ooit aan een verlammende angst voor snelwegen, bruggen, tunnels, vliegtuigen, restaurants en supermarkten had geleden en die in haar slechtste momenten zelfs het huis niet uit had gedurfd. Paul en zijn Viper voerden me terug naar het zomerse hoogtepunt van het vrouw-zijn, toen mijn ongeketende geest en donzige benen me naar de bossen en de hoge rotsen lokten, waar ik ronddwaalde en mijn lichaam en ziel gonsden van het eenvoudige wonderbaarlijke feit dat ik leefde.

Ook daarom hield ik van Paul en noemde ik hem mijn beste vriend: omdat hij me de wind en het water teruggaf. Terwijl we langs de Pacific scheurden, tartte ik het lot door zijn middel los te laten. Daarna pakte ik het weer vast en bedankte ik hem in stilte omdat hij me geholpen had een meisje opnieuw tot leven te wekken dat ik niet gedacht had ooit terug te zullen zien – het meisje dat ik geweest was voor de angst had toegeslagen.

Eén keer per maand spraken Jude en ik af bij het beste vegetarische restaurant van de stad voor een overvloedige maaltijd. We dronken cocktails met verse gember en citroengras erin, en hij versierde met succes de ene leuke serveerster na de andere.

'Voor zo'n gevoelige veganistische healer ben je een echte casanova,' zei ik plagerig.

'Je bent gewoon jaloers.'

'Ik? Welnee. Ik heb jou al gehad. Nu zijn andere vrouwen aan de beurt.' In werkelijkheid voelde ik me wel degelijk afgewezen door Judes seksuele nonchalance, hoewel ik daardoor ook niet bang hoefde te zijn dat ik de regel over serieuze relaties overtrad die ik met Scott had afgesproken.

Na afloop reden we met een taxi terug naar Bluxome Street, waar we naar het dakterras gingen. We namen ieder een ligstoel met zachte kussens en lagen in stilte te kijken naar de lichtjes van de wolkenkrabbers in het centrum van de stad en naar een paar sterren die in de verte helder fonkelden.

'Ik denk vaak dat wij perfect bij elkaar passen,' zei hij zacht. 'Ik kan het met jou overal over hebben. Maar dan denk ik weer aan ons leeftijdsverschil.'

Ik draaide me naar hem toe. 'En laten we niet vergeten dat ik getrouwd ben.'

'Heel vreemd. Dat vergeet ik de hele tijd.'

'Is dat misschien deels de reden waarom je je bij mij zo op je gemak voelt? Omdat je me toch niet kunt krijgen?'

'Ai,' kreunde hij. 'Dat zou inderdaad kunnen.'

'Ik bedoel, al die vrouwen die om je heen zwermen. Dat is niet zomaar.'

'Maar die hele cyclus van verleiden is ontzettend vermoeiend. Ik ben doodmoe.'

'Je komt er wel uit,' stelde ik hem gerust. 'Je bent pas twee-endertig. Je hebt nog alle tijd.' Ik had er ik-weet-niet-wat voor gegeven om weer tweeëndertig te zijn, met tien jaar aan gezonde eitjes in mijn buik, want afgezien van wel of geen kinderen krijgen vormde die biologische mijlpaal in mijn optiek de scheidslijn tussen de eerste helft van het leven, waarin ieder moment zinderde van de mogelijkheden, en de tweede helft, waarin zelfs de beste momenten een kiem van verlies in zich droegen.

'Wat zou je doen als je wist dat je over een maand dood-ging?' vroeg hij.

Ik dacht even na. 'Ik zou mijn familie willen zien. Ik zou waarschijnlijk nog één keer met Scott naar Europa gaan. En ik zou iets moeten doen met mijn doos dagboeken. Waarschijnlijk verbranden. En jij?'

'Ik zou verlichting proberen te bereiken.'

'Waarom? Je wordt waarschijnlijk toch al verlicht zodra je dood bent.'

'Ik wil mezelf overstijgen terwijl ik nog in mijn lichaam zit. Ik wil de ruimte meemaken tussen het moment waarop je nog in je lichaam zit, maar wel je ego ontstegen bent.'

'Ik wil helemaal niks ontstijgen,' zei ik. 'Ik heb het gevoel dat mijn spiritualiteit de tegenovergestelde richting op gaat, naar beneden in plaats van omhoog. Hoe meer ik naar mijn lichaam luister, hoe dichter ik me bij God voel.'

'Dat is het verschil tussen jou en mij.'

'Dat, en dat ik dieren eet en jij niet.'

We liepen naar beneden en ik zette kruidenthee, terwijl hij een nieuw album op zijn iPod selecteerde. 'Deze gasten moet je horen,' zei hij. 'Ze heten Fleet Foxes.' Jude had me die zomer laten kennismaken met Bon Iver, want het was het jaar van de falsetstemmen en melancholieke harmonieën. Fleet Foxes klonk alsof ze diep in een heel oude grot zongen. Een vrolijke melodie begeleidde het refrein, dat steeds met 'Shadows of the mess you made' eindigde. Zodra we in bed lagen, viel hij in slaap, zodat ik alleen achterbleef en de tekst in mijn oren nagalmde – 'Shadows of the mess you made'. Ik vroeg me af waarom zowel Paul als Jude zo graag bij me was terwijl we geen seks met elkaar hadden. Misschien waren ze met mij even verlost van al die beschikbare vrouwen die iets van een relatie verwachtten. Door mij werden ze geaccepteerd zoals ze waren; uitgerekend iets wat ik niet voor Scott kon opbrengen. Het was natuurlijk veel gemakkelijker om mannen te accepteren die mij nog nooit op m'n slechtst hadden meegemaakt en van wie ik mezelf nooit afhankelijk zou maken dan om de man te accepteren die me het best kende en het meest van me hield. Dat was zo ironisch dat mijn maag omhoogkwam en ik me schaamde. Ik geloof dat ik daar naast Jude in bed daadwerkelijk heb liggen kreunen.

Toch kon ik mezelf niet tot dat acceptatieniveau aanzetten. Van alle personages die door mijn geestelijke landschap zwierven, was een vriendelijke oude Aziatische man een van degenen die zich het duidelijkst uitspraken: een rond gezicht, een kaal hoofd, gekleed in een vuurrood gewaad. Hij leek erg op de dalai lama. 'Je spirituele taak op dit punt in je leven bestaat erin dat je onvoorwaardelijk van je man moet proberen te houden,' zei hij. 'Vraag niets meer van hem. Verwacht niet dat er iets zal veranderen.' Om dat voor elkaar te krijgen moest ik datgene opgeven waar ik het meest naar verlangde en dat Scott al onder woorden had gebracht. 'Jij wilt een diepe psychoseksuele band,' had hij gezegd. Precies. Als ik dat verlangen moest opgeven was het net alsof ik zou doodgaan. Ik had een paar karaktereigenschappen die ik liever kwijt dan rijk was, maar deze niet. Deze was te wezenlijk voor me.

Ondertussen treurde ik nog steeds om Alden. In de twee maanden sinds ik hem voor het laatst had gezien, was het project gestagneerd. Elke dag als ik thuiskwam uit mijn werk keek ik in de brievenbus en hoopte ik op een berichtje via het enige communicatiekanaal dat ik voor hem had opengelaten. Er zaten altijd alleen maar reclamefolders in.

Als ik 's avonds door de week niet bij OneTaste of bij Paul was, ging ik met mijn collega's naar een van de vele feestjes die het tijdschrift organiseerde – vernissages, wedstrijdavondjes cocktails mixen, concerten, officiële gala's. De ene week proefden we tequila in het nieuwste café in Mission en de volgende week gingen we in het lang naar een première van het San Francisco Ballet of naar de opera. Het grootste feest van het jaar dat het tijdschrift organiseerde viel samen met het jaarlijkse nummer 'Top 20 onder de 40', gewijd aan het aanstormende talent van de stad. Dat jaar werd dit feest gehouden in het nieuwe DeYoung Museum, een icoon van moderne architectuur in het Golden Gate Park dat onlangs helemaal was verbouwd en heropend. Ik ging uit mijn werk snel naar huis, naar Bluxome Street, trok een zijden turquoise jurk en hoge hakken aan, stak mijn haar op en reed naar het DeYoung, waar ik de hele avond netwerkte met modeontwerpers, toneelschrijvers en oprichters van technische start-ups.

Een paar van ons gingen naar een afterparty in een drukke nieuwe tent in het Financial District, tegenover de Transamerica Pyramid. Ons groepje redacteuren kreeg gezelschap van mannen uit de bovenste sociale laag van San Francisco: echte Amerikaanse zonen, rijke investmentbankiers, de elite van Silicon Valley. Een van de mannen uit de laatstgenoemde groep was een sjofele werknemer van het eerste uur van eBay van halverwege de dertig, die zich multimiljonair mocht noemen. Hij had duidelijk een oogje op mijn vriendin Ellen, maar zij zag hem niet zitten, en nadat ze vertrokken was omdat ze een afspraak had met de man met wie ze op dat moment iets had, vroeg hij of ik zin had om ergens in Chinatown iets te gaan eten.

Om twee uur 's nachts werd in het fluorescerende licht van Yuet Lee, waar veel chef-koks van de stad naartoe gingen om, na hun eigen sluitingstijd, sint-jakobsschelpen en inktvis naar binnen te werken, al snel duidelijk hoe dronken meneer eBay was. Ik was zelf ook niet bepaald nuchter. Na zes uur lang gratis wodka drinken en geweldige gesprekken voeren, tolde mijn hoofd op die lichtelijk uitzinnige manier waardoor alles belangrijk lijkt. Hij had net een huis gehuurd, om de hoek. Gaandeweg ons gesprek kwam ik erachter dat hij waarschijnlijk met een paar vrouwen die ik kende naar bed was geweest.

'Ga met me mee naar huis en blijf slapen,' zei hij.

'Geen goed idee.' Ik schudde mijn hoofd. 'Ellen is een van mijn beste vriendinnen en jij bent eigenlijk verliefd op haar.'

'Ik wil ook geen seks met je,' zei hij, en hij bewoog zijn hand heen en weer alsof hij een raam schoonveegde. 'Ik ben stapel op Ellen. Maar ik vind je cool. Laten we vrienden zijn! Nee echt, we chillen gewoon even en dan gaan we slapen. Ik heb een heel groot bed. We hoeven elkaar niet eens aan te raken. Bovendien kun je mijn hond dan zien. Ik heb de leukste hond ter wereld.'

Ik moest lachen. 'Vreemde kwibus ben jij.'

'Weet ik. Maakt niet uit.' Hij tekende met een zwierig gebaar de rekening en trok zijn jasje aan. 'Kom, blijf gewoon slapen. Echt. Wacht maar tot je mijn hond ziet.'

'Oké dan.'

'Te gek!' Hij legde zijn arm om me heen en we liepen een eind Columbus Avenue in, de hoofdstraat van North Beach. Toen sloeg hij een donker steegje met woonhuizen in. We gingen het beveiligingshek door, het trapje voor zijn huis op en daar stond zijn golden retriever bij de voordeur kwispelend op hem te wachten. Hij liep linea recta naar de slaapkamer, plofte neer op het bed, pakte de gitaar die ernaast lag en begon te tokkelen, terwijl de hond tegen zijn benen aan ging liggen. Het was inderdaad een prachtige hond.

Al snel lag hij te snurken. Ik lag aan de andere kant van het kingsize bed in het donker de retriever te aaien. Stel nou dat hij op een gegeven moment echt iets met Ellen kreeg? Zou het dan niet vreemd zijn dat ik een keer bij hem geslapen had? En ook: waarom raakte ik telkens weer in dezelfde scène uit mijn eigen huwelijk verzeild, waarin de man lekker ligt te snurken en ik overladen met zelfverwijt de slaap niet kan vatten? Die scène speelde zich in een andere slaapkamer af, maar dat was dan ook het enige verschil.

Ik zag op de klok dat het vier uur was. Ik stapte langzaam uit bed, pakte mijn schoenen en liep op mijn tenen naar de voordeur, waar ik de hond ten afscheid nog een aai gaf.

Het najaar is in San Francisco altijd de warmste tijd van het jaar, en de lucht was zwoel en tropisch. Ik liep op blote voeten de steeg door naar Columbus Avenue. De bakkers, winkels en cafés met dichte luiken waren stil en verlaten, en op een enkele voorbijrijdende auto na was de straat uitgestorven. Geen sirenes in de verte, geen taxi's, geen mens. Toen ik als twintiger net in San Francisco was komen wonen, belandden we, met mijn ex-vriend en later met Scott of met vrienden, altijd in North Beach. Ik had al honderd keer in gezelschap over Columbus Avenue gelopen. Toen ik in de dertig was en in Sacramento en later in Philadelphia woonde, had ik een terugkerende droom: ik liep 's nachts in mijn eentje door San Francisco, dat verduisterd was, heuvelop, heuvelaf. Ik zag geen mens. Het enige wat ik zag waren de verduisterde ramen van de huizen waar ik langsliep en bij elke heuvel die ik beklom zag ik de lichtjes van de twee gigantische bruggen in het uitgestrekte water weerspiegelen. Bang en eenzaam werd ik uit de droom wakker. Nu was hij uitgekomen. Ik voelde alleen maar de onverschrokken vreugde van de eenzaamheid.

Met mijn schoenen in de hand liep ik Columbus Avenue op, in de richting van South of Market, en ik vroeg me af of ik blootsvoets drie kilometer over asfalt kon lopen.

18

Orgastische meditatie

Ik liep OneTaste binnen voor de wekelijkse bijeenkomst van de InGroup op woensdagavond en voelde meteen dat er iets anders was. Het zaaltje beneden, waar iedereen voorafgaand aan de bijeenkomst samenkwam, hing helemaal uit het lood en helde over naar één hoek, waar een rijzige vrouw met lang haar met een paar andere mensen zat te praten. Ik herkende haar: het was Nicole, de oprichtster, en hoewel de aanwezigen zich door het hele vertrek bevonden, trokken alle ogen haar kant op, als een kompasnaald naar het noorden.

Op een gegeven moment raakten we in elkaars baan. Je móest gewoonweg wel naar haar kijken. Ze was van zo'n klassieke schoonheid dat ze de meeste vrouwen daarin overtrof, maar toch zo uniek dat je eens beter wilde kijken. Ze was van Siciliaanse komaf, slank, met een olijfkleurige huid en bijna goudblond haar, en ze droeg een dure spijkerbroek, hoge hakken en een blauw zijden bloesje.

'Nicole, dit is Robin,' zei Noah. Ze waren al heel lang bevriend, al van vóór OneTaste.

Ze stak me een lange slanke hand toe, met om de ringvinger een smalle ring met diamanten in de vorm van een X, en ze schudde me stevig de hand. 'O, ik heb al zoveel over je gehoord,' zei ze met een brede glimlach. Haar krachtige Romeinse gelaatstrekken waren net niet helemaal gelijkmatig en ze sliste een heel klein beetje. Maar deze onvolkomenheden maakten haar alleen maar nog aantrekkelijker.

'Ik heb ook veel over jou gehoord,' zei ik. In de paar artikelen die over OneTaste waren verschenen werd een nogal troebel portret van haar verleden geschetst: ze had semantiek gestudeerd en zich in het boeddhisme verdiept, was getrouwd geweest en nu gescheiden, en had toen ze eind twintig was na de dood van haar vader een soort zenuwinzinking doorgemaakt. Door dit alles was ze beland in de handen van Ray Vetterlein, een man van in de tachtig, die de sekscommunes uit de jaren zeventig in Californië nog had meegemaakt. Hij had haar onder zijn vleugels genomen en alles over het orgasme geleerd.

Wat ik verder over haar wist, was stukje bij beetje tot mij gekomen. Ik had bijvoorbeeld gehoord dat ze momenteel macrobiotisch at, en het was me opgevallen dat sommige deelnemers dat ook probeerden. Een aantal vrouwelijke cursusleiders kleedden zich vaak net zoals zij. De groepssessies die zij leidde werden 'darsan' genoemd, een term die van oudsher door hindoeïstische goeroes werd gebruikt. Het meest opvallende was wel dat ze de zeer specifieke taal die bij OneTaste werd gebezigd had gemunt, en dat bijna iedereen die nadeed. Positieve aandacht van wat voor soort ook was een 'ophaal', negatieve aandacht een 'neerhaal', en gevoelens van binding waren 'limbische resonantie'. Ze prees de lange tijd verwaarloosde kwaliteiten van het limbische zoogdierenbrein, in tegenstelling tot de rationele cerebrale cortex. Alles wat ze op Facebook zette werd door de OneTaste-leden woordelijk nagebauwd, als gedachterimpelingen in een meer.

Ik kan me van de rest van die eerste ontmoeting bijna niets herinneren, misschien doordat ik gewoon mezelf probeerde te blijven en niet in de algehele vervoering mee wilde gaan. De enige vervoering waar ik naar verlangde vond plaats in de slaapkamer, ver weg van het domein van de taal en de macht van het benoemen.

Toen ze weg was, draaide ik me om naar Noah.

'Ze doet me denken aan een historische figuur,' zei ik. 'Ik weet het al: aan Helena van Troje. Het gezicht waarvoor duizend schepen te water werden gelaten.'

'Ik vind haar eerder een Hector,' zei hij. 'De krijger.'

Hoewel ik de goeroeachtige sfeer rondom Nicole niet prettig vond, net zomin als het groepsdenken van OneTaste in zijn algemeen, stond geen van beide mijn nieuwsgierigheid in de weg. Van de twaalfstappengroepen die ik had bijgewoond had ik geleerd dat ik gewoon alleen datgene waar ik iets aan had moest gebruiken en de rest moest laten voor wat het was. Er was veel waar ik iets aan had. Hoe meer ik over orgastische meditatie leerde, hoe meer ik besefte dat het niet zomaar een vijftien minuten durende poging om klaar te komen was. Het was echt een vorm van meditatie. Net zoals mindfulnessmeditatie zich concentreerde op de ademhaling en transcendente meditatie op een mantra, concentreerde OM zich op de lichamelijke gewaarwordingen door een vinger op de clitoris te leggen. Hiermee wilde Nicole seksualiteit aandachtiger en rijker maken. Bij OneTaste kwam ook zo nu en dan een mannelijke versie van OM aan bod, waarbij je de penis streelde, maar meestal ging het om de clitoris, en wel om een duidelijke reden: het was voor vrouwen moeilijker om hun verlangen kenbaar te maken en daar gevolg aan te geven. Als het verlangen van een vrouw via OM aangeboord kon worden, hadden beide partners daar profijt van. Nicole presenteerde OM als tegenwicht voor wat zij het pornomodel van seks noemde: penisgericht, vol verbale gymnastiek en fantasie, haastig en onder grote druk uitgevoerd. Ze beweerde dat vrouwen net zo graag seks willen als mannen, alleen niet de 'seks die op de menukaart staat'. Pornoseks dus.

Eerlijk gezegd wilde ik ze allebei: de rustige, aandachtige op de clitoris gerichte seks die ik altijd met Scott had en de snelle, harde seks met de geile praatjes die ik met verschillende minnaars had beleefd. De eerste variant zorgde voor lichamelijke bevrediging, maar ontbeerde een bepaalde indringende kracht. Van de tweede variant raakte ik in vervoering, maar de bevrediging lag eerder op psychisch dan op lichamelijk vlak.

Ik stond ook niet te popelen om mijn fantasieën op te geven. Soms, als ik bijna klaarkwam en precies in de juiste stemming was, duwde ik mezelf over het randje door aan een enorme pik te denken, vaak van een mooie zwarte man, waar ik dan samen met een paar vrouwen mee aan de slag ging. Naarmate ik ouder werd, merkte ik dat de mannen in mijn fantasieën ook ouder werden, maar de vrouwen bleven jong en stevig. Ze waren lichamelijk volmaakt en heel gretig, en hun overvloedige seksuele energie leek totaal niet op mijn eigen opkomende en weer afnemende energie. Ze leken nooit op iemand die ik kende – het was een en al sixpacks en spraytans – en ik kon indien nodig extra deelnemers toevoegen. Dat ik van zulke clichés geil werd, maakte dat ik me oppervlakkig voelde en zelfs schaamde, maar ik hield ze toch binnen handbereik, als denkbeeldige vriendinnetjes, gewoon voor de zekerheid. Mijn orgasmefeetjes. om had als doel al die extra lagen weg te nemen en je alleen de pure lichamelijke sensatie te laten ervaren. Toch vroeg ik me af wat om me kon leren over mijn humeurige clitorisje, zoals ik het graag noemde, dat soms binnen een paar minuten voor een hoogtepunt kon zorgen, maar af en toe ook zo gevoelig was dat ik de eerste aanraking amper verdroeg, zelfs niet van mijn eigen vingers. Ook de relatie tot mijn geest en hart intrigeerde me: dat ik bij Alden ogenblikkelijk was klaargekomen, maar bij andere mannen zelden, dat ik, zodra ik was klaargekomen, Andrew als een strenge meesteres had bestegen, terwijl ik nog steeds dacht dat ik juist zelf in vervoering gebracht wilde worden. Werd mijn orgasme nu beïnvloed door hormonen, door de emotionele werkelijkheid of door iets wat veel raadselachtiger was? Voor ik het wist deed ik precies datgene waarvan ik tegen Noah had gezegd dat ik het nooit zou doen: in een kamer vol mensen mijn broek uittrekken.

Ik schreef me in voor de workshop lichaamswerk, waarin je geleerd werd hoe je orgastisch moest mediteren. De partner die ik toegewezen kreeg was een aardige man van in de veertig met een vriendelijk gezicht. Noah deed de klas, een man of dertig, voor hoe je, zoals hij dat noemde, een 'nestje' voor de OM moest maken: een yogamatje onder je, een kussen voor het hoofd, rolkussens om de benen te ondersteunen, een deken, een handdoek, latex handschoenen, en een pot bij OneTaste zelfgemaakt glijmiddel binnen handbereik.

Als het nestje gemaakt was, hoefde je je alleen nog maar uit te kleden. Alle vrouwen ontblootten tegelijkertijd hun witte bovenbenen, waardoor het makkelijker was dan ik had gedacht om zelf mijn spijkerbroek uit te trekken. Ik legde hem weg, ging liggen, schoof snel mijn onderbroek omlaag, legde mijn knieën uit elkaar op de rolkussens en mijn handen op mijn buik. Mijn partner zat rechts van me en trok de witte handschoenen aan. Noah gebruikte zijn iPhone om de tijd te klokken en gaf het teken dat we konden beginnen.

Mijn partner stak zijn vinger in het glijmiddel en smeerde dat voorzichtig over mijn clitoris uit. Daarna begon hij zachtjes tegen de bovenrand te duwen. Ik sloot mijn ogen en concentreerde me. Het was lekker, zoals een zacht briesje of de warme zon lekker op je huid voelt, meer niet. Zo nu en dan lichtte

door een strijkende beweging een minuscuul kanaaltje van dieper genot op, dat dan gedurende ongeveer een minuut sterker
werd, en vervolgens afvlakte. Noah liep rond en instrueerde de
mannen om zo langzaam en licht mogelijk te werk te gaan. Het
was vooral in mentaal opzicht een grote luxe: elk doel en elke
druk waren afwezig. Ik hoefde niet te kreunen, te steunen, aan-
wijzingen te geven of te reageren. Ik mocht gewoon achterover
liggen en voelen. Na een kwartier luidde Noah de meditatiebel.
Ik ging zitten en mijn partner en ik vertelden elkaar wat we gevoeld hadden. 'Evalueren' noemden we dat.

'Mijn vinger en onderarm stroomden helemaal vol met
energie – elektriciteit leek het wel,' zei hij.

'Vanuit mijn clitoris werd het warme gevoel sterker en breid-
de zich steeds verder uit, en dan vlakte het weer af.'

Terwijl ik mijn spijkerbroek weer aantrok, dacht ik aan de
een-na-laatste keer dat ik Alden gezien had. In Twin Peaks had
ik bij hem op schoot gelegen en mijn benen geopend, waarna
hij me zwijgend, amper voelbaar had aangeraakt – bijna precies zoals ik zojuist had meegemaakt. Toch had Alden in mij
iets teweeggebracht wat ik alleen maar een spirituele ervaring
kon noemen, terwijl deze OM louter een prettig gevoel had gegeven.

Volgens Nicole draaide het juist om een dergelijk neutraal,
vriendschappelijk contact, een soort clitoraal laboratorium
waarbij je zonder relatie of verwikkeling je zintuigelijke gewaarwordingen kon ontdekken. Maar ik zag niet in wat er nu
zo leuk was aan lichamelijk genot zonder verwikkeling, zonder
context of verhaal.

Natuurlijk vroeg ik aan Scott of hij met mij orgastische meditatie wilde proberen. Niet dat hij nog meer hoefde te leren over
hoe mijn clitoris werkte. Ik wilde gewoon weten hoe het zou

voelen als iemand die ik vertrouwde zoveel aandacht aan me besteedde.

Ik wachtte tot zondagmiddag, want op zondag bedreven we vaak de liefde. Terwijl hij onder de douche stond, ging ik op bed liggen lezen. Toen hij de slaapkamer binnen kwam, legde ik het boek neer en probeerde ik me over het oude bekende gevoel van vergeefsheid heen te zetten dat me besloop nu ik hem wilde vragen om iets nieuw te proberen.

'Weet je nog dat je een keer gezegd heb dat je niet met me naar OneTaste wilde, dat ik maar moest gaan en jou dan moest vertellen wat ik daar geleerd had?'

'Ja,' zei hij, terwijl hij zijn handdoek van zich af liet glijden en een boxershort aantrok.

'Zullen we dan eens orgastische meditatie proberen? Daar ging de laatste workshop over. Ik laat je wel zien hoe het moet.'

Hij krabde aan zijn neus. Ik zag gewoon dat hij een manier zocht om eronderuit te komen. Ik had zin om het op een schreeuwen te zetten, maar hield me in.

'Als jij dat wilt,' zei hij.

Ik ging achterover liggen, duwde kussens onder mijn knieën, liet hem zien waar hij moest gaan zitten en welke vinger hij met het glijmiddel moest gebruiken.

'Dit randje hier, voor jou op één uur, dat schijnt het gevoeligste plekje te zijn,' zei ik. Vreemd, zo ongemakkelijk als ik me met mijn eigen man kon voelen. Ik wist niet of dat nou kwam doordat ik een pathologische afkeer van intimiteit had of doordat ik iets van zijn geremdheid had overgenomen. Aangezien ik zoals altijd weleens de oorzaak van het probleem zou kunnen zijn, zat er niets anders op dan maar te blijven proberen.

Hij begon over het plekje te wrijven en richtte zijn blik daarbij niet op mijn gezicht of mijn kut, maar op een plek een halve meter verder op het bed. Ik sloot mijn ogen.

'Iets zachter,' zei ik. Bij OneTaste noemden ze dat 'om bijsturing vragen'. Als ik dat tijdens het echte vrijen te vaak deed, kreunde Scott. 'Zo verpest je mijn stemming,' had hij gezegd. Maar dat leek me in dit geval niet opgaan; dit was een experiment.

Hij oefende een paar seconden wat minder druk uit, maar ging toen weer op dezelfde voet verder.

'Een beetje zachter,' zei ik, terwijl ik mijn heupen instinctief een centimeter wegschoof.

De cyclus herhaalde zich: iets zachter en daarna terug naar de druk die hij blijkbaar prettig vond. Woede stak in mij de kop op, gevolgd door angst om die te uiten, waarna ik verdrietig werd. Uiteindelijk zoomde ik maar uit, wachtte tot het kwartier voorbij was en drukte mijn gevoel van mislukking de kop in. Toen het voorbij was, kwam ik met een zucht overeind. 'Je vond het niet echt een succes, had ik de indruk,' zei ik.

Hij haalde zijn schouders op. 'Ik heb gewoon niet zo'n zin om hetzelfde te doen als je met andere mannen bij OneTaste doet.'

'Maar je wilde ook niet met me mee naar OneTaste. Je zei dat ik maar alleen moest gaan.'

'O, liefje,' zei hij. 'Waar gaat dit naartoe? Soms heb ik het gevoel dat ik dit wel volhoud, maar het volgende moment heb ik weer het gevoel dat ik net zo goed iets anders kan gaan doen.'

'Met "dit" bedoel je ons huwelijk.'

'Ja.'

Ik voelde dat hij me weer daar probeerde te krijgen waar mijn behoeften onvervuld bleven, waarbij ik de situatie dan meestentijds met een glimlach doorstond, maar eens in de twee jaar door het lint ging en zei dat ik wilde scheiden, om dat meteen weer terug te nemen. Of was iets in mij eigenlijk een voorstander van inschikkelijkheid? Ik zou het nooit zeker weten.

Het leek wel alsof ik nooit bij één man zou kunnen vinden

wat ik zocht. Bij Scott vond ik geborgenheid en liefde. Bij Alden inzicht en intensiteit. Bij Paul kinderlijke blijdschap en avontuur. Bij de onbekenden van OneTaste alle doelloze clitorale aandacht die ik maar wilde. Misschien had Nicole gelijk en was monogamie het probleem. Of misschien hadden de boeddhisten gelijk en was het verlangen zélf het probleem: het verlangen dat onophoudelijk opbloeide, zich vertakte en in duistere patronen kronkelde, zodat je gefascineerd en gekluisterd bleef.

Voor die conclusie schrok ik terug, net als voor mijn eigen reflexmatige reactie om me dan maar weer in het gelid te voegen en me te gedragen. Mijn verlangen mocht dan een doolhof zijn, ik was niettemin van plan het tot het eind toe te volgen.

Nicole vond het blijkbaar geen punt om de boeddhisten met de door verlangen gedreven massa in overeenstemming te brengen. Bij de workshop 'Geest' zaten we met een man of vijfentwintig in een kring op de grond te luisteren, terwijl zij uren achterelkaar aan het woord was. Om een uur of twaalf nodigde ze een in een saffraankleurig gewaad gehulde monnik uit ons voor te gaan in meditatie. Ik begreep dat ze de orgastische meditatie wilde bezielen met dezelfde eenpuntige concentratie die de boeddhisten gebruikten, maar ik was niet naar een seksueel opleidingscentrum gekomen om door de zoveelste celibatair levende man toegesproken te worden. Toen Nicole zei dat we vooral volledig in ons lichaam aanwezig moesten zijn, stak ik mijn hand op en vroeg, terwijl ik naar de zwijgende monnik wees: 'Is hij ook volledig in zijn lichaam aanwezig?'

Ze zweeg even. 'Jij daar,' zei ze, terwijl ze met half dichtgeknepen ogen naar me wees. 'Jij hebt een scherp verstand. Dat bevalt me wel.' Vaak wist ze me te ontwapenen door een veel zachter antwoord te geven dan ik verwachtte. Ik weet niet meer wat ze over de monnik zei; ik herinner me alleen dat ik nog nagloeide van haar compliment.

Bij een andere workshop moesten we op onze rug liggen en deden we holotropische ademhaling, waarbij je een paar minuten heel snel en diep in- en uitademt, terwijl tribale trommelmuziek uit de speakers dreunde. Al snel begon het vertrek te draaien doordat ik ging hyperventileren, en mijn handen en voeten werden gevoelloos. Om me heen stampten mensen op de grond, dansten wild en begonnen te snikken. Ik belandde in een licht psychedelische toestand en ging uiteindelijk opgekruld op mijn zij zachtjes liggen huilen omdat ik mijn moeder miste – een emotie die ik mezelf zelden toestond.

Een van de kerngedachten bij OneTaste was dat elke relatie of elke communicatie een spel was – een oneindig spel, om precies te zijn. Die zin was ontleend aan het boek *Finite and Infinite Games* van de gelovige geleerde James Carse, die we een keer een hele zaterdag bestudeerd hadden. In plaats van relaties te beschouwen als iets met een begin en een eind, met een winnaar en een verliezer, beschouwde men die bij OneTaste als iets waar geen einde aan kwam, met voortdurend veranderende regels, die uitsluitend in het leven geroepen werden voor het spel zelf. Een van hun voornaamste mantra's luidde: 'We blijven met elkaar verbonden, wat er ook gebeurt.' Relaties waren net materie; ze verdwenen nooit, ze namen alleen een andere vorm aan.

Sommige denkbeelden spraken me aan, maar andere leken me volkomen willekeurig. Het vreemde was dat ik me, ongeacht wat er bij OneTaste gebeurde, na afloop meestal licht en alert voelde, alsof ik vanbinnen gewassen was. Wat ze verder ook deden, de verbale en tactiele intimiteit had een verfrissende uitwerking op me.

19

Yin en yang

Ellen en ik zaten in Pacific Heights met een stuk of vijf vriendinnen aan tafel. Het waren allemaal stijlvolle ontwerpers en moderedacteuren van eind dertig. De leukste vrouw vond ik Monica, die uit Brazilië kwam en hier met vakantie was. Ze vertelde uitgebreid over het ter ziele gaan van haar meest recente relatie en besloot met: 'Ik wil gewoon dat iemand aan mijn haar trekt en me op mijn kont slaat! Is dat nou echt te veel gevraagd?' Iedereen moest lachen.

Na het eten stond ik alleen met Monica in de keuken bij de gootsteen. 'Ik begrijp precies wat je bedoelt met dat aan je haar trekken en op je kont slaan,' zei ik.

'Dat noem ik "de club". Vrouwen die lekker stevig aangepakt willen worden.' Ze knipoogde naar me.

'Daar ben ik volgens mij ook lid van.'

'Natuurlijk. Alle meiden met een sterke wil zijn lid.'

'Geen al te rare dingen, hoor. Gewoon een beetje met z'n spierballen rollen. Ik wil gewoon zeker weten dat hij mans genoeg is om me een klap te geven. Snap je?'

'Je wilt zeker weten dat hij je aankan.'

'Precies. En hij moet schunnige taal uitslaan. Hij mag zich niet inhouden.'

'Bij die vorige van mij kwam er geen woord uit.' Ze schudde afkeurend haar hoofd.

'Om de een of andere reden trek ik de laatste tijd een heleboel mannen aan die smerige taal uitslaan.'

'Bof jij even! Stuur er maar een paar naar mij.'

Ik stelde me voor dat er ergens aan een universiteit of bij een denktank een docent vrouwenstudies, een vrouw die slimmer en minder egocentrisch was dan Monica of ik, verontwaardigd meeluisterde en een theorie ontwikkelde over onze regressieve behoefte om, nu we echte emotionele en financiële macht hadden verworven, alsnog onze fantasieën uit te leven, waarin we een onderdanige vrouw speelden. Daardoor moest ik eraan denken dat bij Afrikaanse meisjes nog steeds de clitoris wordt afgesneden en dat op de pleinen van Afghanistan vrouwen die van overspel worden verdacht worden gestenigd. En wij, de gelukkigste vrouwen op aarde, moesten zo nodig onze machtsspelletjes spelen in plaats van onze zusters in den vreemde te gaan helpen.

Die onder hun boerka verstopte Afghaanse vrouwen zaten me ook op een dieper niveau dwars. Soms zat ik op een advertentie op Nerve.com te reageren of stoof ik bij OneTaste naar binnen voor een workshop over seks en dan trok er een onbestemd gevoel door me heen alsof er lichamelijk gevaar dreigde, een gevoel dat nauwelijks waarneembaar was, tenzij ik de tijd nam om er aandacht aan te besteden. Als ik dat deed, werd ik een gruwelijke waarheid gewaar onder de dingen die ik deed: ergens ter wereld werd op dit moment een vrouw geslagen of zelfs gedood om precies de dingen die ik nu ook zo achteloos deed. Het was een kwestie van geografisch en historisch toeval dat ik me op een van de relatief weinige plekken op aarde bevond waar ik veilig de grenzen kon verkennen van het taboe op ontrouw dat zo diep geworteld was dat het ervoor had gezorgd dat vrouwen eeuwenlang verbannen, gemarteld en vermoord waren.

De enige keer dat mijn vader zijn dreigement om mijn moeder te slaan bij mijn weten had uitgevoerd, was ik negen jaar geweest. Ik was er niet bij toen het gebeurde, maar toen de auto van mijn opa een paar uur later vanuit het ziekenhuis voor onze deur stilhield, rende ik het trapje voor het huis af, naar haar toe, en zag ik de streep met dikke zwarte hechtingen die de gezwollen huid boven haar oog bij elkaar hielden. Vijf centimeter zwart draad met opgedroogd bloed erlangs. De wereld spleet open en toonde me de waarheid, de verschrikkelijke macht die schuilging achter zijn woede, de macht van het geweld. Ze maakten elke dag ruzie, overal over. Deze keer was in die zin anders geweest dat hij haar ervan had beschuldigd dat ze was vreemdgegaan.

Dat ik op mijn kont geslagen en aan mijn haar getrokken wilde worden, vatte ik dus niet licht op. Als ik op een vrijdagavond ons huis aan Sanchez Street binnen kwam, gebeurde het weleens dat ik doodstil in de hal bleef staan wachten tot Scott de gang in kwam. Dan polste ik zijn manier van lopen en zijn gezichtsuitdrukking om te kijken of hij het nog een dag met me zou uithouden of dat nu de dag was aangebroken waarop hij besloten had dat het genoeg geweest was. Altijd trok hij me naar zich toe en omhelsde me, en altijd sloeg ik dan verbaasd, blij, schuldbewust en beschaamd mijn armen om zijn middel.

Vlak nadat Alden het contact met mij verbroken had, was ik bij een onlinegroep gegaan, de Deida Connection geheten. Het was een soort kleine besloten Facebook, met maar iets van tweehonderd leden. Op de homepage werden forums aangeboden voor onderwerpen als 'vrouwelijke uitstraling versterken', 'mannelijke doelbewustheid nastreven', en voor de drie fasen die Deida in een relatie onderscheidde, te weten afhankelijkheid, onafhankelijkheid en tegengesteldheid. Deida verscheen zelf nooit op de site, althans niet zover ik wist, maar er werd wel veel uit zijn boeken geciteerd.

'De vrouw wil gezien en aanbeden worden,' schreef Deida. 'Zij verlangt ernaar zich open te stellen.'

Elke keer dat ik inlogde, voelde ik dezelfde tweeledige schok van aantrekking en afkeer, te beginnen met de manier waarop hij mannelijk bewustzijn en vrouwelijk licht onderscheidde. Als ik stil bleef zitten en mijn vrouwelijke kern zocht, om te kijken of die echt was, had ik die snel gevonden: een aanwezigheid die zich trillend in het midden van mijn lichaam bevond, niet door de wervelkolom omhoog, maar verder naar voren, van de vagina naar de buik, door het hart en de keel. Hij liep niet tot in mijn hoofd, maar klopte wel met een heel eigen bewustzijn, alsof de functies van het brein omlaaggetrokken werden naar de buik, waar ze zich in alle richtingen vertakten. Die kern zocht genot, eenheid, troost. Instinctief, maar niet lukraak. De tederheid van de kern ging gepaard met een verfijnd waarnemingsvermogen en een scherp rechtvaardigheidsgevoel.

Zo ervoer ik mijn vrouw-zijn persoonlijk. En dat zou ik bepaald geen 'licht' noemen. Het was de essentie van de duisternis: als aarde, de diepte van de zee, de ruimte.

Hoe kwam Deida aan zijn interpretatie van het vrouwelijke als 'licht' en hoe kon hij dat weten, gezien het feit dat hij in het lichaam van een man zat? Ik verbaasde me ook over zijn regelrecht aan Freud ontleende theorie over het orgasme. Volgens hem was een clitoraal orgasme leuk, maar onderontwikkeld. Een vaginaal orgasme – de G-spot dus – was dieper en bevredigender. Het orgasme van de baarmoedermond was de heilige graal – een explosie die de baarmoeder en het hart opende en die alleen bereikt kon worden door minimaal drie kwartier achterelkaar geslachtsgemeenschap te hebben met een zeer bedreven partner. Door dit soort hoogtepunten waarbij alle grenzen wegsmolten kon je 'je naar God toe neuken', zoals

Deida het graag formuleerde. Ik had geen flauw idee of het va-
ginale orgasme dat ik met Scott en Alden had beleefd zijn oorsprong vond in de G-spot of de baarmoedermond. Maar die
orgasmes waren wel gedenkwaardiger en ingrijpender geweest
en hadden mijn relatie met de betreffende man in een fractie
van een seconde enorm verdiept.

Ik vertrouwde Deida hooguit iets meer dan onverschillig
welke man die beweerde dat het ene orgasme van de vrouw
beter was dan het andere, maar hij beschreef wel iets waar ik zo
hevig naar verlangde dat ik hem niet zomaar kon afschrijven.
Ik greep steeds terug op zijn citaat over de behoefte van het
vrouwelijke om 'bemind en gezien te worden'. Ik dacht aan de
mannen met wie ik de rol van gevende en van lustobject had
vervuld. De helft van het plezier dat ik aan het project beleefde
bestond erin dat ik aan hun honger tegemoetkwam, alsof ik
de meest gekoesterde voedingsbron vertegenwoordigde. Daardoor voelde ik me gewaardeerd op een manier die veel verder
ging dan ijdelheid of aangeleerde objectivering; het was een
oergevoel en had een helende werking.

Deida's denkbeelden waren misschien niet meer dan een als
tantra vermomde list om in het postfeministische tijdperk het
ego op te krikken van mannen die het moeilijk vonden om
met alle verschillende aspecten van een vrouw om te gaan, en
niet alleen met de zachte, vochtige delen. Niettemin had hij
in elk geval in één ding gelijk: ik verlangde ernaar me open te
stellen.

20

Golden Gate

Ik had Liam weleens bij OneTaste gezien – zo'n knappe man naar wie je wel móest kijken, maar dat weerhield mij er weer van om al te veel aandacht aan hem te schenken. De aanvoerder van het footballteam, de knapste jongen van de klas, de meest begerenswaardige vrijgezel – ik had nooit een oogje op ze gehad. Hun schoonheid intimideerde me, dus liet ik ze gewoon links liggen.

Toen Liam mij tot Facebookvriend maakte – een profielfoto met een en al hoekige kaaklijn en smeulende blik – en bij One-Taste een gesprekje met me aanknoopte, verwachtte ik er niet veel van. Iedereen flirtte, ом'de en deed het onderling uitwisselbaar met elkaar. Bovendien was hij vijfentwintig. Mensen die niet veel over OneTaste wisten, dachten vaak dat het oude wanhopige mannen of jonge verlegen mannen waren, die bij elkaar kwamen om de geslachtsdelen van niet al te aantrekkelijke vrouwen aan te raken. Die mensen hadden het bij het verkeerde eind. Het wemelde bij OneTaste van de knappe, viriele mannen van in de twintig met een goede baan en hun vrouwelijke tegenhangers: beeldschone vrouwen met lang haar die op de hot seat vertelden over hun wereldreis, bij wie je boven de kraag of uit een mouw nog net een stukje van een tatoeage zag. Sommigen van hen zagen er zelfs zo jong uit dat je dacht dat ze daar nog niet eens mochten komen; meisjes die zich halsoverkop in hun seksualiteit stortten, die zich nog maar in de ontwikkelingsfase bevond. Wat zeg ik, ook míjn seksualiteit bevond zich nog in de ontwikkelingsfase, en ik was vierenveertig.

Op Facebook hadden Liam en ik het over muziek. We sms'ten. Hij gaf me een paar nummers op iTunes cadeau, en ik hem op mijn beurt ook. Hij was sinds kort kok, had liberale ouders, was opgegroeid in Los Angeles en mediteerde al sinds zijn puberteit. Experimentele gemeenschappen waren bekend terrein voor hem.

Hij flirtte, nam afstand, flirtte, nam afstand. Tegen de tijd dat hij me mee uit eten vroeg, was het bijna Kerstmis. Hij haalde me voor mijn deur aan Bluxome Street op en we liepen met onze handen in onze zakken naar een Thais restaurant een paar straten verderop. Ik bestelde een glas wijn en hij bestelde thee. Hij dronk geen alcohol.

'Ik heb last van paniekaanvallen,' zei hij terloops, 'en van alcohol worden die alleen maar erger.' Ik had negenendertig moeten worden voordat ik zonder me te schamen durfde toe te geven dat ik last van paniekaanvallen had.

'Die heb ik al sinds mijn twaalfde,' zei ik. 'Heel erg. Ik word er midden in de nacht wakker van.'

'Zweet je dan ook, en moet je overgeven en alles?'

'Zweten, hevige misselijkheid, hartkloppingen. Als ik probeer te gaan zitten of op te staan, val ik flauw. En als het voorbij is krijg ik het ijskoud. Als ik het koud krijg, weet ik dat het voorbij is.'

'O, ik geef ook over. De hele rataplan. Het duurt soms wel uren.'

'Het kan heel isolerend werken,' zei ik. 'Als je midden in zo'n aanval zit en je hebt hulp nodig om weer kalm te worden, bel je me maar.'

'Dat is lief van je. Ik denk weleens dat ik gewoon te veel energie in mijn lichaam vasthoud. Te veel gewaarwordingen.'

Het was vreemd om van zo'n sportief uitziende man te horen hoe kwetsbaar hij was. Dat soort contrasten vond hij mooi. Hij was net zo geïnteresseerd in zenmeditatie als in zintuiglijk genot. Hij wisselde gevoeligheid af met een vleugje bravoure. Toen ik vroeg of hij een nummer dat ik hem had gestuurd mooi vond, zei hij: 'Ja, maar ik vind het leuker om muziek zelf te ontdekken.'

Toen we weer bij zijn auto stonden, vroeg ik: 'Waar ga je nu naartoe?'

'Nergens. Ik wil met je mee naar boven en je huis zien.'

Dit was het moment waarop de rijpe vierenveertigjarige vrouw die zich tegenover Liam moederlijk opstelde, plaatsmaakte voor het opgewonden meisje van achttien dat niet kon geloven wat er allemaal gebeurde.

Hij ging op de rand van mijn bed zitten. Ik zette de cd *A Ghost Is Born* van Wilco op, spoelde een paar nummers door naar 'Muzzle of Bees' en ging in de kleine loveseat zitten, anderhalve meter bij hem vandaan. We luisterden een poosje in stilte, terwijl het nummer zich langzaam opbouwde van rustige naar bezielende gitaarbegeleiding. 'Moet je dit horen,' zei ik, en ik stak een vinger op toen Nels Cline begon aan zijn naar het hoogtepunt toe werkende solo. Liam sloot zijn ogen en deed ze pas weer open toen het nummer afgelopen was.

'Als elektriciteit seks kon hebben, zou dat zo klinken,' zei hij.

Ik moest lachen. 'Dat is een van de beste omschrijvingen van Wilco die ik ooit gehoord heb.' Maar zijn borstkas spande zich en hij fronste zijn voorhoofd.

'Wat is er?' vroeg ik.

'Ik zit met een dilemma.'

'Wat voor dilemma?'

'Ik vind je heel aantrekkelijk, maar ik ben bang dat ik je teleurstel.'

Hij vond me aantrekkelijk. Míj.

'Hoezo zou je mij teleurstellen?'

'Door nadat we seks hebben gehad afstand te nemen. Wat vrouwen betreft wil ik gewoon mijn behoefte bevredigen en maken dat ik wegkom.'

Ik moest er onwillekeurig om glimlachen.

'Ik ook, Liam. Daar zou ik me geen zorgen om maken. Ik heb dan wel een open relatie, maar ik ben nog steeds getrouwd.' Ik stak de vinger met daaraan mijn trouwring omhoog.

Zijn gezicht ontspande en hij klaarde op.

'Maar ik neem niet het initiatief,' zei ik. 'Ik zou je moeder kunnen zijn en ik heb geen zin om me een *cougar* te voelen.'

'Maar ik val op oudere vrouwen.'

'Dan nog.'

'We kunnen het ook doodpraten,' zei hij.

'Nee, laten we dat niet doen.'

'Ik heb een besluit genomen,' zei hij nadat hij er nog een paar seconden het zwijgen toe had gedaan. 'Ik kom naar je toe.'

Hij komt naar me toe. Mijn middelbare ik, doodsbang voor de dood, was er op de een of andere manier in geslaagd om met terugwerkende kracht de hand te leggen op dit geschenk aan de puber in mij. Ik voelde me met de seconde jonger worden.

Hij kwam naast me zitten en pakte mijn handen. Hij boog zich wat dichter naar me toe en bleef een volle minuut vlak voor mijn lippen hangen, wat me enorm opwond. Zijn kussen tastten me op een aarzelende, jeugdige manier af. Toen ik zijn kin in mijn hand wegdraaide en aan zijn oor begon te sabbelen, kreunde hij.

'Ik moet even naar mijn auto, condooms pakken,' zei hij.

'Die heb ik hier ook.' Ik trok de la van mijn nachtkastje open.

'Daar heb ik niks aan,' zei hij. 'Ik heb in mijn auto extra large liggen.'

'O.' Ik probeerde niet verheugd in mijn handen te klappen.

Hij kwam enthousiast geworden terug en gooide vier condooms in zwarte verpakking met goudkleurige letters op het nachtkastje. 'Wat ruik je lekker,' zei hij, en hij liet zijn hand onder mijn hemdje glijden. 'Ik heb nog nooit zo'n zachte vrouw gevoeld.' Hij trok zijn T-shirt uit en ik nam even een moment de tijd om naar hem te kijken: volmaakt, platonisch. Wat gaat er toch een macht van een lichaam uit, wat kan dat toch snel aanbidding oproepen.

'Pak me vast,' zei hij, en nadat ik dat even had gedaan: 'Zeg wat ik moet doen.' Ik wist niet wat ik moest zeggen. Als ik eerlijk was geweest had ik gezegd: 'Je hoeft helemaal niets te doen. Ga maar gewoon liggen en kijk naar me. Deel mij met terugwerkende kracht in bij de "sexy meisjes" in plaats van bij de "slimme meisjes".' Maar ik zei niets.

Ik liet hem op de rand van het bed plaatsnemen en ging voor hem op mijn knieën zitten. Terwijl ik zijn lul van het puntje tot helemaal onderaan verkende, hield hij zijn handen tegen zijn gezicht. 'Je doet alles helemaal goed,' fluisterde hij. Ja, dat wilde ik horen. Even later maakte hij een condoom open en deed het om. Ik ging voorzichtig op hem zitten, bang dat het pijn zou doen, maar dat was niet zo. Ik bewoog langzaam, want ik was bang dat hij te snel zou klaarkomen. Voor het allereerst van mijn leven maakte ik me tijdens het vrijen zorgen over hoe mijn borsten eruitzagen. Hij ging zitten en sloeg zijn armen om mijn middel. 'Je windt me zo verschrikkelijk op,' zei hij. Bingo. Dertig jaar na een jeugd waarin ik me nooit mooi of slank genoeg had gevoeld lag ik nu in bed met de ideale man, en ík wond hém op. Hij kwam boven op me zitten, drukte mijn handen in het matras en kwam klaar. Al met al had het misschien tien minuten geduurd. Hij was de enige minnaar bij wie ik zo ongeveer geen woord zei.

Plotseling stonden we ons aan te kleden. Ik had er meteen spijt van dat ik niet de leiding had genomen en het niet wat langzamer aan had gedaan.

Ik zette nog een cd op. Ik vóelde gewoonweg dat hij popelde om weg te gaan. Toen hij zei dat hij na de seks maakte dat hij wegkwam, had ik niet gedacht dat hij bedoelde dat alles binnen twintig minuten was afgehandeld. Terwijl hij zijn jack dichtritste, wees hij met zijn kin naar de condooms en zei: 'De rest laat ik hier. Alleen met mij gebruiken, oké?'

Toen de deur achter hem dichtviel, had ik meer zin dan toen hij net binnen was. Als er zich tijdens het project een ontmoeting had voorgedaan waarbij ik me gebruikt had moeten voelen, was het deze wel. Toch voelde ik het tegenovergestelde: alsof ik hém gebruikt had, en niet eens erg goed.

Bij de Deida Connection sloot ik vriendschap met vrouwen en mannen uit Scandinavië, Australië, Italië, India en overal uit de Verenigde Staten. Terwijl ik wat in de profielpagina's van de leden zat te neuzen, kwam ik een gezicht tegen dat ik kende: de voormalige schoonzus van Susan, Val genaamd, die inmiddels gescheiden was en in Los Angeles woonde. Ik had Val indertijd in Sacramento een paar keer ontmoet en legde nu online contact met haar. Ik kwam ook een vrouw uit Virginia tegen die ik kende van Mama Gena. Wat een kleine wereld was de Deida Connection toch. Toen ik op een dag profielfoto's zat te bekijken, bleef mijn hand roerloos boven het toetsenbord hangen. Een close-up van de onderarm van een man met daarop een tatoeage van een slang. Ik klikte de foto aan, en daar verscheen Aldens pagina. Leeg weliswaar, zonder persoonsgegevens, blogbijdragen of andere foto's.

Ik liet de muis los en bleef roerloos zitten. Alleen al het zien van de paarse kronkelingen van zijn tatoeage zorgde ervoor dat mijn armen koud werden en mijn borst samentrok. Ik vroeg me af of hij bij het browsen ook mijn foto had gezien, mijn blogposts over niet-monogaam leven en hoe ik me door goede muziek vaak net zo gepenetreerd voelde als door seks.

Ik haalde Aldens briefje uit mijn gebedsdoosje en las het nog een keer. 'Ik hoop dat je vindt waarnaar je op zoek bent.' Ik stopte het weer in de envelop, draaide die om en keek naar de kleine dicht op elkaar staande krullerige letters van het adres en mijn naam. Ik pakte een lucifermapje en een roestvrijstalen kom en stak een hoekje van de envelop in brand, wachtte tot hij geblakerd verschrompelde en liet de verkoolde restjes in de kom vallen. Ik kieperde ze in een plastic zakje, reed naar de Golden Gate Bridge aan de andere kant van de stad, zette de auto neer en liep in de stroom zondagtoeristen het voetpad op. Voetgangers gebruikten de in oostelijke richting lopende kant van de brug, met uitzicht op de baai en de stad, en fietsers de westkant, met uitzicht op de Pacific. Ik liep tussen kinderen, ouders en grootouders naar het midden van de brug, terwijl zes banen met autoverkeer langs ons heen raasden. Na iets van vierhonderd meter probeerde een gele noodtelefoon potentiële springers over te halen om op een grote rode knop te drukken en om hulp te vragen. ER IS HOOP, stond erop. BEL. Jaarlijks negeerden ongeveer vijfentwintig mensen deze oproep en sprongen over de rand. De legendarische skyline was het laatste wat ze zagen.

Na een meter of vijfhonderd draaide ik me om naar de stad, boog me zo ver over de reling als ik kon zonder dat het gevaarlijk werd en gooide de as in de tegenwind, die het meeste meteen weer naar me terugblies. Alleen een spiraaltje stof wervelde van de oranje reling omlaag naar het water.

21

De vrouwenkring

Toen ik vijfentwintig was, vond ik in de feministische boek-
winkel in het centrum van Sacramento een dun boekje met de
titel *Circle of Stones*. Er stonden alleen maar portretten in van
vrouwen die in een kring samenkwamen om over hun leven
te praten. De auteur schetste een beeld van oudere vrouwen
die in de oertijd als getuigen en begeleidsters optraden voor
vrouwen die de menarche of de menopauze in gingen, voor
zwangere moeders en voor vrouwen die een verlies moesten
verwerken. De impressionistische hoofdstukken waren gelar-
deerd met overpeinzingen die allemaal begonnen met 'Hoe
anders zou je leven eruitzien...?'

'Hoe anders zou je leven eruitzien als je als jonge vrouw ergens terecht had gekund als je duistere gevoelens had? Als er
een andere vrouw, iets ouder dan jij, was geweest die je in je
duisternis had kunnen bijstaan ... zodat je in de loop der jaren,
gesteund door die vrouw, had geleerd om niet meer bang te
zijn voor je duisternis, maar om die te vertrouwen. Om erop te
vertrouwen dat je daar je eigen diepste wezen kunt ontmoeten
en daar stem aan kunt geven. Hoe anders zou je leven eruitzien
als je je eigen duisternis kon vertrouwen?'

Dat beeld liet me niet los. Ik moest eraan denken op momenten dat ik er heel slecht aan toe was, toen ik in mijn eentje op een brancard lag te wachten om geopereerd te worden,
toen ik bad voor mijn vader die in de afkickkliniek zat, toen

ik worstelde om niet door mijn angsten aan huis gekluisterd te raken. In gedachten zag ik een groep vrouwen in een warme grot zitten, vlak bij de ingang, terwijl het buiten achter de bergen in de verte donker werd. In de kring zaten meisjes in de puberleeftijd, vrouwen in de bloei van hun leven en dikke oude dames, met hun zilvergrijze haar in lange vlechten. Tussen hen zaten mijn moeder, mijn oma's, mijn overgrootmoeders – niet de glimlachende gezichten van de familiefoto's, met het haar in de krul en de lippen gestift, op weg naar een of andere feestelijke gelegenheid, maar zoals ze echt waren, ontdaan van mooie kleren en sociale mores, bevrijd van alle historische omstandigheden. De vrouwen in de grot konden alles aan. Geen angst was hun te overweldigend, geen waarheid te pijnlijk, geen woede te verwoestend. Ze beschikten over een ongekende wijsheid.

Tientallen jaren lang heb ik af en aan naar zo'n soort grot gezocht: healinggroepen, groepstherapie voor vrouwen, bijeenkomsten van verstoten neoheidenen die eruitzagen alsof ze net van een gekostumeerd festival kwamen. Tegen de tijd dat ik veertig werd, gaf ik het op. Ik vond toch niet wat ik zocht: een omgeving waarbij de emoties die door me heen gingen niet geanalyseerd of overstegen werden, maar waar ze ingedamd werden en ik er gewoon uitdrukking aan mocht geven. Een omgeving waarin ik contact kon leggen met een aspect van het goddelijke dat niet vergezeld ging van het gezicht van een man. Jahweh, Boeddha, Bill W., Carl Jung, en zelfs Jezus – allemaal op hun geheel eigen manier geweldig, maar alle systemen waar zij voor stonden zetten mij steevast op een zekere afstand.

Mijn zoektocht was niet polemisch van aard. Ik had het er met niemand over gehad. Ik hunkerde gewoon in stilte naar een spirituele oefening, met het vrouw-zijn als richtlijn. Ik had een boek over betoveringen waarbij kaarsen werden gebruikt, geschreven door een geschifte Hongaarse heks, een beeldje van de Venus van Willendorf met haar zware borsten, en een vaag, maar onuitwisbaar gevoel dat ik op de een of andere manier verbonden was met een ethiek die ouder was dan welk ooit door de mens geschreven boek over regels en mythen ook. Ik had me erbij neergelegd dat ik hier niet verder mee zou komen.

Wie schetst dus mijn verbazing toen uitgerekend David Deida mij, zij het indirect, de weg wees naar precies zo'n groep. Ik hoorde erover van een van Deida's assistentes, een vrouw uit San Francisco, Sabrina genaamd, die bij haar thuis vrouwengroepen organiseerde. Vanwege haar link met Deida had ik eigenlijk gedacht dat ons verteld zou worden hoe we ons tot mannen moesten verhouden, hoe we de polariteit moesten verhogen of iets in die trant. Maar zodra ik het appartement in Castro betrad en een grote kamer binnen ging, voelde ik daarentegen hoe de metaforische grot zich om mij heen sloot.

Er waren een stuk of tien vrouwen, die in een kring op de grond op geborduurde kussens zaten. Aan de oranje muren hingen kleurige voorstellingen op zijde van hindoegodinnen. In het midden van de kring stond een zwart beeldje van een vruchtbaarheidsgodin, omhuld met een goudkleurige sluier. De vrouwen varieerden in leeftijd van in de twintig tot in de zestig; sommigen waren in spijkerbroek, anderen in yogabroek met een gebloemd shirtje. Op de achtergrond klonk zachte instrumentale muziek met als ondertoon een worldbeat.

Sabrina was begin vijftig en de mooiste vrouw van die leeftijd die ik ooit gezien had. Ze was van Aziatische komaf, tenger als een danseres, en ze had een prachtige cacaokleurige huid, glanzend zwart haar, donkere ogen en volle lippen die een brede glimlach omlijstten. Ze had echter totaal geen kwetsbare uitstraling. Klein en fijn als ze was, straalden haar ogen en houding een stille kracht uit. Ze sprak met een zachte, melodieuze stem en laste lange pauzes in, waarin ze langzaam de kring rondkeek en elke vrouw om de beurt aanzag. Ze had iets van een boskat over zich.

Nadat we ons hadden voorgesteld, moesten we van Sabrina gaan staan. Ze zette de muziek harder en we moesten diep ademhalen, ontspannen en bewegen, hoe we maar wilden. 'Maak geluid,' zei ze. 'Laat alle energie los die je in de loop van de dag hebt opgeslagen.' Sommige vrouwen rekten zich voorzichtig uit, anderen begonnen op de muziek heen en weer te wiegen. Ik sloot mijn ogen en voelde onmiddellijk waar de spanning in mijn lichaam zat. Ik trok mijn schouders op, draaide rondjes met mijn nek, boog me naar voren om mijn onderrug los te maken en sperde mijn kaken wijd open.

Toen we eenmaal ontspannen waren, keek Sabrina de kring rond en liet ons paren vormen. Mijn partner was Natalie, een vrouw van ongeveer mijn leeftijd met een smal, mooi gezicht en een bril met vierkant zwart montuur. Ze was onopvallend gekleed in een spijkerbroek en een t-shirt met lange mouwen. Sabrina zei dat we elkaar moesten aankijken – alleen in elkaars linkeroog, waardoor je je gemakkelijker kon focussen – en diep moesten ademhalen.

Na een zenuwachtige lachbui gingen Natalie en ik er eens goed voor zitten. Nu ik het zonder de gebruikelijke woorden, gezichtsuitdrukkingen en gebaren moest stellen, zochten mijn gedachten wanhopig naar een houvast. Ik moest steeds terugkeren naar haar ogen en naar mijn eigen ademhaling, alsof het een gezamenlijke meditatie betrof. 'In plaats van na te denken, in plaats van je partner te beoordelen of haar te analyseren, wil ik dat je haar vóélt. Gebruik je eigen lichaam en hart om háár lichaam en hart te voelen. Spreek vanuit je lichaam, niet vanuit je verstand. Wees niet bang dat je iets verkeerds zegt. Als je partner het goedvindt, mag je haar ook aanraken. Oké, praat nu maar tegen haar.'

Het was alsof ik in water dook waarvan ik niet wist of het diep of ondiep, warm of koud was. Ik had geen idee wat ik deed, maar haalde diep adem en dook in Natalie. De locatie van mijn bewustzijn verplaatste zich van haar ogen naar haar borst en buik. Ik zei wat er in me opkwam, zonder erbij na te denken. 'Je hebt voor veel mensen gezorgd,' zei ik. En: 'Je bent voor veel mensen een moeder.' Zodra ik een zin gezegd had, diende de volgende zich aan. 'Je hebt een heel krachtige wijsheid. Dat trekt mensen aan.' Haar donkere ogen werden vochtig. Zodra ik mijn verstand het zwijgen oplegde en mijn zintuigen voor haar openstelde, zag ik meteen hoe strak haar kaken stonden, hoe verdrietig haar glimlach was, dat ze een brok frustratie in haar keel had. 'Mag ik je aanraken?' vroeg ik. Ze knikte. Ik legde mijn handen tegen haar heupen, oefende een lichte druk uit, waarbij ik ze een beetje naar links en naar rechts draaide, en toen legde ik mijn ene hand op haar buik en mijn andere op haar onderrug. Ze sloot haar ogen.

'Ik heb het gevoel alsof je energie hier weg wil,' zei ik. 'Ze wil stromen. Je helpt anderen om dit te doen en nu wil je jezelf helpen.' Ik duwde haar heupen langzaam naar links en naar rechts, naar voren en naar achteren. Ze boog haar knieën en liet haar kin op haar borst zakken, zodat haar lange haar voor haar gezicht viel.

Ik weet niet meer wat Natalie over mij zei toen zij aan de beurt was. Ik weet wel dat mijn zenuwstelsel, toen we ophielden, zo zacht was geworden dat elk pijntje, elke spanning en alle zorgen waren verdwenen. Natalie en ik omhelsden elkaar – geen sociaal schouderklopje of een overdreven empathische newageknuffel, maar de lange, ontspannen omhelzing van twee oude vriendinnen. Ze vertelde dat ze vroedvrouw was. Toen we weer in de kring gingen zitten, zag ik dat alle gezichten zich hadden ontspannen tot een zachte, authentieke glimlach. De lichamen wiegden heel flauwtjes heen en weer in de opgewekte warmte waarvan de kamer doortrokken was, als een school zeemerminnen die terugkeren in een oceaan die hen met open armen ontvangt.

Een halfjaar lang ging ik elke maandagavond naar Sabrina voor een variatie op die eerste ontmoeting met Natalie. Elke vrouw kreeg twee korte minuten de tijd om over haar gevoelens te vertellen en daarna gingen we om haar heen staan en hielden haar vast, terwijl zij huilde, kreunde of lachte. We dansten, zongen, rolden over de grond, beukten met onze vuisten. We pauzeerden tien minuten om in stilte thee te drinken en fruit te eten. Als ik aan de beurt was, verstilde ik meestal helemaal, boog mijn hoofd, richtte mijn blik naar beneden en boorde huiverend naar wat er binnen in mij begraven lag. Al snel raakte ik vertrouwd met de alledaagse lagen waar ik doorheen moest om de waarheid te bereiken: vermoeidheid van mijn werk, de last van verplichtingen, chagrijn, verzet. Als ik me daar een weg doorheen baande, stuitte ik steevast op kolkende woede, en daaronder op verdriet, en daar weer onder op een zuiver verlangen dat zichzelf snel omzette in liefde. De energie kon van het ene moment op het andere omslaan en van moordzuchtige gebrul overgaan in onschuldige tranen. Eén keer trok ik zo hard aan de kraag van mijn bloes dat er vijf knopen afsprongen. En ik gooide een keer per ongeluk het beeldje van de zwarte godin om, waardoor haar prachtige sjaal bijna vlam vatte door een kaars die er vlakbij stond.

Door de groep bij Sabrina leerde ik mijn eigen intuïtie herkennen: een trekkerig gevoel in mijn solar plexus, dat naar links of naar rechts ging, als het ja of het nee van een wichelroede. Door mijn chronische vermoeidheid had ik geleerd om mijn emoties roerloos onder ogen te zien, maar de groep leerde mij dat ik me erdoorheen moest bewegen. 'Emotionele energie wordt pas een probleem als ze geen kant op kan,' zei Sabrina. In plaats van mijn woede of verdriet met ellenlange verklaringen en oordelen op slot te zetten, gaf ik er met mijn lichaam uitdrukking aan. Dat duurde al met al hooguit dertig seconden.

In de groep leerde ik hoe het was om vrouwen te vertrouwen. Ik leerde er niet alleen op te vertrouwen dat zij mijn geheimen bewaarden, naar mijn problemen luisterden en bij een borrel gezellig met me kletsten, maar ook dat ze me koesterden en zich op hun beurt door mij lieten koesteren. In de groep had ik rechtstreeks toegang tot het diepste deel van mijzelf, ontdaan van zelfs de krachtigste archetypen: echtgenote, minnares, moeder. Ik kwam erachter dat ik geen man of kind nodig had om het ware vrouw-zijn te ervaren.

Die voornaamste les was echter nog niet tot me doorgedrongen toen ik in januari voor het eerst bij Sabrina kwam. 1 februari was in aantocht, de datum waarop Scott en ik de stand van zaken opnieuw zouden bekijken, maar ik was er nog niet aan toe om het project al te beëindigen. Als ik verder weer monogaam door het leven zou gaan, moest ik nog wel een paar dingen meemaken, zoals een keer seks hebben met een vrouw en een keer een trio doen. Ik vond het moeilijk om Scott te vertellen dat ik nog wat langer de tijd nodig had. Toen we op een zondag in onze eetkamer zaten te ontbijten, verzamelde ik alle moed en zei: 'Het is bijna februari. Wat vind je ervan als we het project doortrekken naar 1 mei, zodat we het jaar rond maken?'

Hij keek op van zijn eieren en zijn krant. 'Prima,' zei hij met een knikje. '1 mei, ik vind het goed.'

'Echt?'

'Ja. Eén jaar is een mooi rond getal.'

'En dan is het ook klaar en uit,' zei ik verbijsterd.

'Ja, maar ik kan me zo voorstellen dat er nog een overgangsperiode komt. Het duurt misschien wel even voor alles weer bij het oude is.'

Ik knikte en hij ging verder met de krant.

Het weekend daarop waren we in Yosemite Park, een van Scotts favoriete natuurgebieden. Toen we net met elkaar waren, had hij me daar mee naartoe genomen, en sindsdien waren we er een paar keer geweest, altijd in de winter, want hij had een hekel aan de drukte in de zomer. We wandelden door de sneeuw, lazen in de deftige zitkamer van het Ahwahnee Hotel bij het knappende haardvuur en aten onder de balken van de eetzaal met uitzicht op de Half Dome. Toen Scott op de terugweg stond te tanken, bliepte zijn BlackBerry in de handsfreehouder. Het was een sms-bericht uit een postcodegebied in South Bay. De telefoon bevond zich tien centimeter bij mijn hand vandaan. Ik hoefde alleen op een knopje te drukken om de inhoud te kunnen zien. Er verscheen een foto van een knappe vrouw met rood haar, een zwart coltruitje en een zwarte minirok aan, zwarte naaldhakken, die met haar benen over elkaar zat en zich suggestief naar voren boog, zodat haar rondingen goed tot hun recht kwamen. Met haar hartvormige gezicht, porseleinen huid en glimlachende appelrode lippen was ze zo te zien stukken jonger dan ik. Onder de foto had ze alleen *xo, Charly*, geschreven.

Ik keek om naar Scott, wiens adem in de januarilucht zichtbaar was. De benzine liep nog. Ik drukte op het knopje BEËINDIGEN, zodat het beginscherm weer verscheen, en het rode lampje dat aangaf dat hij een bericht had ging uit.

Hij hing de slang terug, stapte weer in en blies voor hij startte in zijn handen. Hij reed over de modderige parkeerplaats de kleine snelweg op die Yosemite Park met de 1-5 verbond. De afgelopen achttien jaar hadden we over wel honderd van zulke wegen gereden. We waren een keer in het weekend van de zomerzonnewende in zijn Dodge Dart-oldtimer met open dak van Sacramento door Nevada naar Salt Lake City gereden, door Zion National Park naar Las Vegas, en toen door Californië weer terug, in een lus van ruim tweeduizend kilometer. We hadden vier keer met een Winnebago-camper het land doorkruist, door zevenendertig staten, waarbij we elke keer een andere weg hadden genomen.

Toen we door de besneeuwde voetheuvels het vlakke land van Central Valley in reden, legde ik mijn hand op de console tussen de twee stoelen in op die van Scott. Hij glimlachte.

'Ik verheug me erop om vanavond weer thuis te zijn,' zei ik, leunde tegen de hoofdsteun en sloot mijn ogen.

Hij kneep in mijn hand. 'Ik ook, pop.'

22

De commune

De meeste mensen die ervoor kiezen om in een commune te wonen doen dat waarschijnlijk om een leukere reden dan vanwege het geld. Voor mij gaf de lage huur bij OneTaste – maar 800 dollar per maand voor een piepklein eigen kamertje, de helft van wat ik voor de studio aan Bluxome Street betaalde – de doorslag. Als ik de emotionele impact niet kon verkleinen, dan in deze slotfase van het project toch op z'n minst wel de economische impact op ons budget.

Bij OneTaste deden ze inmiddels niet meer aan de open loft waarover ik in de krant had gelezen; ze waren bezig om naast het workshopcentrum aan Folsom Street een hotel met twee verdiepingen te verbouwen tot eenpersoonsappartementjes. Onder de nieuwe verflaag was het elegante vooroorlogse skelet nog zichtbaar in de lambrisering van de hal en het sierstucwerk. Er waren kamers van verschillende afmetingen, maar de meeste waren zoals die van mij: groot genoeg voor een bed en een kastje, maar veel meer ook niet. Op elke verdieping had je twee ouderwetse wc's en één nieuw geïnstalleerde uniseks badkamer, waar drie mensen tegelijk konden douchen, tegenover een lange wand met wastafels en spiegels.

Op een rustige zaterdagmiddag pakte ik mijn auto vol met kleren en boeken, nam afscheid van de studio aan Bluxome Street en reed met Scott naar OneTaste om daar alles uit te laden. Het was vreemd dat hij erbij was. Veel stellen, monogaam of anderszins, volgden de workshops van OneTaste samen, maar elke keer dat ik hem gevraagd had om met me mee te gaan, had hij geweigerd. Zijn gebrek aan belangstelling had me aanvankelijk geërgerd, maar inmiddels was ik er zelfs opgelucht over.

Er waren maar een paar mensen. Terwijl Scott de buizen van een kledingrek in elkaar stond te schroeven en ik dozen uitpakte, liep Roman langs. Mijn deur stond open, en Roman bleef staan. Hij was pas achtentwintig en net zo lang als Scott, maar wel wat dikker. De onheilspellende tatoeage in zijn nek had zijn vrolijke gezicht geen spat dreigender gemaakt. Hij had een spijkerbroek vol verfspetters aan en grote suède werkmanschoenen. Ik had Grace een keer de mannelijke versie van de orgastische meditatie bij Roman zien demonstreren. Terwijl hij achteroverlag had zij zijn penis volgesmeerd met glijmiddel en hem zachtjes met beide handen gekneed, tot hij hard werd en zijn volledige indrukwekkende lengte en omvang had bereikt. Daarbij was zijn bovenlichaam onwillekeurig van de tafel omhooggekomen en had hij zijn kaak en biceps aangespannen. Toen we na afloop om de beurt moesten zeggen wat we ervan gevonden hadden of wat we gezien hadden, had ik het eerste beeld dat ik me opkwam verwoord met: 'De oermens die uit de modder omhoogkomt.'

'Hallo,' zei Roman, en hij leunde tegen de deurpost aan.

'Hé, Roman, hallo,' zei ik. Mijn hart begon plotseling te bonzen. Scott keek op van het kledingrek, met de schroevendraaier in zijn hand.

'Roman, dit is mijn man, Scott. Roman woont hier met zijn verloofde.'

'Hallo,' zei Scott met een knikje.

'Leuk dat ik je nu eindelijk eens ontmoet, Scott,' zei Roman. 'Ik hoor het wel als jullie iets nodig hebben, goed?'

'Doen we,' zei ik. 'Ik zie je straks nog wel.' Hij liep de gang in en ik deed de deur dicht.

'Zodra dat staat, kunnen we gaan, schat,' zei ik. 'De rest pak ik maandag wel uit.'

Tot mijn naaste buren, tegenover mij in de gang van het gebouw van OneTaste, behoorden de vriendelijke Joaquin, die net in San Francisco was aangekomen nadat hij een paar jaar in Mexico had gewoond, Hugh, een bebaarde vent, echt een kleerkast, die computerprogramma's schreef, en Dara, een wezen met paars haar, een sonore stem en angstige ogen. Liam had een kamer op de bovenverdieping, waar een paar cursusleiders woonden, onder wie Noah, die een grote hoekkamer had, de zonnigste kamer van het hele pand.

Toen ik zei dat Noah eruitzag als een rabbijn, bedoelde ik een rabbijn van tegen de veertig die elke dag trainde en nog een volle bos zwart haar had. In zijn vorige leven was Noah een man van de cijfertjes geweest – accountant, effectenmakelaar, iets in die geest – met een zeer goedbetaalde baan in het bedrijfsleven, die hij had opgegeven om Nicoles leer te volgen en bij OneTaste alle praktische zaken op zich te nemen. Noah deed al jarenlang dagelijks aan OM, dus als iemand de techniek onder de knie had was hij het wel. Tegen de tijd dat ik daar ging wonen, was ik al een keer bij hem op zijn kamer geweest voor een privésessie OM. De avond ervoor hadden we afgesproken nog een sessie te doen, en nu klopte ik bij hem aan.

Noah was een drukbezet baasje. Zijn laptop stond steevast open en hij had altijd zijn iPhone in zijn hand. Hij verscheen een paar minuten te laat, linea recta van een andere OM-sessie, en liet ons binnen. Ik liet mijn tas op de grond vallen en ging op zijn dikke beige dekbed zitten. Het middaglicht wierp schaduwen in het witte, minimalistisch ingerichte vertrek, en buiten hoorde je het verkeer voorbijrazen. Ik trok mijn spijker-broek en slip uit, ging in zijn zachte kussens liggen en spreidde mijn benen. Hij nam rechts van mij plaats, deed zijn horloge af en legde het op het nachtkastje, naast de pot glijmiddel. Hij trok een nieuw paar witte latex handschoenen aan en doopte zijn linkerwijsvinger in het glijmiddel. Pas toen keek hij me aan. 'Klaar?' vroeg hij.

Ik knikte. Hij stelde de timer in.

Hij begon kleine, zachte strijkbewegingen te maken. Nor-maal gesproken had ik altijd de neiging om mee te helpen door me onder zijn vinger iets te verschuiven of door geluiden te maken om hem aan te moedigen. Na een paar minuten begon de sensatie zich op te bouwen, maar niet zoals ik dat gewend was. De beweging die steeds herhaald werd, bijna zonder ver-andering, maakte geen seksuele honger in mij wakker, zoals wanneer er heel even een hand of penis langs dat deel van mijn lichaam streek en mijn geslacht zich als vanzelf opende. Noahs aandringende vingertop bracht een zuiver lichamelijke reactie teweeg. Mijn ademhaling werd sneller, de spieren in mijn bo-venbenen schokten. Om de paar minuten liep de druk zo hoog op dat ik kreunde en mijn rug kromde, waarbij de wanden van mijn bekken zich een paar seconden samentrokken. Mijn neus en lippen tintelden en mijn hoofd tolde. Noah had meer de rol van een therapeut dan van een minnaar. Toch pakte ik zijn linkeronderarm met beide handen beet, want ik voelde een bekende aandrang, een kwetsbaar stukje van mezelf dat zich liefdevol naar hem uitstrekte.

Plotseling ging zijn telefoon, waardoor ik in één klap weer bij de les was, alsof ik uit een droom wakker schrok. Ik werd overspoeld door pure, irrationele woede, en keek hem kwaad aan. Hij bleef naar mijn kruis kijken. Ik deed mijn ogen weer dicht en probeerde me op mijn ademhaling te concentreren, maar ik was er helemaal uit. Als we tijdens een stomme In-Group onze telefoon al moeten uitzetten, moet je dat misschien helemaal doen als je aan mijn clitoris zit, idioot.

Waar was ik in vredesnaam beland? Die vent met zijn gynaecologenhandschoenen, die van de ene OM-sessie naar de andere holde, als iemand die aan een lopende band met kutten werkt en moet inklokken en uitklokken. Sodemieter toch op, Noah.

Het was niet ongebruikelijk dat er tijdens een OM-sessie heftige gevoelens de kop opstaken, zei men. Concentreer je op je ademhaling. Concentreer je op wat je voelt.

Toen de timer na een kwartier afging, drukte Noah zacht tegen mijn schaambeen en keek me glimlachend aan.

'Hoe vaak moeten we OM doen voor we kunnen neuken?' vroeg ik terwijl ik mijn spijkerbroek dichtritste.

'Twee keer,' zei hij. Ad rem.

'Zeg, vertel eens,' ging hij verder toen ik niet reageerde. 'Wat wil jouw lichaam eigenlijk?'

Ik draaide me naar hem om. 'Ik hoef geen OM te doen om te kunnen neuken.'

'Tja, neuken kun je met iedereen, maar OM is mijn specialiteit.'

'Dat bepaal ik zelf wel.'

'Brutaaltje,' zei hij, en met een grijns gooide hij zijn latex handschoenen in de prullenbak.

Ik had door de ervaringen in mijn jeugd geleerd om emotionele chaos op te vangen en gewoon door te gaan met het dagelijks leven, ongeacht de kapotte ruit of het gat dat in de slaapkamerdeur was geslagen. Gewoon doorgaan, elke dag met een schone lei. Mijn modus operandi was nog steeds die van de vertraagde reactie; die kwam soms pas weken, maanden of zelfs jaren later. Ik kon heel veel hebben voordat ik datgene wat ik had meegemaakt ook echt moest verwerken. Toen ik bij OneTaste ging wonen, werd dat patroon doorbroken en kreeg ik veel vaker met ups en downs te maken. Het dagelijks contact met al die andere mensen die ook met seks experimenteerden wakkerde mijn verlangen aan, maar het had ook een keerzijde: afwijzing en competitie. Ik had niks meer aan mijn oude verdedigingsmechanisme, dat erin bestond dat ik mezelf als een bijzonder iemand beschouwde, hetzij om mijn verstand, hetzij om mijn passie, hetzij om een combinatie van die twee. Hier was iedereen gepassioneerd. Iedereen had zich buiten de gebaande paden begeven. En iedereen was slim. Ze hadden allemaal gestudeerd of waren met een master somatische psychologie bezig. Er waren een paar mensen bij die zo ongeveer elk hardware- of softwareprobleem konden vaststellen en verhelpen. Bij OneTaste werd niet gedronken en er werden geen drugs gebruikt. De bewoners aten gezonde vegetarische maaltijden en hadden het voortdurend over hun nieuwe fitnessprogramma en hun yogalessen. Ze leken totaal niet op de verzameling knuffelende zielenpoten die veel buitenstaanders voor zich zagen als ze het woord 'commune' hoorden.

In dit gezelschap was ik met mijn harde werken en vele nadenken een van de velen, en ook de kleine schat tussen mijn benen was niets bijzonders, terwijl die in de buitenwereld meestal een uitstekend ruilmiddel was gebleken. De mannen bij OneTaste, of ze nu single waren of een relatie hadden, knap waren of niet, waren in die zin anders dan de mannen in de rest van de wereld dat ze vierentwintig uur per dag de beschikking hadden over zoveel kutten als ze maar wilden. De machtsdynamiek, die ik al sinds ik op dertienjarige leeftijd borsten had gekregen vanzelfsprekend had gevonden, ging in rook op. Nu was ik gewoon een van de vele natte, beschikbare vrouwen van alle leeftijden, vormen en maten en temperamenten uit Nicoles orgastische leger.

Ik vond dit gezonde egobashen helemaal niks. Soms kwam ik Liam in een zaal tegen en dan flirtte hij een minuut lang met me, legde zijn hand op mijn heup, kreeg een rode kleur, en verdween weer in de menigte. Of hij sms'te om te zeggen dat we moesten afspreken en kwam daar dan verder niet op terug. Toen we op een avond eindelijk toch op zijn kamer belandden, zaten we net even te zoenen en stond hij op, deed zijn broek open en zei dwingend, maar met een glimlach: 'Ga op je knieen zitten.' Ik kon er niks aan doen, maar dacht meteen dat hij die aanpak net in een van de mannenlessen had geleerd.

'Straks,' zei ik, want deze keer was ik niet van plan hem meteen zijn zin te geven. Maar hij wilde niet wachten. Hij neukte me vijf minuten, van achteren ditmaal, en toen gingen we naar het pizzarestaurant naast de commune, waar iedereen altijd kwam. Terwijl we daar zaten te eten kwam Amanda binnen; zij woonde ook bij OneTaste, was van Liams leeftijd en hield een gedetailleerde spreadsheet bij van alle corveediensten. Mij werd al snel duidelijk dat Liam verliefd op haar was. Toen ze weg was, zei hij de hele tijd dat hij totaal de kluts kwijtraakte als hij haar zag en vroeg hij zich hardop af hoe hij het verder moest aanpakken. Ik gaf hem een paar adviezen en hoopte dat hij er verder over zou ophouden. Maar terwijl we terugliepen naar de commune zei hij: 'Ongelooflijk. Ik sta letterlijk te trillen op mijn benen.' Ik kon mezelf de eerste ontmoeting met Liam nog wel vergeven, want ik was nog nooit van mijn leven met zo'n mooie man naar bed geweest, maar waarom had ik dit in vredesnaam nog een keer laten gebeuren? Het was een vijf minuten durende neukpartij geweest, en daarbovenop had hij me ook nog eens beledigd met zijn openlijk beleden fascinatie voor een andere vrouw.

'Hé,' onderbrak ik hem, en ik bleef abrupt op straat staan om hem aan te kijken.

'Wat is er?'

'Je hebt me een halfuur geleden nog geneukt. Ik weet dat iedereen hier met elkaar bevriend is, maar ik hoef niet meteen te horen dat je verliefd op Amanda bent. Ik ben een vrouw, Liam, geen machine.'

'Je hebt gelijk,' zei hij. 'Bedankt dat je dat tegen me zegt.'

Zo praatte iedereen bij OneTaste. Als iemand je vertelde hoe hij iets zag of voelde, reageerde je steevast met 'dank je wel'. Op die manier maakte je duidelijk dat je het gehoord had, maar hoefde je er niet persoonlijk op te reageren.

'En als we nog een keer seks hebben, wil ik dat het een uur duurt,' zei ik erachteraan. Achteraf gezien vind ik mezelf te bespottelijk voor woorden: eerst wachten tot een jongen van vijfentwintig in actie komt, dan weigeren hem daarbij aan te sturen en na afloop teleurgesteld doen.

'Oké,' zei hij met een glimlach. 'Dank je wel.'

Liam was niet de enige die me door elkaar rammelde. Met Noah ging het aantrekken en afstoten ook verder. Zijn stevige fysiek – zwaargebouwd, donker, markante kop – kalmeerde me, maar wond me tegelijkertijd op. Als hij me in het voorbijgaan aanraakte werd ik helemaal week. Op een dag trok hij, na afloop van onze OM-sessie bij hem op bed, zijn handschoenen uit en kwam naast me liggen, waarna hij me dik tien minuten in zijn armen hield. Toen we ons eindelijk van elkaar losmaakten om elkaar aan te kijken, zette hij zijn bril af, drukte zijn mond op de mijne en kuste me vurig. Nog duizelig van de OM trok ik hem dichter naar me toe, want ik wilde zijn gewicht op me voelen. Van onze uitbundige kussen werd ik natter dan ik van een kwartier OM'en was geworden. Na een hele tijd ging hij zitten en zette zijn bril weer op. Ik kwam overeind en trok mijn broek weer aan. OneTasters beschouwden dit soort vrij-sessies als een beheerst onderzoeksexperiment dat verderging dan de structuur van een OM-sessie, maar zonder het 'gedoe' van echte seks en ook zonder het risico verstrikt te raken.

Jude was ook nog in de picture. Een paar vrienden van hem woonden in het huis van OneTaste en hij bleef vaak bij me logeren. Soms leende hij in het weekend mijn kamer. Het was net weer aan met zijn ex Elise, een tengere, beeldschone actrice met een wilde bos rood haar, die hij, wist hij te vertellen, ze-ven keer achterelkaar kon laten klaarkomen. Bij mij was hem dat nog nooit zelfs maar één keer gelukt. Tijdens een InGroup nam Elise plaats op de hot seat, en toen iemand vroeg wat er door haar heen ging, zei ze: 'Ik zat net te denken dat ik toch wel heel geweldig ben.' Ik kreeg een rood hoofd. Jude zat naast me; ik schoof heel voorzichtig opzij, zodat mijn knie de zijne niet meer raakte. Toen Elise weer aan de andere kant van hem ging zitten, moest ik mijn best doen om mijn arm niet uit te steken en mijn hand om haar geweldige, multiorgastische zwanen-hals te sluiten.

'Ik ben helemaal niet bijzonder,' hield ik mezelf in stilte keer op keer voor, en ik sloot mijn ogen. Doelen, competitie, winnen: de stevige haken waaraan ik als kind mijn broze zelf-vertrouwen ophing. Die haken waren het enige wat me ervan weerhield om me te verdrinken in verdriet. Mijn vader kon woedend tekeergaan, maar dat was niet omdat ik stout was of niet goed presteerde. Hij vond vrouwen misschien niet de moeite waard, maar ik zou ervoor zorgen dat hij over mij nooit zo dacht. Ik zou het verbieden door uit te munten. Hij mocht me zoveel pijn doen als hij wilde – daar kon ik nu eenmaal niets aan doen – maar ik zou hem nooit ofte nimmer de kans geven op mij neer te kijken.

Daardoor was gewoon-zijn zo moeilijk te verkroppen, en

toch was het ook een opluchting om mijn egocentrische me-
lodramaatje, dat allang niet meer nuttig was, los te laten. 'Ik
ben niet bijzonder' werd mijn mantra. Afwijzing en woede,
verdriet en verlangen vormden mijn medicijn. Ik kauwde er
langzaam op.

Nicole zei dat deze nieuwe wirwar van emoties niet alleen
maar het gevolg was van het leven in een commune. Die werd
ook veroorzaakt doordat ik regelmatig aan OM was gaan doen,
want als het gevoeligste deel van het lichaam van een vrouw
wordt aangeraakt, opent haar hele, onderling verbonden limbisch systeem zich. Drie dagen per week zette ik mijn wekker
op zes uur 's ochtends, en dan poetste ik mijn tanden, waste
mijn gezicht en ging in mijn yogabroek naar het workshopcentrum om met de groep een OM-sessie te doen. Elke keer
met een andere partner. Noah bewoog zijn vinger stevig en ritmisch; Hugh fluctueerde naargelang mijn stemming; de vinger van Joaquin voelde ik amper, maar kon me wel in tranen
brengen; die van Liam ergerde me. En nu de focus helemaal
op mij gericht was, kon ik in stilte mijn vraagtekens zetten bij
wat ik voelde: genot of gevoelloosheid, intensiteit of verveling.
Twee of drie van de vrouwen kwamen steevast na een minuut
of tien klaar, waarbij hun hese gekreun eerst gestaag aanzwol
en dan weer wegebde. Bloedirritant vond ik die vrouwen.
   Als ik mezelf de vraag stelde waarom zij wel klaarkwamen
en ik niet, luidde het antwoord dat de lichte, aanhoudende
strijkbeweging die bij OM gebruikt werd te veel rechtstreekse
druk op mijn clitoris uitoefende, zonder onderbreking, en niet
eens op de hele clitoris, maar alleen op een klein randje ervan.
Mijn seksuele bewustzijn werd bijna claustrofobisch als het
gereduceerd werd tot één enkele punt vol zenuwuiteinden. Ik
raakte pas opgewonden als ik samen met een minnaar een in-

tens lichamelijk, intiem krachtenveld betrad – kussen, blikken, hals, tepels; een veld dat in tegenstelling tot het OneTaste-dogma ook ons hart, onze taal en onze 'geschiedenis' besloeg.

Ik durfde niet goed op mijn seksuele reactie te vertrouwen, ook al was ik al ruim veertig. Als ik die paar vrouwen binnen een mum van tijd hoorde klaarkomen, stak het eeuwige mantra dat vrouwen altijd horen de kop op: misschien is er wel iets mis met mij. Na verloop van tijd begon ik in te zien dat mijn orgasme een heel eigen wil had, een kritische gevoeligheid die ik zelden kon voorspellen, maar die ik achteraf wel altijd begreep. Het had zich voorgedaan met Andrew, doordat hij een bepaalde zelfstandigheid over zich had die op mij bevrijdend werkte; met Alden vanwege zijn onbeschroomde penetratie; met Paul maar één keer, vlak nadat we elkaar hadden bekend hoeveel we van elkaar hielden. In mijn hart was ik blij dat die overgave niet zo vlot kwam, dat hij diep in mij begraven lag en verbonden was met de reële aspecten van elke relatie. Mijn clitoris was een scherpzinnige barometer. Die wist dingen eerder dan ik ze zelf wist, en anders dan ikzelf presteerde hij niet op bevel en was hij niet op goedkeuring uit. Het ging hem uitsluitend om de waarheid.

Of ik nu klaarkwam of niet, om had een tastbaar voordeel. Ik begon te merken dat ik op de dagen dat ik aan om had gedaan veel meer energie had, net zoals ik me na een goede yogales of na een massage veel soepeler en helderder voelde. Na de om-sessie gingen we met een paar deelnemers altijd ontbijten bij een gezellig café een paar deuren verderop. Daarna ging ik douchen, trok mijn nette kleren aan en liep kwiek over Sixth Street naar mijn werk, door het lelijkste deel van de stad, meeneuriënd met de muziek in mijn koptelefoon. Op die dagen liet mijn energie het zelfs aan het eind van de middag niet afweten en voelde ik me vaak tot elf uur 's avond zo fris als een hoentje. Het was net alsof bij OneTaste alle bagger naar boven kwam en ik in ruil daarvoor de fysiologische brandstof aangereikt kreeg om die te verwerken. Prima deal, eigenlijk.

De vrienden en vriendinnen uit mijn normale leven waren het er niet mee eens. Toen ik Paul vertelde dat ik in de commune was gaan wonen, kreunde hij en zei: 'Ik maak me zorgen, Robs.' Daarna belde en sms'te hij minder vaak, en dat vond ik veel erger dan alle teleurstellingen die bij OneTaste plaatsvonden.

'Wat voor voordeel zit er voor de mannen aan?' vroeg Ellen.

'Even denken.' Ik liet een stilte vallen om het dramatisch effect te verhogen. 'Non-stop de keuze uit aantrekkelijke vrouwen die voortdurend opgewonden zijn en seks willen? Elke dag beginnen met naar de ene ontblote jonge kut na de andere kijken? Toegestane polygamie?'

'Maar het gaat toch allemaal om de clitoris?'

'Ja, maar alleen 's ochtends een kwartier en 's avonds een kwartier. Dan hou je nog drieëntwintigenhalf uur over voor andere dingen. OneTaste is de droom voor elke man.'

Mijn vrienden waren vooral bang dat OneTaste een sekte was. Je was vrij om te komen en gaan en niemand werd afgeraden om contact met zijn familie of vrienden van buiten One-Taste te onderhouden. Toch had het iets van een sekte, met zijn charismatische leider, esoterische taalgebruik, rituelen onder begeleiding en de dopaminepieken die door al dat lichamelijk contact ontstonden. Er was een enorme kloof tussen de manier waarop mensen bij OneTaste zich gedroegen – samen douchen, elkaar de hele dag aanraken, de mening van een excentrieke vrouw als de waarheid beschouwen – en de manier waarop mensen zich in de buitenwereld gedroegen. Soms zat ik daar wel mee. Ik wist precies bij wie ik moest zijn om dat in het juiste perspectief te plaatsen.

'Ben jij bang dat ik door OneTaste te ver meegezogen word?'

vroeg ik Scott toen ik op een zaterdag thuis was. 'Veel mensen denken dat het een sekte is.'

'Om jou maak ik me geen zorgen, pop. Je hebt je al in van alles gestort, maar ik heb je er nog nooit in zien verdrinken.'

Ik ging met mijn benen naar opzij bij hem op schoot zitten, sloeg mijn armen om zijn nek en legde mijn voorhoofd tegen zijn schouder.

'Over drie maanden is het toch afgelopen,' zei ik met mijn mond tegen zijn sleutelbeen.

23

Oneindige spelletjes

Nicole woonde niet bij OneTaste. Ze woonde samen met haar vriend Reese, beurtelings in zijn huis in Russian Hill, een van de oudste en chicste wijken van San Francisco, en zijn huis in Stinson Beach, op ongeveer een uur rijden ten noorden van de stad. Alleen de intimi werden weleens in het huis aan zee uitgenodigd; docenten van OneTaste verdwenen op gezette tijden uit het pand van de commune en verbleven dan dagen achtereen aan de kust.

Op een maandagmiddag, een paar weken na onze vrijsessie, kreeg ik op mijn werk een sms'je van Noah.

Wanneer kom je naar het huis in Stinson? schreef hij.

Zodra ik uitgenodigd ben.

Kom dan nu maar.

Het tijdschrift was net de deur uit, en het was een van onze twee rustige dagen in de maand.

Geef me het adres, dan ben ik er over een paar uur.

Ik ging van mijn werk naar huis, pakte schone kleren en reed over de Golden Gate Bridge naar Marin Headlands. De winterzon stond laag aan de oranje hemel en op de kronkelende eenbaansweg van Highway 1 moest ik langzaam rijden omdat hij zo fel scheen. Toen ik eindelijk het verwaaide stadje Stinson Beach binnen reed, schemerde het al. Het huis van Reese was van hout en heel mooi en groot, en het lag pal aan het strand. Noah liet me binnen en ik hielp hem het avondeten klaar te maken. Hij zei dat Reese net was aangekomen en met Nicole in de slaapkamer was.

We sneden paprika's, champignons en courgettes klein en Noah bereidde die verder met tofoe, zonder boter, zout of specerijen. Nicole en Reese kwamen erbij en we gingen zitten in de eetkamer. We dronken water en aten onze groenten. Ik had begrepen dat Reese een van die geniale Silicon Valley-ondernemers was; hij had aan de wieg van internet gestaan en was op dat moment betrokken bij een aantal futuristische denktanks. Maar je zou het nooit zeggen, zo gereserveerd en bescheiden was hij. Noah en hij aten in stilte en vooral Nicole en ik waren aan het woord.

Ze vertelde terloops over haar verleden, dat een langdurige celibataire periode had gekend. Ze zei dat ze drie jaar had samengewoond met Ray Vetterlein, die toen al in de zeventig was, en dat hij dagelijks haar clitoris had gestreeld.

'Je moet je memoires schrijven,' zei ik.

'O, dat heb ik al gedaan. Twee verschillende mannen hebben geprobeerd ze te redigeren, maar dat was geen succes.'

'Laat mij ze dan redigeren.' Noah had me overigens al opdracht gegeven om wat teksten van Nicole te redigeren – haar ideeën over relaties, over het limbisch systeem – en ik kon het allemaal amper volgen. Ze was niet zomaar een kleffe hedonist. Haar teksten hadden een gelaagd abstractieniveau dat me deed denken aan de tijd dat ik had geprobeerd om het werk van briljante geesten te lezen, zoals Ken Wilber.

'Misschien is dat wel een goed idee,' zei ze. 'Ze kunnen waarschijnlijk inderdaad beter door een vrouw geredigeerd worden.'

'Wanneer heb je je interview met *The New York Times*?' vroeg ik. Er zou een verslaggever komen om een artikel over OneTaste te schrijven.

'Over een paar weken, geloof ik.'

'Wees voorzichtig,' hoorde ik mezelf zeggen. 'Je bent een gemakkelijk doelwit, een groepje newagetypes uit Californië dat uit de kleren gaat. De *Times* zal heus wel onpartijdig zijn, maar als ik jou was zou ik het vooral hebben over de aspecten van OM die de gemiddelde vrouw aanspreken, snap je? De huisvrouw uit Kansas, de drukbezette werkende moeder. Wat levert het die vrouwen op? In hoeverre kan het bijvoorbeeld heilzaam zijn voor hun huwelijk? Moet je je voorstellen hoeveel energie ze ervan zouden krijgen en wat het zou betekenen voor hun gevoel van welbevinden.' Ik moest mezelf een halt toeroepen om niet door te blijven ratelen.

'Precies,' zei ze. 'Ik wil niet dat het iets is wat alleen in de marge bestaat. Op een dag wordt OM net zo gangbaar een geaccepteerd als yoga nu is. Als vrouwen eindelijk hun opwinding zelf in de hand nemen en daar de verantwoordelijkheid voor dragen, zal de hele wereld veranderen.' Ze glimlachte van oor tot oor bij de gedachte.

Ik voelde me vreemd genoeg verscheurd. Ik was me terdege bewust van de tekortkomingen van OneTaste, van de ingewikkelde terminologie en de aanbidding van goeroes. Voor mij kwam orgastische meditatie niet in de buurt van de seksuele of emotionele graal die hij voor andere mensen wel was. Vooralsnog vond ik het eigenlijk op alle andere soorten meditatie lijken – fysiologisch gezond en een beetje saai. Maar tegelijkertijd was ik toch ook enthousiast over de focus op de vrouw en zelfs over Nicole zelf. Terwijl ik daar zo met haar zat, besefte ik dat ze helemaal niet de aantrekkingskracht van een goeroe had. Het was iets veel ongebruikelijkers: ze had de sensuele kracht van de courtisane, gecombineerd met de intellectuele kracht van de geleerde. Nicole was een volledig tot wasdom gekomen vrouw die net zo gemakkelijk vanuit haar lichaam handelde als vanuit haar scherpe verstand. Volgens mij voelden mensen zich daardoor tot haar aangetrokken, want een vrouw die zich volkomen op haar gemak voelde met allebei deze aspecten van haar kracht zag je maar zelden.

Na het eten gingen we de woonkamer in, een bibliotheekachtige centrale ruimte met oosterse tapijten en elegante, verschoten banken. Bryan, die vroeger docent bij OneTaste was geweest, arriveerde uit San Francisco met zijn vriendin, die een salade zat te eten terwijl Nicole en hij onbegrijpelijke communiqués met elkaar uitwisselden, waarvan ik geen woord kon volgen. Ik kreeg de indruk dat er een soort ruzie tussen Nicole en Bryan was geweest en dat hij misschien ook iets te maken had gehad met Werner Erhard, de oprichter van Est, dat daarna Landmark Forum was geworden. Veel OneTasters waren fan of oud-deelnemer van Landmark, een hardcore cursus om je leven te verbeteren met de nadruk op eigen verantwoordelijkheid, en waarbij de deelnemers in de loop van een weekend op agressieve wijze van hun verdedigingsmechanismen worden ontdaan. Zodra iemand over Landmark begon, zette ik een wazige, ongeïnteresseerde blik op. Dat moest Bryan gevoeld hebben. Op een gegeven moment draaide hij zich naar me om en vroeg op ongeduldige toon: 'Waarom ben jij hier eigenlijk?'

Goede vraag. Ik had zin om te zeggen: 'Je zult het misschien niet geloven, maar ik ben hier omdat mijn man geen kind wilde!'

'Noah heeft me uitgenodigd,' zei ik.

Nicole gaf Noah met haar ogen een seintje en hij kwam naar me toe en stak zijn hand naar me uit. 'Kom, we gaan een strandwandeling maken,' zei hij.

We vertrokken en liepen over een smal paadje naar het strand. Het zand voelde zacht aan en werd door een bijna volle

maan verlicht. Toen we over een dikke stronk drijfhout klau-
terden, legde hij zijn hand tegen mijn onderrug. We gingen
zitten. De inktzwarte spiegel van de Pacific werd alleen onderbroken door een kanten randje van wit schuim op de golfjes
die naar land stroomden. Noah had mij al zo vaak benaderd
en zich daarna weer teruggetrokken dat ik geen idee had of hij
van het overduidelijk geschikte moment gebruik zou maken.
Een paar weken daarvoor had hij nog gezegd dat hij 'op me
wachtte'. Maar een week geleden had hij verteld dat hij zichzelf
'meer als producent' van mijn ervaringen zag dan als deelne-
mer. Die mededeling had me als een klap in het gezicht getrof-
fen. Ik had helemaal geen producent nodig.

'Jij wilt me gewoon niet graag genoeg,' had ik geantwoord.

'Bedoel je dat ik niet wanhopig ben?'

'Ik wil helemaal niet iemand die wanhopig is. Nou, goed
dan, een beetje misschien, een vleugje. Beheerste wanhoop.'
We hadden er allebei om moeten lachen.

'Ik vind je aantrekkelijk. Ik wil met je vrijen. Maar ik heb het
gevoel dat onze vriendschap zich op een ander niveau afspeelt
dan dat van seks. Ik ben het station gepasseerd dat ik met elke
vrouw die ik aantrekkelijk vind naar bed wil.'

Oké, daar kon ik inkomen. We zaten op de boomstronk te
kletsen. De intense opwinding die zijn aanraking had veroorzaakt begon weg te ebben. Toen we het koud kregen, liepen we
terug. Ik liep de woonkamer door, wenste iedereen snel welterusten en toen bracht Noah me naar een van de logeerkamers,
een kamertje in chique landelijke stijl, met gezellig dik wit
beddengoed. Ik bleef even naast het bed staan, terwijl Noah
een stapel handdoeken ging halen.

'Alsjeblieft,' zei hij, en hij reikte ze me aan. Ik legde ze op bed
en draaide me naar hem om.

'Oké, dank je wel,' zei ik.

'Heb je verder nog iets nodig?'

'Nee.' Ik omhelsde hem, een beetje gekwetst, maar berustend in zijn afstandelijkheid. 'Nogmaals bedankt.'

'Ik slaap hiernaast.' Hij glimlachte en zijn ogen begonnen te stralen.

'Okido.'

'Klop maar aan als je me nodig hebt.'

Mijn kin ging vragend omhoog. 'Oké... welterusten.'

Ik stapte in bed, knipte het licht uit en luisterde naar de gedempte stemmen in de woonkamer, vooral die van Nicole en Bryan. Door de muur aan de andere kant hoorde ik Reese telefoneren, zo te horen met een collega. Het was 23.42 uur. Ik hoorde hem 'aandeelhouder' en 'dollars' zeggen.

Inderdaad, wat dééd ik hier? Getuige zijn van de geboorte van de volgende seksuele revolutie? Het wemelde in San Francisco van de onafhankelijke denkers die risico's durfden nemen en bedrijfjes en non-profitorganisaties oprichtten in plaats van de ladder van grote bedrijven te beklimmen die door andere mensen was gebouwd. Maar dan nog: welke vrouw heeft de moed om een niet-monogame commune op te richten waar het draait om het vrouwelijke orgasme, en de argwaan over zich af te roepen waaruit de eerste reactie van de meeste mensen op zo'n concept ongetwijfeld zal bestaan? Of ik het nu met Nicole eens was of niet, ik had onwillekeurig bewondering voor haar moed.

Op dat moment mengde Noah zich in het gesprek. Ik hoorde zijn lage stem op een paar meter van mijn slaapkamerdeur.

Opeens begreep ik het. Noah speelde waarschijnlijk een van zijn 'oneindige spelletjes'. Vandaar al dat geheen-en-weer, dat aantrekken en afstoten. Hij had zich een mening over mij gevormd, waarschijnlijk op basis van informatie van Nicole, en besloten dat ik het voortouw moest nemen. Jude had het ook al gezegd: 'Je zou best wat assertiever in bed kunnen zijn.' Precies zoals ik dat bij Liam had nagelaten. In plaats van af te wachten tot de man de eerste stap zette, moest ik het initiatief nemen.

Hij had gelijk. Ik was in bed niet erg assertief. Wilde ik daaraan werken? Wilde ik eigenlijk überhaupt nog wel ergens aan werken, buiten mijn eigenlijke baan om? Ik moest plotseling aan George denken, onze therapeut in Sacramento, die met zijn glimmende nette schoenen in zijn leren stoel zat te luisteren terwijl ik me afvroeg of ik nu naar Pennsylvania moest vliegen voor de reünie van mijn brugklas of niet. 'Laat je lichaam het besluit maar nemen,' had hij gezegd.

'Hoe ziet dat eruit?' had ik gevraagd. Ik was indertijd zevenentwintig en nog niet van mijn fiets gevallen. Ik had op dat moment niet kunnen vertellen wat ik in mijn kleine teen voelde; de entiteit die Robin heette bestond alleen van de nek naar boven toe, tenzij ik midden in een zenuwinzinking zat, want dan kwamen alle onderdrukte lichamelijke gewaarwordingen in één keer op me af.

'Of je loopt naar de telefoon en je belt de luchtvaartmaatschappij om een reservering te maken, of niet. Je hoeft er niet over na te denken. Dat doet je lichaam voor je.'

Ik had naar de muur boven George's hoofd zitten kijken en geprobeerd te begrijpen waar hij het in vredesnaam over had, hoe mijn lichaam naar de telefoon kon lopen zonder dat mijn brein daar de opdracht toe gaf, en hoe mijn brein ergens de opdracht toe kon geven zonder dat het eerst over alle mogelijke gevolgen had gepiekerd. Het had achttien jaar geduurd voor ik begreep wat George me indertijd probeerde te leren.

Ik spoelde versneld door en dacht aan de keer dat ik Paul vanuit het café in Castro op die regenachtige avond een sms'je had gestuurd, achter hem aan naar Denver was gegaan en me halsoverkop in het open huwelijk had gestort zonder rekening te houden met mijn angst om Scott kwijt te raken. Ik dacht aan Susan, die naar een vruchtbaarheidskliniek reed, het ene formulier na het andere invulde en in haar eentje naar afspraken ging waarbij er donorzaad bij haar werd ingebracht. Ze had me laatst een e-mail gestuurd over een of andere tegenvaller. De laatste regel luidde: 'Laten we alles pakken wat we willen, Rob, en als we het niet kunnen krijgen, laten we dan gewoon besluiten dat we het eigenlijk toch niet echt wilden.'

Dat vond ik het slimste wat ik ooit iemand had horen zeggen, Nicole Daedone meegerekend. Noah en zij waren nu aan het praten; waarschijnlijk wensten ze elkaar welterusten, want ik hoorde voetstappen naar de kamer naast de mijne lopen en de deur dichtgaan.

Ik stak mijn arm uit om het licht uit te knippen, kroop lekker diep onder de dekens en sloot mijn ogen. Zo besloot ik niet langer op Noah te wachten.

24

Meisje, meisje, jongen

Ik zat naar Dara's binnenste schaamlippen te kijken, flappen donker vlees met een zilver ringetje erdoor. Ik had nog nooit een vagina van zo dichtbij gezien. Ik was mijn eigen vagina pas een paar jaar daarvoor gaan bekijken, tijdens de genotscursus van Mama Gena. Die van Dara zag er exotisch en enigszins gevaarlijk uit. Grace zat ernaast en vertelde me waar ik mijn vingers moest zetten en hoe ik Dara's reactie moest peilen. Ik had besloten dat het tijd was om te voelen hoe het was om de actieve partij te zijn.

Ik deed wat Grace zei, hield mijn wijsvinger op de buitenrand van Dara's clitoris en maakte lichte strijkbewegingen naar boven toe. Ik was bang dat ik te ruw bewoog en haar pijn zou doen, maar tegelijkertijd was ik bang dat ik het te zacht zou doen en ze verveeld zou raken. Haar ademhaling versnelde en ze begon luide, scherpe 'ah'-geluiden uit te stoten en bij elke klank een schokkerige beweging te maken. Ik voelde me een beginner die op een wild paard was gezet in plaats van op een pony. Geschrokken keek ik naar Grace. Ze zei zachtjes dat Dara gewoon opgepotte emotie losliet. Als ik haar rustiger wilde krijgen kon ik overschakelen naar een neerwaartse strijkbeweging, van de top van de clitoris naar de vagina toe. Toen ik dat deed, gingen Dara's 'ah's' over tot een soepeler ritme en werd haar ademhaling weer langzamer.

Gelukkig was het kwartier voorbij en ging de timer af. De

complexiteit van de clitoris, de verantwoordelijkheid om die tot leven te wekken of daar niet in te slagen, de wetenschap dat die met zoveel diepe lagen in verbinding stond – het was al met al veel intimiderender dan de veerkrachtige rechttoe rechtaan penis.

Als tiener heb ik nooit lang stilgestaan bij de aantrekkingskracht van hetzelfde geslacht. Als twintiger en dertiger beschikte ik, de enkele keer dat het onderwerp aan de orde kwam, niet over de emotionele bandbreedte om daar nader onderzoek naar te doen en het taboe dat op lesbisch-zijn rustte te dragen. Nu ik opnieuw de kans kreeg om seksueel te experimenteren, gaf ik mezelf eindelijk toestemming er dieper over na te denken. Maar er was een struikelblok. Ik vond het lichaam van de vrouw in abstracte zin wel prachtig, maar ik had nog nooit een vrouw ontmoet tot wie ik me persoonlijk aangetrokken voelde. Als ik ergens was dwaalden mijn ogen altijd naar de mannen en tastte ik voortdurend, zij het discreet, het spanningsveld tussen mijzelf en een van hen af, als een psychospirituele drang tot aanvulling die, als een paar belangrijke signalen elkaar opvolgden, uitmondde in seksuele aantrekkingskracht. De schoonheid van vrouwen was vele malen groter dan die van mannen – huid zo glad als een olijf, de gulle ronding van de billen, lang haar dat over geometrische sleutelbeenderen valt. De groep bij Sabrina bewees dat vrouwen beter dan mannen in staat waren de vrouwelijke energie aan te spreken die mij gelukkig en voldaan maakte. Toch vond ik de gedachte aan een intieme een-op-eenrelatie met een vrouw doodeng. Ik kon me die alleen voorstellen als een relatie met mijn dubbelganger, uitputtend en wellicht ook verraderlijk.

Een paar weken na mijn OM-sessie met Dara deed Grace het bij mij. Het bleek verrassend eenvoudig, net als die eerste keer dat ik ten overstaan van andere mensen mijn onderbroek uittrok of als ik me uitkleedde en met twee mensen die ik niet kende de gezamenlijke doucheruimte moest betreden. Ik voelde me een paar seconden ongemakkelijk, maar daarna nam een aangenaam instinct het van me over.

Terwijl Grace me begon te strelen merkte ik dat er een subtiele spanning ontbrak, die er wel altijd was als een nieuwe man het deed. Ik piekerde niet over hoe zij reageerde nu ze me naakt zag, of ze er opgewonden van raakte, hoe mijn kut zich verhield tot die van anderen. Ik vroeg me niet af of ik te veel of te weinig geluid maakte. Ik dacht geen moment na over de vraag of ik wel of niet zou klaarkomen. Het resultaat van al die gedachten die ik níet had, was dat ik meer kon voelen. Op een gegeven moment spraken Grace en ik af dat zij op een avond om tien uur naar mijn kamer zou komen, dat we een paar uur zouden knuffelen en dan wel zouden kijken waar het schip strandde. Geen plannen, geen druk. Ik nam een douche en trok een warme pyjama aan; het was begin maart en het was kil in het huis. Toen ze zachtjes bij me aanklopte, bleek zij ook in pyjama te zijn. Grace en ik hadden allebei een sterke bouw en een vurig karakter. Zij was alleen rossig blond, wel tien jaar jonger dan ik en je zag aan haar beter dat ze kwetsbaar was dan aan mij. Elke emotie was van haar sproetengezicht af te lezen. Verdriet, vrolijkheid, woede en blijdschap trokken eroverheen als weersystemen over een tropisch eiland. In een poging alles in goede banen te leiden, gaf ze heel duidelijk haar grenzen aan, die ze langzaam en nadrukkelijk uitsprak.

'Ik wil onder de dekens gaan liggen, elkaar aankijken en kletsen,' zei ze nadat we elkaar hadden omhelsd.

We gingen in bed liggen en draaiden ons naar elkaar toe. Het bedlampje liet ik aan. 'Net een logeerpartijtje,' zei ik, terwijl we de dekens tot onze kin optrokken. We praatten zoals twee vrouwen doen die moeten bijpraten: om de beurt diepten we de gevoelens op die onder de oppervlakkige gebeurtenissen lagen, terwijl de ander knikte dat ze het begreep en zo nu en dan een vraag stelde die bedoeld was om de ander aan te sporen nog meer te vertellen. Ze vertelde over haar ex-vriend, over de man met wie ze op dat moment een relatie had, over dat ze niet goed wist welke stap ze nu in haar carrière moest zetten. Ik vertelde haar hoe het er met Scott voor stond, dat ik hem en mijn huis miste, maar dat ik het ook eng vond om weer fulltime thuis te gaan wonen, dat ik diep in mijn hart nog steeds verdriet had om Alden.

Terwijl we zo lagen te praten, legden we onze armen om elkaars middel. Langzaam maar zeker draaide ik me op mijn andere zij, met mijn rug naar haar toe, en kwam ze lepeltje-lepeltje tegen me aan liggen.

'Heb jij het met veel vrouwen gedaan?' vroeg ik terwijl ze haar gezicht in mijn nek begroef.

'Met zes vrouwen,' zei ze. Haar stem was zacht, maar ze zei het zelfverzekerd. 'En jij?'

'Met geen één. Jij bent de eerste.' Ik had een keer in een café met een vriendin getongzoend, een stunt die we gedaan hadden om de mannelijke omstanders een plezier te doen. Dat was iets anders.

'Ik vind het fijn om vrouwen te likken,' zei ze. 'Zal ik dat bij jou doen?'

'Ja.' Ik giechelde gegeneerd. Op het nachtkastje lag een zakje hartvormige snoepjes, die ik aan mijn vrienden had uitgedeeld. Ik pakte een wit hartje met daarop kus me en reikte het haar over mijn schouder heen aan. Net op het moment dat ik me naar haar omdraaide, stopte ze het in haar mond.

'Ik neem wel de leiding,' zei ze nadat ze het had doorgeslikt.

Ik voelde me voor een deel net een brugklasser die stijf staat van de hormonen en voor een deel een anonieme pornoactrice, aangezien dat het enige beeldmateriaal was dat ik kende van twee vrouwen die seks met elkaar hadden. Ik stelde me ook voor dat ik groter en sterker was dan Grace, wat niet het geval was, hoewel zij nu boven me hing en mijn mond met haar tong verkende.

Het lichaam van de vrouw. Mijn fascinatie draaide niet zozeer om de kut als wel om de borsten. Ik ging met mijn hand over de hare, die er stevig uitzagen, maar onwaarschijnlijk zacht waren, en wreef met mijn duim over haar tepel tot hij hard werd, en nam hem toen in mijn mond. Ze kreunde en drukte haar heupen tegen me aan. Terwijl ik aan haar tepel zoog, gingen mijn handen omlaag. We trokken elkaars pyjamabroek uit. Terwijl ik in haar tepel beet, greep ik haar in haar haar, en zij beet in mijn schouder en kuste me nog gretiger. Het leek eerder alsof ze uit verschillende lagen bestond dan dat ze een vaste vorm had, alsof ze een hydra was van bleke ivoorwitte armen en benen om mij heen.

'Duw eens tegen me aan,' zei ze. Ik duwde tegen haar schouder, waardoor onze heupen dichter tegen elkaar aan sloten. Ik voelde haar strookje kort schaamhaar tegen het mijne, de glibberige vochtige binnenkant die terwijl we zo kronkelden nu eens voelbaar was en zich dan weer verscholen hield. Afwisselend kusten we elkaar en zoog ik aan haar borsten, en ik raakte het besef van tijd kwijt. Misschien duurde het vijf minuten, misschien ook een halfuur. Ik pakte haar billen vast en stak toen mijn vingers zo diep ik kon in de spleet, schoof haar kut open, stak mijn vinger erin er liet die toen naar boven glijden. Als ik boven op een man zat, vond ik dat een van de lekkerste dingen, zo boven op zijn heen en weer glijdende vinger zitten, met mijn tieten in zijn mond. Ik duwde haar kont omhoog en ze gooide haar hoofd in haar nek en kreunde. Ik bevond me zowel in haar lichaam als in het mijne, voelde haar opwinding en hoe bedwelmend machtig het was om die teweeg te brengen. Ik was onderwerp en lijdend voorwerp tegelijk. Zonder enige aankondiging joeg er een stil, krachtig orgasme door me heen.

Ze voelde het. Ze keek me aan en glimlachte.

'O god,' zei ik. 'Ik kwam klaar!'

'Ik weet het. Het was geweldig.' Ze rolde zich naar opzij en ging lekker tegen me aan liggen. 'Dan lik ik je de volgende keer wel.'

'Zal ik jou niet nu likken?' vroeg ik.

'Nee. Ik ben volkomen voldaan.'

Dat geloofde ik niet echt, maar Grace stond erom bekend dat ze altijd heel eerlijk was en ik wist niet goed wat ik nu verder moest doen.

Na een paar minuten vroeg ze: 'Zullen we donderdag weer afspreken?'

'Ja.'

'Goed. Dan ga ik nu naar mijn kamer, slapen.' We trokken onze pyjama weer aan en omhelsden elkaar.

'Ik hou van je,' zei ze, en ze keek me diep in de ogen. Dat bedoelde ze op de gewone manier, zoals vriendinnen dat tegen elkaar zeggen, maar er ging toch een schokje door me heen.

'Ik ook van jou,' zei ik automatisch, maar mijn keel kneep erbij samen.

Toen ze weg was, deed ik de deur dicht, ging op bed voor me uit liggen staren en probeerde de rimpeling van angst te herleiden. Stak het lesbische taboe door de jaren heen zijn tentakels naar me uit? Ik kon me niet herinneren dat ik met een man ooit zo snel was klaargekomen, op de keren met Alden na. Was het de combinatie van lichamelijke intimiteit en dat 'ik hou van je', iets wat bij de eerste keer seks met een man nooit gebeurde? Nee. Het was gewoon het feit dat ik haar niet kon besodemieteren en dat ik net zo voorzichtig met haar gevoelens was als met de mijne. Dat vond ik er griezelig aan: haar vrouwelijke combinatie van waarnemingsvermogen en kwetsbaarheid.

Een week later klopte Grace weer bij me aan, ook deze keer in pyjama. We herhaalden het ritueel van knuffelen, zachtjes praten en langzaam kussen. Het leek wel een heerlijk uur lang te duren. Als een nieuwe man mij voor het eerst ging likken, zette ik me altijd schrap voor het geval hij te snel van start ging, driftig heen en weer zou bewegen of een te hoog tempo zou aanhouden, waardoor ik al afknapte nog voor ik goed en wel begonnen was. Maar voor Grace deed ik mijn benen in het volste vertrouwen uit elkaar. Ze maakte kleine, langzame kringetjes, haar tong hield ze vlak en zacht. Ze hield om de minuut even op om mij wat rust te gunnen, en als ze dan weer verderging was ik nog meer gezwollen dan daarvoor. Binnen vijf minuten kwam ik zonder enige inspanning, spanning of hoop van mijn kant klaar.

Oké, misschien was ik dan toch lesbisch.

Ik nam haar plaats in en probeerde de stijl na te doen die ze bij mij had gebruikt. Ze leek het wel lekker te vinden, maar na ongeveer een kwartier zei ze: 'Oké, meer kan ik vanavond niet hebben.' Ik voelde me tekortschieten. Liam had weer een pubermeisje van me gemaakt, maar Grace maakte een puberjongen van me, een en al ongepolijste lust en onbekwaamheid.

'Ik wil een keer een voorbinddildo gebruiken,' zei ik terwijl we lekker tegen elkaar aan lagen.

'Goed, dan doen we dat de volgende keer.' Maar een week later zei Grace dat ze 'alle contacten een paar weken in de koelkast zette', want er hadden zich wat emotionele kwesties aangediend en die moest ze eerst verwerken.

Dat ze emoties de voorrang gaf, botste met de voorrang die

ik aan mijn seksuele doelstellingen gaf. Ik voelde me aangetrokken tot haar lichaam, maar deinsde terug als ze ongeremde gevoelens uitsprak. Ik haakte af, zij niet. Ik hoefde maar met één vrouw naar bed te gaan om het gedrag te begrijpen van bijna alle mannen die ik in mijn leven gekend had.

Als om alle eventuele twijfels over mijn heteroseksualiteit te sussen nadat ik met Grace naar bed was geweest, diende Roman zich aan, de godheid van een meter negentig lang, die ik tijdens de OM-demonstratie voor mannen uit de modder had zien opstijgen. Roman wekte over de hele linie de indruk zich lichamelijk zeer op zijn gemak te voelen, en zijn lengte was daar maar één aspect van. Hij glimlachte altijd, en hij flirtte zonder hongerige opmerkingen of steelse blikken. Hij gaf geen enkel blijk bang te zijn voor vrouwen of behoefte te hebben aan veroveringen of goedkeuring. Als we elkaar aankeken of zelfs als ik op een meter afstand van hem zat, voelde ik een rustige kracht tussen ons vibreren.

Roman had een relatie met Annie, de felste bewoner van de commune. Annie was pas drieëntwintig en reteslim. De eerste keer dat ik haar ontmoette, tijdens mijn tweede workshop bij OneTaste, stond ze opeens voor ons in een roze schortjurk, haar haar in strakke paardenstaartjes gebonden, en zong ze a capella een liedje dat ik nog nooit gehoord had, maar dat deels klonk als een klaagzang uit een Broadway-musical, deels als een kinderliedje van Grimm. Ze zag eruit als een verdwaalde Dorothy uit *The Wizard of Oz*. In groepen had ze de neiging om de goedgekeurde reacties tegen te spreken; dan zei ze bijvoorbeeld dat ze een hekel had aan intimiteit. Dat deed ze niet met de reactionaire opstandigheid van de jeugd, maar met de vermoeide blik vol zelfverachting die meestal voorbehouden is aan volwassenen.

Roman en Annie hadden een open relatie, ook al waren ze van plan om later dat jaar bij OneTaste weg te gaan, in hun eigen appartement te gaan wonen en te gaan trouwen. Ze waren allebei vrij om te doen waar ze zin in hadden, zolang de ander daar van tevoren maar mee had ingestemd.

Ik verheugde me op de OM-sessie; Roman stond die ochtend ingeroosterd als degene die het bij mij zou doen. Hij schermde me met zijn lange benen en lichaam af voor de overige aanwezigen. Hij wist intuïtief precies hoeveel druk hij moest uitoefenen. Mijn ademhaling ging gelijk op met de zijne, hoorbaar, steeds intenser. Ik hield zijn arm vast alsof die een paal was die me aan de grond hield; hij liet me geen moment 'vallen' door zijn aandacht te verplaatsen of zijn concentratie te laten verslappen. Onze OM-sessies vervulden mijn wezen – niet alleen maar mijn lichaam – met een vloeibare dankbaarheid, als een plant die water had gekregen.

Na afloop zei Roman: 'Ik voel een ongelooflijke chemie met jou. Mijn hele lichaam raakt er opgewonden van.'

'Dat heb ik ook.'

'We moeten een keer vrijen.'

'Ja, dat wil ik ook! Wanneer?' Ik had geen tijd om te doen alsof ik het niet heel spannend vond. Nog iets van een maand en dan was mijn project ten einde.

'Ik moet het even met Annie bespreken. Volgende week een keer?'

'Oké, laat maar weten.' Hij kneep in mijn handen en trok me naar zich toe voor een langdurige omhelzing.

Een week later stond hij om een uur of zeven voor mijn deur. Hij had een spijkerbroek en een T-shirt aan en hij rook naar zeep. Hij ging op bed liggen, stopte een paar kussens achter zijn hoofd, stak zijn rechterarm uit en gebaarde dat ik tegen zijn schouder moest komen liggen.

'En, hoe gaat het met je?' vroeg hij. 'Vertel me eens wat er met je aan de hand is.'

Ik zweeg even en liep in gedachten na wat hij allemaal al over mijn leven wist.

'Nou, ik ben overwerkt, zoals gewoonlijk. Aan de ene kant heb ik een baan met de ene deadline na de andere en woon ik hier met al die OM-sessies en vrijpartijen, en aan de andere kant ben ik in het weekend getrouwd. Dat is nogal veel.'

'Ik snap niet hoe je het volhoudt.'

'Ik heb het gevoel dat mijn lichaam op deze intensieve reis de leiding heeft en dan duurt het even voor mijn hart en hoofd het kunnen bijhouden.'

Hij knikte en trok zachtjes aan een punt van mijn bloes, alsof hij me er netjes uit wilde laten zien.

'Ik weet niet of ik het jou al verteld heb, maar ik ben dit hele experiment met een open huwelijk begonnen nadat mijn man zich had laten steriliseren. Ik wilde graag een kind met hem.'

'Dat heb je verteld, ja. Wil je nog steeds een kind?'

'Ik weet het niet. Het klinkt misschien stom, maar ik kan me gewoon niet voorstellen dat ik met iemand anders een kind zou krijgen. Misschien betekent dat wel dat ik het niet graag genoeg wil.'

'Dat klinkt helemaal niet stom,' zei hij.

'Ik heb geen idee wat er gaat gebeuren. Ik heb het gevoel dat ik op een punt halverwege mijn leven ben aanbeland, maar dat ik niet verder kan kijken dan dat. Ik kan me geen toekomst voor de geest halen.'

'Dat is juist goed. Dat betekent dat je in het nu leeft.' Roman had nog steeds de leeftijd waarop dat soort platitudes geloofwaardig klinkt.

'Willen Annie en jij kinderen?'

'Ja, we denken van wel,' zei hij. Ik voelde een steek van jaloezie jegens Annie, haar jeugdigheid, haar assertieve kan-mij-het-bommenhouding, haar ongegeneerd mannelijke verloofde met zijn uitstekende communicatievaardigheden, en zoveel kinderen als ze maar wilde.

'Ik ben jaloers op Annie,' zei ik op verontschuldigende toon.

'Ze is ook jaloers op jou. Ze vindt het een beetje eng dat ik hier bij jou ben. Sinds we verloofd zijn vindt ze het niet meer zo gemakkelijk dat ik ook seks met andere vrouwen heb.'

'Vindt ze het wel goed dat je vandaag seks hebt?' Mijn hand lag op zijn borstbeen; ik voelde zijn borsthaar door zijn dunne t-shirt heen.

'Ja,' zei hij met een glimlach.

'Fijn. En jij? Hoe gaat het met jou?'

Hij zei dat hij het best naar zijn zin had bij OneTaste en dat hij blij was dat Annie er ook woonde, maar hij had het onderhand wel gezien, wilde terug naar zijn eigen verhuisbedrijf, trouwen en verdergaan met zijn leven.

'Ben je hier met veel vrouwen naar bed geweest?'

Hij somde een lijstje op en vatte de problemen samen die onvermijdelijk de kop opstaken als een vrouw meer wilde dan hij kon geven. Ik vond het een hele geruststelling om te horen dat de vrouwen bij OneTaste nog steeds van hun eigen gevoelens uitgingen, ook al gold hier de afspraak dat je niet verliefd werd, dat je niet meer uit sensualiteit moest halen dan erin zat. Persoonlijk geloofde ik niet in Nicoles theorie dat onze behoefte aan monogamie alleen maar sociaal geconditioneerd was.

'Jij bent anders dan de anderen,' zei ik. 'Het feit dat jij Annie aankunt zegt al genoeg.'

'Pittige tante, hè?' zei hij liefdevol. 'En ze is ook nog zo razend slim. Ik heb nog nooit iemand zoals zij ontmoet.'

'Je wekt de indruk dat je je bij vrouwen heel erg op je gemak voelt.'

'Ik heb een fantastische moeder en een heleboel tantes die dol op me waren,' zei hij, en hij rekte zich uit en gaapte, met zijn arm nog steeds om me heen.

Ik denk dat we wel een uur hebben liggen praten. Door zijn geduldige, geconcentreerde aandacht had ik meer zin om te vrijen dan welke vinger ook voor elkaar had kunnen krijgen. Ik wachtte af, klaar om me op hem te werpen zodra hij me naar zich toe trok. We lagen heel lang te kussen, hij met zijn handen tegen mijn gezicht. Zo nu en dan pakte hij mijn haar van onderen op en hield hij mijn nek schuin, zodat hij die kon kussen. Na een hele tijd trok hij mijn bloes uit en wipte hij mijn beha met één hand open.

'Mmm,' deed hij, terwijl hij met de ruwe stoppels van zijn gezicht en kaalgeschoren hoofd over mijn borsten ging. 'Goed zo, toe maar,' zei hij terwijl hij mijn broekje opzij gooide. Eén hand lag nog steeds in mijn nek. Ik was een katachtige die door een groter dier gevangen was. Zijn penis kwam uit de voorhuid tevoorschijn. Ik ging op hem zitten, geleidde hem in me en boog naar voren om hem helemaal in me te krijgen.

'Het doet pijn.'

'Ik zal het langzaam doen,' zei hij, terwijl hij mijn middel vasthield. 'Lekker zo?'

'O mijn God.'

'Neuk me,' fluisterde hij. Hij gromde, maar ging niet sneller. Het duurde ongeveer een minuut voor hij, centimeter voor centimeter, helemaal in me was.

We vrijden twee uur lang; dat besefte ik pas toen ik later op de klok keek. Hij zei zo nu en dan iets geils tegen me, maar niet aan één stuk door, en hij wisselde tederheid af met kracht. Zijn pik inspireerde me tot een fellatio van ongekende intensiteit. Hij was de eerste man die me, de eerste keer dat we het met elkaar deden, meteen uit zichzelf ging likken. Toen we klaar waren, bleven we naakt in onze beginhouding liggen, volkomen op ons gemak. Hij beschikte over een adembenemend vermogen om te praten en te luisteren.

'Ik vond het echt heerlijk,' zei hij. 'Ik hoop dat we het nog een keer kunnen doen.'

'Het kon niet beter.'

Nou ja, bijna dan: ik was niet klaargekomen. Maar ik vertrouwde er inmiddels wel op dat mijn lichaam wist wat het deed. De enige andere minnaar die ooit zo beloftevol was geweest, Alden, had me verschrikkelijk gekwetst. Ik had hem ongetwijfeld ook gekwetst. Roman was bijna te mooi om waar te zijn; hij combineerde Scotts geduld met meer kracht en een sterkere persoonlijkheid. Hij was bezet, en ik ook.

Roman en ik vreeën de week daarop weer, ook al had Annie tegen hem gezegd dat ze voorlopig niet wilde dat wij nog seks met elkaar hadden. Hij nam zijn grenzen feilloos in acht. We kwamen zelfs niet in de buurt van geslachtsgemeenschap. Elke keer dat ik hem tegenkwam, nam hij me met een glimlach van oor tot oor in zijn armen, gaf me een kus op mijn hoofd en zei: 'Hé, schat, hoe is het met je?' Als Annie bij hem was, zeiden we elkaar wel gedag, maar hielden we enige afstand. Ik zag inmiddels ook welke andere vrouwen hun ogen niet van Roman konden afhouden.

Hij hield me op de hoogte van hun onderhandelingen. 'Ze weet dat ik weer seks met je wil. Ik denk dat ze het binnenkort wel aankan.'

'Ik snap niet hoe jullie zo open kunnen zijn,' zei ik. 'Is ze niet gekwetst dat jij je tot iemand anders aangetrokken voelt?'

'Een beetje bedreigd misschien, maar niet gekwetst. Ik heb gewoon een veel sterker libido dan zij. Dat wisten we van begin af aan.'

Een paar weken later gaf Annie hem toestemming om weer

seks met mij te hebben, misschien omdat ze wist dat ik toch binnenkort zou vertrekken. Het werd een vrijpartij van drie uur die niet beter had gekund, al had ik er zelf het scenario voor mogen schrijven. Toen het voorbij was en hij me in een van zijn karakteristieke omhelzingen nam, maakte ik me iets van hem los en zei zonder ook maar een vleugje sarcasme: 'Bedank Annie van me.'

Het was veelzeggend dat degene die ik van alle mannen bij OneTaste het meest viriel vond, binnenkort ging trouwen, kinderen wilde krijgen en (ook al wist ik dat op dat moment niet) op het punt stond zich tot het katholicisme te bekeren. 'Sommige mannen zijn van nature goed in zich inhouden,' had Sabrina een keer terloops tijdens een gesprek gezegd. 'Anderen zijn weer goed in penetreren. Maar heel weinig mannen zijn in allebei goed.' Roman leek zo'n zeldzaam geval te zijn, maar doordat ik in totaal maar tien uur met hem samen was geweest kon ik niet weten of dat zijn ware aard was of dat hij zo alleen maar was als hij op zijn best was, en dat dit gedrag door mijn eigen projecties werd uitvergroot. Dat was voor mij het nadeel dat aan een niet-monogame relatie kleefde. Als verkenningsmechanisme voldeed het prima, maar ik kon me niet voorstellen dat ik met een geliefde de diepe band waar ik zo naar hunkerde zou voelen als we onze fantasie voortdurend op glanzende nieuwe objecten mochten loslaten. Ik wist zeker dat er onder alle vrouwen die om Roman heen hingen en die meer van hem wilden maar één was die hem echt kende.

25

De andere vrouw

Het tijdschrift was eigendom van hetzelfde bedrijf dat ook *Spin* uitgaf. Op een ochtend in het voorjaar riep de artdirector over de afdeling: 'Heeft iemand tijd om vanavond naar San Jose te rijden? Spin.com heeft iemand nodig die een artikel kan schrijven over het concert van Bruce Springsteen.' En zo belandde ik in m'n uppie op de vierde rij van een concert van The Boss, noteerde ik de playlist in mijn opschrijfboekje, zong ik mee met mijn favoriete nummers en voelde me eenzaam.

Tegen enen 's nachts was ik weer terug in de stad. Op dat tijdstip waren de meeste parkeerplaatsen in SoMa bezet. Ik vond er een bij een viaduct waar daklozen samenkwamen en liep een paar straten terug naar OneTaste. Toen ik daar aankwam, kon ik de sleutel van de voordeur niet vinden. Ik zocht in mijn tas en mijn zakken. Ik liep een stukje achteruit en tuurde de ramen op de eerste en tweede verdieping langs, op zoek naar licht, ten teken dat er nog iemand wakker was. Alle ramen waren donker. Om zes uur ging de wekker, en dat betekende dat de meeste mensen ruim voor twaalf uur al sliepen. Ik vond het vervelend om iemand wakker te moeten maken. Ik besloot dat ik maar het best naar huis kon rijden, naar Castro.

Ik was al bijna een jaar niet meer op woensdagavond thuis geweest, en hoewel ik vrijwel zeker wist dat Scott niet door de week iemand over de vloer zou hebben, sms'te ik hem toch maar voor de zekerheid.

Ik moet naar huis, ik heb me buitengesloten. Is dat goed?

Hij reageerde niet. Scott viel meestal klokslag tien uur in een diepe slaap.

Ik liet mezelf met veel kabaal binnen: de voordeur, de deur naar de flat, mijn sleutels, mijn schoenen. 'Hallo?' riep ik. 'Ik ben het. Ik heb mezelf buitengesloten.'

Ik wachtte in de woonkamer, op mijn sokken; de slaapkamer lag helemaal aan de andere kant van de gang. Cleo kwam uit het donker tevoorschijn en wreef zich tegen mijn scheenbeen aan. Ik pakte haar op en liep naar de slaapkamer. Niemand. Ik knipte het licht aan en ging op bed zitten, verbaasd over mijn eigen verbazing. Ik had zelden een man de nacht bij me laten doorbrengen, behalve Jude dan, en dat was platonisch. Ik was maar één keer bij Alden blijven slapen.

Ik kleedde me uit en ging onder het zachte blauwe dekbed liggen dat Scott en ik onlangs hadden gekocht. Rechts van mij stond de antieke hutkoffer met daarin onze foto's en mijn dagboeken, links van mij stond Scotts meest recente lading wijn in de piepkleine badkamer te borrelen, en voor me hingen de geïllustreerde *Proverbs of Hell* van William Blake, in een zwarte lijst, in vier afleveringen aan de schilderijroede.

De weg van de overvloed leidt naar het paleis van de wijsheid.
Hij die verlangt, maar niets doet, veroorzaakt de pest.
Je weet nooit wat genoeg is, tenzij je weet wat meer dan
*   genoeg is.*
De tijgers van de toorn zijn verstandiger dan de paarden van
*   het bevel.*

Ik viel in slaap terwijl ik me de kamer probeerde voor te stellen waar Scott nu was. Was die klein of ruim? Hoe was het uitzicht? Sliep hij aan zijn vaste kant van het bed? En wie was in vredesnaam deze nieuwe vrouw hier onder onze dekens, de vrouw die het vroeger uitkrijste van jaloezie als Scott per ongeluk te dicht langs een andere vrouw liep of zijn blik iets te lang op haar liet rusten? Had ik mijn positieve instelling naar een hoger plan getild of lag mijn jaloezie gewoon als het zoveelste duiveltje op de loer, klaar om toe te slaan als de tijd daar rijp voor was?

De vrouw in kwestie was Charly, die met het rode haar, die ik op Scotts telefoon had gezien. Ze was softwareprogrammeur, vijfendertig, en Scott had haar een halfjaar geleden in een café ontmoet. Sindsdien had hij haar één of twee keer per week gezien. Ze was op de hoogte van het project en van ons plan om over een maand weer samen verder te gaan. Dat vertelde hij me allemaal de volgende dag, toen ik zei dat ik de avond ervoor thuis was gekomen.

'Eén of twee keer per week, een halfjaar lang, en je blijft bij haar slapen. We hadden toch afgesproken dat we geen andere relatie zouden beginnen? Daar heb je nog zo op gehamerd.' Ik had het recht niet dit te zeggen als je bedacht wat voor regels ik zelf allemaal overtreden had. Maar het was eruit voor ik het wist, als een trein die te vroeg van het station vertrekt.

'Toen we besloten hadden om er langer mee door te gaan, tot in het nieuwe jaar, is er het een en ander veranderd,' zei hij. 'Ik ben te oud om elke week naar het café te gaan en een nieuwe vrouw op te pikken. Daar heb ik geen zin in. Ik ga liever een langere periode met één iemand om.'

'Dus je zegt nu eigenlijk dat Charly de enige vrouw is met wie je bent geweest? Het afgelopen halfjaar?'

'Ja.'

'En ben jij ook de enige met wie zij naar bed gaat?'

'Ja.'

Ik gooide mijn handen in de lucht. 'En denk je nou echt dat ze jou 1 mei aanstaande zomaar laat gaan, zonder toestanden te maken? Een alleenstaande vrouw van vijfendertig met wie jij een halfjaar lang naar bed bent geweest?'

'Ja. Het zal niet gemakkelijk voor haar zijn, maar ze kent de afspraak.'

Het zal niet gemakkelijk voor haar zijn. Die woorden staken als zeven graten in mijn strot.

Scott vond bij Charly wat ik diep in mijn hart bij Alden had willen vinden: een liefdesrelatie. Hij had in een café, bij toeval, zonder zich op een datingsite in te schrijven, bij een commune te gaan of de idioten van Craigslist te moeten verdragen, een vrouw gevonden die twintig jaar jonger was dan hij, die accepteerde dat hij getrouwd was en die genoegen nam met de tijdelijke aard van hun relatie. Hij was hier veel beter in dan ik.

Ik registreerde bij mezelf drie verschillende reacties op Charly. Verstandelijk gezien hield ik mezelf voor dat ik deze situatie zelf in het leven had geroepen, dat Scott niets verkeerds had gedaan (of heel weinig, in elk geval) en dat ik verder geen vragen moest stellen. Ik bad om zelfbeheersing. Keer op keer fluisterde ik: 'Zorg alstublieft dat ik Scott verder geen vragen stel.'

In emotioneel opzicht werd ik door Scotts exclusieve relatie met Charly in iets geworpen wat ik als mijn onderliggende werkelijkheid beschouwde, de donkere kuil van het in de steek gelaten worden, waar mijn leven ver vóór het project boven had gezweefd en die er zelfs mede de aanleiding toe was geweest, vreesde ik, allemaal met als doel dat ik mijn huwelijk om zeep kon helpen en rustig in het gapende gat kon vallen. Ik sliep niet meer, kreeg last van hartkloppingen, zag al voor me hoe ik oud en eenzaam zou eindigen, en dat ik dat dan helemaal aan mezelf te wijten had.

Het interessantst was nog wel dat een derde deel van mij met nieuwe ogen naar Scott begon te kijken. Ik bewonderde zijn vermogen om een vrouw te verleiden, ik had respect voor het feit dat hij de moeilijke situatie waarin ik hem had gebracht had aangekund. Dat ik nu van het bestaan van de jeugdige Charly op de hoogte was maakte dat Scott in mijn ogen op de een of andere manier groter werd, bijna zo groot als hij vroeger voor me was, jaren geleden, toen ik onzeker was en hij sterk, lang voordat hij helemaal wanhopig werd van de gedachte dat hij mij zwanger zou maken. Terwijl mijn minder volwassen kant het erg vond dat Charly dieper in mijn huwelijk was binnengedrongen dan wie ook van mijn minnaars, was de vrouw in mij haar in stilte dankbaar dat ze mij de Scott weer had laten zien op wie ik indertijd verliefd was geworden.

Ik slingerde maar heen en weer tussen de beheerste vrouw en het gekwetste meisje. De ene dag was ik een ongeremde hedonist die bedacht wat ze allemaal ging doen in haar laatste vrije weken en het volgende moment was ik een rillende snotneus die zichzelf op haar werk op de wc opsloot om een paniekaanval uit te zweten, en dan weer een arrogante bitch die een telefoonrekening naploos om te ontdekken hoe ver Scotts verhouding met Charly ging. Ik had geen idee wat ik met mijn zwalkende emoties aan moest, behalve dan dat ik me er maar door moest laten meevoeren, zoals ik me door alles wat ik in beweging had gezet liet meevoeren, alsof ik op een golf zat die een jaar geleden midden op zee was ontstaan. Er zat nu niets anders op dan ons maar samen tegen het bruggenhoofd aan te laten slaan en te hopen dat we het zouden overleven.

Op de ochtend van mijn vijfenveertigste verjaardag kwamen Ellen en Caresse, ook een collega van ons, me ophalen om in Foreign Cinema te gaan brunchen. Toen we op het volle terras een plekje hadden gevonden en hadden besteld, sloeg Caresse haar handen om haar kopje koffie, boog zich naar voren, deed haar kin omlaag en wierp me een bemoeierige blik toe.

'Hoe gaat het met Scott?' vroeg ze.

'Heel goed, behalve dan dat hij een vriendin van vijfendertig heeft en ik in een sekscommune woon.'

Ellen moest lachen. Caresse niet. Ik wist zeker dat ze door mijn opgewekte toon heen zouden prikken en zouden begrijpen dat die alleen maar ter verdediging diende. Ik raakte altijd van slag als mijn vriendinnen hun bezorgdheid uitten.

Toch ging ik op dezelfde voet verder. 'Godzijdank heeft hij zich laten steriliseren. Als hij die vrouw per ongeluk zwanger zou maken, zou ik ze allebei vermoorden.'

'Volgens mij ben je na die sterilisatie gewoon alle respect voor hem kwijtgeraakt,' zei Caresse. Ik merkte dat ze dit geoefend had. 'Maar nu je weer gewoon thuis gaat wonen, zul je dat op een of andere manier terug moeten vinden. Als je hem niet vergeeft en opnieuw respect voor hem krijgt, is jullie huwelijk ten dode opgeschreven.'

'Nou, eerlijk gezegd heb ik alleen maar meer respect voor hem gekregen sinds ik dat van die vriendin weet,' zei ik, ernstiger nu. 'Onderschat Scott niet. Hij is sterker dan je denkt.'

'Ik weet alleen maar dat Martin mij zou dumpen als ik zou zeggen dat ik een open relatie wilde.'

'En daaruit concludeer jij dat Martin sterker is dan Scott?'

'Dat zeg ik helemaal niet. Ik bedoel alleen maar dat ik het nooit zou vragen omdat ik te veel respect voor Martin heb. Volgens mij heb je vanaf het moment dat Scott zich heeft laten steriliseren tot het moment waarop hij met dit hele project instemde al je respect voor hem verloren.'

'Gedeeltelijk is dat wel zo, ja,' zei ik. 'Er zijn momenten geweest waarop ik wilde dat hij me had tegengehouden. Dat hij gewoon had gezegd: "Vergeet het maar." Maar ik weet niet wat er dan zou zijn gebeurd.'

Als je de waarheid in woorden probeerde te vangen, toonde ze net zoveel facetten als een kristal. Al die meningen van iedereen vielen er in verschillende hoeken in en belichtten zoveel versies van de waarheid dat ze er allemaal irrelevant door werden. Tegenover de vele vrienden en vriendinnen die me het project afraadden omwille van de huwelijkstrouw stonden anderen die me aanraadden om liever langdurig ontrouw te zijn dan er een open huwelijk op na te houden. Inmiddels was ik de objectieve benadering voorbij: is A waar of is B waar? Welke is het beste? Wat is juist? Het vroeg te veel energie en leverde weinig verandering op. Op mijn intuïtie afgaan en me op de tast door de situatie een weg willen banen was primitief, amoreel of nog erger, maar ik vertrouwde erop dat er zo een meer fundamentele waarheid boven water zou komen dan de tientallen oppervlakkige versies zouden opleveren.

Die avond kwamen er vijftig mensen bij ons thuis om mijn verjaardag te vieren. Ik had maar een paar vrienden van One-Taste uitgenodigd, van wie ik met niemand naar bed was geweest. Onder hen bevond zich Margit, een Oostenrijkse vrouw met gitzwart haar en haar Zweedse vriend Oden. Ze hadden allebei een eigen bedrijf; dat van Margit zat in Wenen, dat van Oden in Stockholm. Ze woonden niet bij OneTaste. Oden had een flat in Nob Hill, waar ze elkaar zagen als ze niet in Europa aan het werk waren. Ik had het afgelopen jaar heel wat workshops met hen samen gedaan. Ze wilden trouwen en een gezin stichten, maar beschouwden zichzelf als elkaars voornaamste partner zonder de behoefte te hebben om seks met anderen te verbieden, zelfs nadat ze getrouwd waren. Margit bracht veel avonden met zowel minnaars als minnaressen door en Oden had in Stockholm een langdurige relatie. Ze zaten samen op tangoles, zeilden door de Caraïben en gingen met vakantie naar het Comomeer. Margit sprak vijf talen.

Margit zag al mijn dilemma's, over kinderen, een niet-monogame relatie, mijn huwelijk, door een andere kant van de lens dan Caresse. Ik had het niet moeilijk met het feit dat ik te veel van Scott had gevraagd, maar met het feit dat ik zo weinig had verwacht. Zodra ik mijn eigen verlangens zonder dramatische toestanden en zonder me ervoor te verontschuldigen, zonder te verwachten dat er ellende van zou komen, onder ogen kon zien, was er geen wolkje aan de lucht. Elke keer dat Margit de zaken zo voorstelde, liet ik haar praten, want ik wilde niet zeggen wat ik dacht, namelijk dat zij een heel bijzondere vrouw was, getalenteerd en onbevreesd, maar dat ze ook ontzettend veel geluk had gehad en dat ze moest ophouden met te doen alsof die rijkdom voor iedereen haalbaar was.

Margit had duidelijk te kennen gegeven dat ze me aantrekkelijk vond. Toen ik tegen haar zei dat ik een triootje wilde proberen, stelde ze voor dat we het samen met één man zouden doen.

'Wat dacht je van Roman?' zei ik op mijn verjaardag. Ik had het Roman al voorgesteld en hij had enthousiast gereageerd.

'Ooo, ja!' spinde ze. Ze had me een lang parelsnoer cadeau gegeven en hield dat, terwijl we aan het dansen waren, vast. Oden had net een komische vertoning aan de danspaal gegeven.

'Je vindt hem vast leuk. Hij is een beetje agressief.'

'Kan het volgende week?' riep ze boven de muziek uit in mijn oor, waarbij haar sterke Oostenrijkse accent de w bijna in een v veranderde.

'Ik regel het wel.' Ik had nog maar drie weken te gaan.

En dat was maar goed ook. Ik voelde het huwelijk naar de finish van het project toe wankelen als een marathonloper die elk moment in elkaar kan zakken. De stemmingswisselingen en bijbehorende discussies over Charly hadden een toegankelijker communicatiekanaal geopend. Scott probeerde niet meer me verbaal te ontwijken als we het erover hadden. Door de crisissituatie was hij meer aanwezig. Nadat we in het begin op het gebied van seks wat avontuurlijker waren geworden – een speelse klap hier, een gestaakte poging met een blinddoek daar – was de schade nu echter in bed te merken. In de maand nadat ik achter de verhouding met Charly was gekomen, werd er niet meer gelikt. Hij kwam niet meer klaar als ik hem pijpte. Het voorspel was nagenoeg verdwenen. Op een zaterdagavond stelde hij voor dat we uit eten zouden gaan en zouden doen alsof het ons eerste afspraakje betrof. Bij een vismaaltijd in een restaurant dat een paar deuren naast het café zat van waaruit ik Paul voor het eerst ge-sms't had, zaten we tegenover elkaar en stelden we elkaar vragen over onze kijk op de wereld, over wat we leuk en niet leuk vonden – dingen die we allemaal al van elkaar wisten. Maar Scott en ik hadden al lang geleden alle hoeken en gaten van onze betekenisvolle intellectuele band verkend. Het nieuwe terrein moest in een andere richting gezocht worden.

De dag na dit mislukte afspraakje arriveerde zowel de rekening van AmEx als die van de mobiele telefoons. Toen ik met de post terugliep naar de keukentafel, probeerde Scott me de rekeningen snel uit handen te grissen. Ik drukte ze tegen mijn borst.

'Niet doen,' zei hij. Ik bleef hem strak aankijken en maakte de envelop van AmEx open. Twee bedragen sprongen eruit: een bloemist en een duur etentje bij A16, een van de beste restaurants van de stad. Op de telefoonrekening stonden een stuk of tien gesprekken met een nummer in South Bay – dat moest dat van Charly zijn. Telefoontjes om halfzeven 's ochtends en in het weekend.

Tot mijn verbazing legde ik de rekeningen gewoon neer,

kleedde me om en ging naar de sportschool.

Toen ik een uur later thuiskwam en me in de slaapkamer stond uit te kleden, kwam hij binnen. 'Schreeuw maar tegen me als je wilt. Vooruit. Maar blijf alsjeblieft niet zwijgen.'

'Ik wou dat ik jaren geleden geleerd had te zwijgen. Dan reageer je blijkbaar wel.'

'Ik geloof echt niet dat ik fout zit.'

Ik zuchtte en ging op bed zitten. 'Je zit ook niet fout. Ik heb de regels ook overtreden. Maar bloemen, A16, in het weekend bellen? Als ik in het weekend hier bij jou ben bel ik geen mannen, Scott. Ik heb je jarenlang gesmeekt om eens iets romantisch met me te doen, en ik vind het echt heel erg dat je dat met iemand anders blijkbaar wel zomaar kunt!' Nog terwijl ik het zei moest ik denken aan zijn verlate poging om mij het hof te maken bij Michael Mina, en dat ik toen op de wc mijn sms-berichten had zitten lezen. De lieve briefjes die hij altijd voor me neerlegde op de eettafel in Philadelphia.

'Natuurlijk gaat dat gemakkelijk met iemand die je net kent. Daar kan ik ook niets aan doen. Jíj wilde dat open huwelijk, hoor.'

'En jíj wilde garanties dat we geen van beiden een andere relatie zouden beginnen.'

'Ik ben te oud voor vluchtige seks, Robin,' zei hij.

'Hou je van haar?'

'Nee. Ik hou van jou.'

'Je belt een vrouw niet om halfzeven 's ochtends als je niet van haar houdt.'

'Ze móest me die ochtend spreken.'

Ik sloot mijn ogen, haalde diep adem en probeerde de gedachte te verwerken dat een of andere roodharige programmeur mijn man om halfzeven 's ochtends móest spreken. Had ik dit huwelijk opengebroken omdat het me te weinig bood of

voelde ik me juist omdat het me zoveel geboden had genood-
zaakt om het eigenhandig de nek om te draaien?

'Oké, ze moet je zodra ze wakker is spreken, dus dan kan het
niet anders dan dat ze van je houdt.' Vrouwen hadden altijd
van Scott gehouden. Als ze weggingen was dat alleen maar omdat ze meer van hem wilden dan hij kon geven.

'Ik weet het niet. Het zou kunnen.'

Nadat we een tijdje hadden zitten zwijgen, vroeg ik: 'Wat
hebben we gedaan, Scott? Het is allemaal mijn schuld, hè? Had
ik er gewoon rustig mee moeten instemmen dat we geen kinderen zouden krijgen en dat er geen passie was?'

'Nieuwe vrouwen vinden juist dat ik hartstikke veel passie
heb. Die hebben helemaal niet het gevoel dat ze bij mij iets
tekortkomen.'

'Dat komt doordat je ze pas kent,' zei ik vermoeid. 'Dan is er
geen kunst aan. Ik kom bij een man die ik net ken ook gemakkelijk aan mijn trekken.'

Door de naakte waarheid zo onverbloemd uit te spreken
kwamen we op de een of andere manier nader tot elkaar. Op
een gegeven moment boog hij zich naar me toe om me te kussen. We gingen op bed liggen. Toen ik in zijn kruis voelde, was
hij niet hard – dat was nog nooit eerder gebeurd. Terwijl we
kusten streelde ik langzaam zijn pik, maar er gebeurde niets. Ik
maakte me van hem los en keek hem aan.

'Vind je me niet meer aantrekkelijk?'

'Dat is het niet,' zei hij. 'Het komt niet door jou.'

'Natuurlijk wel.' Ik was een castrerend kreng dat eindelijk de
laatste resten van mijn huwelijk om zeep geholpen had.

'Toen we net aan het praten waren, had ik het gevoel dat je
helemaal openstond,' zei hij. 'Maar je klapte net dicht.' In die
achttien jaar dat we samen waren had Scott zelden zo'n emotionele observatie uitgesproken.

'Mag ik zeggen wat ik heel erg in je waardeer?' vroeg ik. Ik had geen idee waar dit vandaan kwam. Ik had het niet in een boek gelezen of op een cd van Deida gehoord.

'Ja hoor.'

'De meeste mannen zouden dit allemaal nooit kunnen opbrengen, maar jij wel. Jij doet de hele week het huishouden en je zorgt voor Cleo. Je bent rechtvaardig. Je behandelt me als een gelijke. Gisteravond kwam je met het idee voor dat eerste afspraakje. Je hebt me meegenomen naar Michael Mina. Je bent lief. Wat er ook gebeurt, je gooit de handdoek niet in de ring.'

Ik zweeg even. 'Het is misschien vreemd, maar ik heb er zelfs respect voor dat je je hebt laten steriliseren. Je hebt voet bij stuk gehouden.'

Ik boog me naar hem toe, gaf hem een kus op zijn wang en haalde mijn vingers door zijn dikke haar. Hij trok me naar zich toe, kuste me en drukte me toen tegen het matras. Nadat we een paar minuten gekust hadden, voelde ik dat hij hard werd. Hij kwam voorzichtig in me, alsof hij bang was om de dunne verbindingsdraad te breken die we uit dit conflict hadden weten te spinnen. Maar ik trok me hongerig aan zijn nek omhoog en duwde mijn heupen naar de zijne. Ik voelde hoe zijn pik een gif uit mijn systeem loswroette en rommel opruimde die met woorden alleen hooguit wat verstrooid kon worden. Binnen de kortste keren kwam ik snikkend klaar.

Zelf kwam hij echter kort en stilletjes klaar. Toen hij na afloop terugkwam uit de badkamer, ging hij naast me liggen.

'Ik denk dat het in bed beter zal worden als we weer eenmaal fulltime bij elkaar zijn,' zei hij. 'Misschien duurt het even.'

Zou het eigenlijk ooit wel genoeg zijn, gezien alle nieuwe ervaringen die ik had opgedaan? Ik lag nog helemaal na te gloeien, maar toch dacht ik al: waarschijnlijk niet. Ik dacht aan de andere stappen die Scott had ondernomen – de vibrator die hij had gekocht, het lingeriesetje, het weekendje in het romantische hotel – en dat ik elke keer gedacht had: te laat. Voor het eerst had ik de moed om toe te geven dat deze cyclus van verlangen en daarin niet bevredigd worden me daadwerkelijk op een vreemde manier goeddeed.

Ik was er zo aan gewend om meer te willen dan Scott gaf, om in een gefrustreerde compromistoestand te leven, dat de gedachte dat hij – of zowel hij als ik – voorgoed zou veranderen me bang maakte. Als het huwelijk op vruchtbaarder terrein afstevende, zou ik er helemaal voor moeten kiezen en verstandelijk alle andere opties moeten afsluiten. Dat had ik nog nooit eerder gedaan. Voorafgaand aan het project was ik hem zeventien jaar lang trouw geweest, maar ik was er nooit helemaal voor gegaan. Ergens wist ik wel, zonder dat ik het wilde, dat ik Scott precies om die reden gekozen had, namelijk omdat hij niet bijster geïnteresseerd was in psychoseksueel contact, zoals hij dat zelf noemde. Op die manier hoefde ik nooit de ongemakken ervan te verduren, en hoefde ik het mezelf ook niet kwalijk te nemen dat ik in gebreke bleef. Net als gold voor het moederschap kon ik Scott als de schuldige aanwijzen, als reden waarom dat voor mij niet was weggelegd.

26

Het einde van de bucketlist

Ik trok de gebloemde katoenen pyjamabroek aan die ik speciaal voor OneTaste had gekocht, een thermoshirt met lange mouwen en grote zachte pantoffels in de vorm van een aapje. De zon was net onder en we waren klaar met eten. Ik knipte de enige lamp in mijn kamertje aan, scheurde een blanco pagina uit mijn notitieboekje en schreef er met dikke viltstift op: 'Vanavond ben ik helemaal voor jou. Klop aan, zeg wat je wilt en ik probeer het je te geven.' Ik plakte het papier op mijn deur, ging in bed liggen lezen, en wachtte af.

Joaquin klopte als eerste aan. Ik liet hem binnen en we gingen in kleermakerszit tegenover elkaar op bed zitten. Hij had twee jaar in Mexico gewoond en was ongeveer tegelijk met mij in het huis van OneTaste komen wonen. Hij zag eruit als een zwerver, als iemand die veel dingen gezien heeft: mager, donker haar, intense, schrandere ogen en een zachte stem. Hij bewoog en sprak langzaam.

'Ik wil alleen maar praten,' zei hij. Hij vertelde dat hij weer contact had gehad met zijn ex-vriendin, dat hij de hele tijd aan haar moest denken, maar dat ze elke keer dat ze hadden afgesproken om koffie of een borrel te drinken afzegde. Hij haalde zijn telefoon tevoorschijn en liet me al haar sms-berichten zien.

'Wat vind jij daar nou van?' vroeg hij.

'Hoe meer je achter haar aan zit, hoe meer afstand ze houdt.'

'Dat weet ik. Maar hoe doe ik dat, niet achter haar aan zitten?'

'Zij heeft contact met jou gezocht, dus als je haar een beetje ruimte gunt, laat ze op een gegeven moment wel iets van zich horen. Kijk om je heen, kijk naar al die mooie vrouwen. Waarom concentreer je je voorlopig niet op hen?'

'Waarom is het zo moeilijk?' Hij zei het meer tegen zichzelf dan tegen mij. 'Ik wil altijd uitgerekend diegene die wegloopt in plaats van degene die voor mijn neus staat.'

'Volgens mij heeft iedereen dat. Jij niet alleen, zo zit de mens gewoon in elkaar.'

Toen hij opstond om weg te gaan, wees ik op het schilderij dat ik bij Joie gemaakt had en dat van Mission Dolores met me mee was gereisd naar Bluxome Street en vandaar naar OneTaste. 'Over een paar weken ga ik weer naar huis,' zei ik. 'Dan mag jij dat schilderij hebben.'

'Echt? Dank je wel.' Hij omhelsde me en glimlachte. Het licht van de lamp weerspiegelde in zijn zwartbruine irissen. Er werd weer aangeklopt.

Joaquin vertrok en Hugh kwam binnen. 'En, was het lekker?' vroeg Hugh lachend aan Joaquin.

'Hef, jongen,' zei ik, 'wat kan ik voor je doen?' Ik noemde hem Hef om tegenwicht te bieden aan zijn dikkige, ietwat nerderige voorkomen, en om hem eraan te helpen herinneren dat hij de playboy in hem moest laten spreken. Hij was op een robuuste manier eigenlijk best knap en had een geweldig ritmegevoel. Als er bij een workshop gedanst moest worden, maakte iedereen plaats voor hem op de vloer.

'Ik kom alleen even lekker stevig knuffelen.' Ik liep naar hem toe, ging op mijn tenen staan en legde mijn hoofd op zijn schouder. Hij sloeg zijn grote armen om me heen. Zo haalden we een paar keer diep adem. Ik maakte me van hem los en liet mijn handen op zijn biceps liggen.

'En ik wil morgenochtend de om-sessie met jou doen,' zei hij.

'Afgesproken.' Ik gaf hem een kus op zijn wang, en hij vertrok weer.

Later die avond kwam Jude langs. Dat deed hij vaak nadat hij in het pand ernaast een workshop had gevolgd of als hij bij een van de vrouwen in de commune langs was geweest. We hadden allebei honger, dus kleedde ik me aan en liepen we naar een cafetaria aan Union Square die vierentwintig uur per dag open was, waar we een heel groot bord patat bestelden. Toen we terug waren, kropen we in bed en ging hij lepeltje-lepeltje tegen me aan liggen. 'Welterusten, Jujube,' zei ik, en ik kneep in zijn hand. Hij schoof wat dichter naar me toe en ik voelde zijn erectie tegen mijn stuitje.

'Jezus,' fluisterde hij, 'ik word opeens hartstikke geil van je.' We knuffelden vaak, maar hadden al negen maanden geen seks met elkaar gehad. Ik draaide me verbaasd naar hem om en trok hem zonder erbij na te denken naar me toe. Ik werd overspoeld door herinneringen aan onze eerste kus, in het huis van Joie, aan zijn dikke lippen, zijn lange handen, de tatoeages op zijn onderarmen. Ik kon me de seks zelf niet in detail herinneren, alleen hoe we ons op elkaar hadden gestort, hoe warm zijn armen en benen om mij heen hadden gevoeld, en het feit dat we als een oud bedaagd echtpaar in missionarishouding waren geëindigd. Toen ik de volgende ochtend wakker werd, zat hij op de grond te mediteren. 'Wat is er gisteravond in vredesnaam gebeurd?' vroeg hij.

'Je zult me missen als ik hier weg ben, dat is wat er is gebeurd.' Ik pakte een handdoek, wreef over zijn kaalgeschoren kruin en stapte over hem heen om onder de douche te gaan.

Andrew kwam diezelfde week ook weer opdagen. Hij mailde me om te zeggen dat het uit was met zijn vriendin. Had ik tijd om wat te gaan drinken? We spraken af in het centrum en bestelden allebei een manhattan. Ze kon geen waardering opbrengen voor het werk dat hij voor zijn dissertatie probeerde te doen. Ze gunde hem er geen tijd voor. Ze was jaloers en dwingend, maar wilde zich toch niet binden. Ze had alweer iemand anders. Toen de serveerster de rekening van hem aanpakte, zuchtte hij hoorbaar en zei: 'Ik ben blij dat ik mijn hart even heb kunnen luchten.'

Hij bracht me terug naar OneTaste. Daar aangekomen draaide ik gewoon de deur van het slot en liep naar boven. Hij kwam achter me aan. Op mijn kamer stortten we ons meteen op elkaar. Ik herinner me luid gekreun, kleren die enthousiast alle kanten op vlogen, zijn benen in de lucht en mijn vinger in zijn anus. Ik klom boven op hem en kwam heel snel klaar, net als de eerste keer bij hem. De volgende ochtend deed hij, terwijl ik nog lag te doezelen, zijn overhemd in zijn spijkerbroek en kwam hij op de rand van het bed zitten.

'Dank je wel,' zei hij. 'Ik meen het. Als ik bij jou ben gebeurt er iets. Dan voel ik me genezen.'

Ik liep over van welwillendheid: jegens hem, Jude, Joaquin en Hugh, en jegens iedereen die me een minuut of een nacht lang nodig had. Die week was mijn beste week bij OneTaste, en misschien wel – op de tijd met Alden na – de beste week van het hele project.

Hoewel ik officieel geen familie was van Amelia, het kind dat Susan zes jaar daarvoor had gekregen, zei ze wel tante tegen me. Ik was zo betrokken geweest bij alle beslissingen die Susan had genomen voor ze naar de spermabank ging dat ik het gevoel had dat ik Amelia al kende voor ze goed en wel geconcipieerd was. Twee keer per jaar kwamen Susan en Amelia vanuit Los Angeles bij ons op bezoek, en dat waren voor mij heel gelukkige tijden; dan kreeg ik de kans om eens voor meer dan twee mensen te koken, lekker op de bank naar *The Sound of Music* of *The Wizard of Oz* te kijken, en te zien hoe Scott Amelia voorlas of haar demonstreerde hoe hij wijn bottelde.

Susan en ik hadden gedurende de twintig jaar dat we bevriend waren nog nooit in dezelfde stad gewoond, maar hadden altijd de sleutels van elkaars huis. Op een vrijdag arriveerde ze met Amelia. Bij eerdere bezoeken was ik vroeger van mijn werk weggegaan, zodat ik thuis was als ze aankwamen, maar deze keer kon dat niet. Ik had 's middags een triootje met Roman en Margit afgesproken. Margit zou maandag het land uit gaan, Roman had toestemming van Annie en zelf zou ik twee weken later weer thuis gaan wonen. De timing was beroerd, maar dat gold ook voor de timing van het hele project. Ik had me tijdens de korte periode dat ik als twintiger single was geweest moeten uitleven. Mijn triootje had gewoon een keer spontaan moeten gebeuren, in de vroege uren na de raveparty's waar ik nooit naartoe ging, en mijn onenightstands had ik moeten ontmoeten in de Europese treinen waar ik nooit mee gereisd had, en niet bij Nerve.com of bij OneTaste.

Ik regelde het zo dat ik Roman het eerste uur helemaal voor mezelf had. Hij zat in mijn kamer op me te wachten. Ik ging schrijlings op hem zitten, allebei met onze kleren aan, en we begonnen elkaars oren en nek te kussen. Hij schoof zijn handen onder mijn jurk en pakte me bij mijn kont, draaide me toen om en kuste zich een weg over mijn buik omlaag. Roman was een van de weinige mannen die zelf net zo vaak orale seks gaven als ontvingen. Nadat hij mij had gelikt, legde hij een paar kussens achter mijn hoofd, plantte zijn knieën aan weerskanten van mijn schouders en neukte me in slow motion in mijn mond. Bij elke terugtrekkende beweging ging hij helemaal uit mijn mond, waarna hij zijn pik boven mij liet zweven tot ik die weer in mijn mond nam. Ik had hem zo wel urenlang willen afzuigen, maar dat kon niet, want er werd aangebeld.

Margit kwam binnen, met rode konen en een brede glimlach, niet in staat haar giebeligheid te onderdrukken. Ze liet haar tas en jas op de grond vallen, ging zonder omhaal op Roman zitten en begon met hem te zoenen. Ik ging op mijn zij naast hen liggen en keek toe. Ze kwam koortsig en hijgend overeind om haar zwarte bloes en zwartkanten beha open te maken en haar volmaakt gevormde borsten te laten zien. Ze trok ongeduldig haar spijkerbroek uit. Roman en ik gingen allebei zitten. Hij stak van achteren zijn vinger in haar, terwijl zij en ik kusten. Toen zakte ik omlaag naar haar tepels en kuste Roman haar, en zo ging het verder, tot zij en ik op bed neervielen en hij zijn mond tussen haar benen begroef, waarbij hij mij onafgebroken bleef aankijken.

Ik had dingen willen doen – dat zij mij likte terwijl ik hem in mijn mond had, bijvoorbeeld – die ik pas later bedacht. Op het moment zelf werden mijn zintuigen overspoeld. Een paar keer stopte ik even, gewoon om naar hen te kijken; ik vond het geweldig dat ik twee mensen van zo dichtbij seks met elkaar zag hebben. Margit kreunde, lachte en hapte naar adem, veel luider en sneller dan ik. Ik gaf haar alle ruimte, aangezien ik zelf in zeker opzicht de gastvrouw was.

Op het laatst hebben we Roman met z'n tweeën gepijpt – een scenario waar ik vaak over gefantaseerd had. Met zijn ene hand pakte hij mijn golvende haar beet en met zijn andere haar dikke steile haar. We zoenden elkaar, zogen dan weer aan elkaars borsten, terwijl een van ons zijn pik vasthield, en uiteindelijk pijpten we hem samen, zij van boven en ik bij zijn ballen, tot hij met een woeste kreun klaarkwam.

Ik keek op de klok: ik was al laat. Terwijl Margit en Roman grapjes maakten en me bedankten dat ik dit georganiseerd had, trok ik snel mijn jurk aan en pakte mijn tas. 'Blijf gerust zolang jullie willen,' zei ik, terwijl ik hen allebei een kus op de wang gaf en de deur uit ging om de trein te halen.

Toen ik thuiskwam, zat iedereen aan de keukentafel uno te spelen. Scott en Susan dronken een glas zelfgemaakte aardbeienwijn. Amelia, een dot van een kind met bruine krullen en intelligente ogen in een elfengezichtje, had een tuitbeker met water.

'Hallo!' zei ik zangerig. Ik gooide mijn spullen neer, omhelsde Susan, gaf Scott een kus en knuffelde Amelia. 'Wat ben ik blij om jullie te zien!'

'Druk op je werk?' vroeg Susan.

'Ja,' zei ik, terwijl ik haar blik vermeed. 'Zoals gewoonlijk.' Ze was bijna als een zus voor me, ze was de enige vriendin die op de hoogte was van alle ins en outs van het project en ze steunde me onvoorwaardelijk: ze luisterde, stelde vragen en leefde mee, en dat was ongelooflijk als je bedacht dat zij de erotische avonturen allang had verruild voor het volwassen leven van een alleenstaande moeder. Ik wilde haar heel graag vertellen wat ik net gedaan had, maar zelfs toen ik later dat weekend alleen met haar was, deed ik dat niet.

Scott schonk een glas wijn voor me in en ik deed mee met het spel. Na een paar beurten stond ik op en zei: 'Spelen jullie maar verder, dan ga ik koken.'

'Rob!' zei Susan, en ze wees. 'Je jurk staat open!' Amelia keek op en barstte uit in het gegiechel van een zesjarige. 'Tante Robin!' gilde ze hikkend van de lach.

'Wat is er?' zei ik, en ik voelde op mijn rug aan de rits. Die stond tot aan mijn middel open en mijn behabandje was te zien. Scott keek even op van zijn kaarten en sloeg zijn ogen toen weer neer. 'O jeetje, ik heb hem waarschijnlijk niet goed dichtgedaan toen ik van de wc kwam.' Ik voelde mijn hals en gezicht vuurrood worden door een schaamte die meer te maken had met verdriet dan met gêne. Het was zo duidelijk als wat dat de rits van de jurk niet open hoefde om naar de wc te kunnen.

'Ze is waarschijnlijk eerst nog even bij OneTaste langs geweest,' zei Scott, luider dan strikt noodzakelijk, terwijl hij nog steeds naar zijn hand keek. Hij zuchtte en gooide zijn volgende kaart op tafel. Toen Amelia oom Scottie later die avond vroeg om een verhaaltje voor het slapengaan, vertelde hij haar over de doos van Pandora.

Toen Margit terugkwam van haar zakenreis was ze maar al te bereid om Grace' plaats in te nemen, daar waar het de voorbinddildo betrof. Scott ging het weekend kamperen, zodat ik het rijk alleen had, en hij had geen bezwaar dat Margit zou komen. Ter voorbereiding ging ik naar de winkel Good Vibrations en kocht een witte siliconendildo van gemiddelde grootte met een bolvormige kop en een zwartfluwelen tuigje.

Ik sprak met Margit af in mijn lievelingsrestaurant bij ons in de buurt. We zaten aan een tafeltje in het cafégedeelte en bestelden martini's en wat hapjes. Ze was zoals altijd heel opgewekt, praatte enthousiast, maar was ook een en al oor als ik iets vertelde. Tijdens gesprekken was Margit spontaan en ongeremd, in het geheel niet bang te zeggen wat ze dacht. Op alles wat ik zei had ze een speels weerwoord.

Toen de rekening kwam, griste ze die van het midden van de tafel weg met de woorden: 'Ik trakteer.'

'Nee, Margit,' protesteerde ik.

'Bovendien heb jij de dildo gekocht,' zei ze, terwijl ze haar creditcard met een glimlach in het apparaat stak.

Toen we bij mij thuis waren, legde Margit haar hand op de danspaal. 'Wil je voor me dansen?'

'Wil je dat echt?'

'Ja,' zei ze met een ferme knik. 'Ik ga hier zitten.' Ze liep naar een stoel die er vlakbij stond, plofte erop neer en sloeg haar benen vastbesloten over elkaar. 'Ik heb je zojuist aangenomen. Laat maar zien wat je kunt.'

'Ik ben zo terug.'

Ik ging naar de slaapkamer, trok een string, een korte stripperbroek, een push-upbeha en het topje aan die ik altijd droeg als ik voor Scott een lapdance deed. Ik wurmde me in de schoenen met plateauzolen van vijftien centimeter hoog, woelde door mijn haar, deed snel even wat donkere lippenstift op en liep op de tikkende hakken, waardoor ik een wiebelige, wufte tred kreeg, door de gang naar de woonkamer.

Ik had een playlist op mijn iPod met de titel 'Paal'. Ik dimde het licht, zette Massive Attack op en deed dezelfde dans die ik voor Scott had bedacht. Toen ik mijn kont tegen de paal drukte, vormde haar mond een geluidloze 'ah'. Toen ik op de stoel kroop, haalde ze diep adem. Toen ik mijn topje uittrok en met mijn vingers onder mijn beha ging, zei ze: 'O jezus. Je bent geweldig.'

In de slaapkamer deed ik als eerste het tuigje met de dildo om. Ik was inmiddels helemaal naakt, op de plateauzolen en de witte dildo na die van mijn heupen omlaaghing. Ik voelde me niet sexy en niet ongemakkelijk, alleen nieuwsgierig. Ik ging langzaam bij haar naar binnen en al snel wilde ze meer. Toen ik met mijn eigen vinger of tong bij Grace naar binnen was gegaan, had me dat een enorme kick gegeven, maar met de dildo voelde ik afstand. Terwijl Margit onder me lag te hijgen en te kreunen, bekeek ik het allemaal met een soort reserve.

Ik wilde de rollen graag omdraaien. Toen we dat deden, verbaasde ik me erover hoe hard de dildo was, veel harder en onbuigzamer dan zelfs de stijfste menselijke penis of welke vibrator ook die ik me kon herinneren. Het deed niet echt pijn, het voelde op de een of andere manier gewoon doods. Visueel bleef ik het spannende tafereel wel registeren. In seksueel opzicht kwam ik niet verder dan een bepaald niveau. Het was allemaal zo kunstmatig dat de opwinding die door de nieuwigheid van het gebeuren tot stand was gekomen helemaal teniet werd gedaan.

Toen Margit weg was, kon ik niet wachten tot ik mijn warme kamerjas en aapjespantoffels kon aantrekken. Ik deed mijn haar in een staart, poetste mijn tanden, schonk een groot glas water in en kroop in bed. Cleo sprong op mijn borst en zo lag ik een hele tijd met haar te lezen. Buiten kwam het weekend in Castro net lekker op gang, maar hier aan de achterkant van het huis, met uitzicht op de tuin, was het zo doodstil als het op een avond in onverschillig welk stadje nu eenmaal is. Pas veel later drong tot me door dat Margit de enige was met wie ik in onze slaapkamer naar bed was geweest.

En de laatste. Ik telde het rijtje af: het afgelopen jaar had ik twaalf nieuwe minnaars gehad. Sommigen van hen waren goede vrienden geworden. De meesten hadden me ook geholpen om vriendschap te sluiten met aspecten van mijzelf die in mij hadden gesluimerd: kleine meisjes, zowel gekwetst als vrij, tieners, zowel avontuurlijk als onzeker, volwassen vrouwen, zowel fel als labiel. Er zaten ook een liefhebbende moeder in me, een heilige hoer, een wijze genezeres, een egoïstisch kreng, en iemand die het allemaal waarnam.

Voor zover ik begrepen had was seks niet de enige manier om deze dingen over jezelf te ontdekken. Ik had waarschijnlijk ook kunnen gaan schilderen, een wereldreis kunnen maken of zwijgend kunnen gaan zitten nadenken, en dan had ik uiteindelijk dezelfde verloren gegane aspecten aan mezelf ontdekt. Maar ik wil nog wel één ding zeggen over de zelfkennis die je via seks bereikt: als je weinig tijd hebt is het een doeltreffende methode. Die kennis over jezelf belandt in je lichaam, en je lichaam onthoudt die.

DEEL 3:
HUIS VAN SCHADUW EN VERLANGEN

Spreek ik mezelf tegen?
Goed, dan spreek ik mezelf tegen,
(Ik ben omvangrijk, ik omvat menigten.)

Walt Whitman, *Zang van mijzelf*

27

De botsing

Het project eindigde op de kop af een jaar nadat het begonnen was. Eind april ging ik door de week weer thuis slapen. Ik wilde het een paar dagen eerder afronden, maar Scott zei dat hij de nacht van 30 april bij Charly wilden slapen – dat hadden ze al afgesproken – dus besloot ik bij OneTaste te blijven.

'Je gaat wel tot het gaatje, hè?' zei ik. Ik was bang dat hun afscheid na zo'n lange verhouding heel emotioneel zou zijn en dat Charly hem uiteindelijk misschien toch niet los zou kunnen laten.

Hij haalde zijn schouders op. 'Het is waarschijnlijk de allerlaatste keer dat ik ooit met iemand anders naar bed ga.'

Toen ik op 1 mei bij OneTaste wakker werd, was het koud en regende het. Ik had al mijn spullen in één koffer gepakt. Ik had Grace beloofd dat ik haar, voor ik naar mijn werk ging, een lift naar Berkeley zou geven, dus om halfzeven gingen we naar beneden. Ik zette mijn koffer buiten voor de deur neer. De anderen gingen het centrum ernaast binnen voor hun ochtendsessie OM.

'Als jij hier even wacht, ga ik de auto halen,' zei ik tegen Grace. Op dat moment kwam een donkerblauwe pick-up door Folsom Street op ons af gereden, heel stil, alsof de motor was afgeslagen. Zonder dat er piepende remmen te horen waren of de remlichten gingen branden, reed hij recht in op de auto's die langs de stoep geparkeerd stonden. Ik hoorde het misselijkmakende geluid van metaal op metaal en zag het hoofd van de bestuurder tegen het stuur slaan, waardoor de claxon begon te loeien. In plaats van terug te veren, als bij een whiplash, bleef het hoofd zo liggen.

Een paar seconden stond ik als aan de grond genageld, en toen rende ik naar het open raampje van de bestuurder. De man was bij bewustzijn, maar leek wel verlamd. Hij lag met zijn rechterwang op het stuur, er droop kwijl over zijn kin en zijn ogen rolden sloom rond in hun kassen. Hij probeerde steeds zijn hoofd op te tillen, maar dat viel dan weer terug op de claxon.

Grace kwam aangerend en belde 911. Ik deed het portier aan de kant van de bestuurder open, duwde hem terug in zijn stoel en hield zijn arm vast. Zijn gezicht was niet kapot. 'Alles komt goed,' zei ik. 'De ambulance komt eraan.' Hij richtte zijn rollende ogen even op mij en liet zijn kin toen op zijn borst zakken. Ik had niet de indruk dat hij dronken was. Ik rook geen alcohol, hij zag niet rood. Een sliert speeksel droop over zijn onderlip en viel op zijn schoot.

Grace hing op, kwam dichterbij en legde haar hand op de schouder van de man. Ze keek me zwijgend aan. Ik zag haar duidelijk in- en uitademen.

'Alles komt goed,' bleef ik tegen hem zeggen, terwijl ik zijn arm vasthield en Grace zijn schouder. 'Ze kunnen hier elk moment zijn.' De man ademde onregelmatig, keek met verwarde blik de cabine rond en klauwde met zijn vrije hand voor zich in het luchtledige. Hij maakte rare geluidjes, alsof hij diep droomde.

Eindelijk arriveerde de ambulance en nam het ambulancepersoneel het over. Ze zeiden dat hij een toeval had gehad, een beroerte misschien. De politie arriveerde en Grace en ik moesten twee pagina's vragen over het ongeluk beantwoorden. Inmiddels had ze besloten maar niet meer naar Berkeley te gaan. Ik stapte in mijn auto om naar mijn werk te gaan, maar reed in plaats daarvan naar het kantoor van Scott, Folsom Street uit en Spear Street in. Het was even over zevenen en hij was er waarschijnlijk net, zo bij Charly vandaan. Toen ik er bijna was, belde ik hem.

'Hallo,' zei hij.

'Hallo. Kun je even naar beneden komen? Toen ik net bij OneTaste wilde weggaan is een man met zijn truck tegen de stoep op geknald. Hij had een beroerte gekregen.'

'Jezus. Heb jij niks?'

'Nee. Ik wilde jou alleen even zien.'

'Ik kom naar beneden.'

Ik parkeerde voor het gebouw waar hij werkte en zag hem al buiten staan, met een zwarte katoenen broek aan. Ik stapte uit, liep naar hem toe, drukte me tegen hem aan en sloeg mijn armen om zijn middel. Hij legde zijn handen om mijn schouders. 'Het was zo erg,' zei ik met mijn gezicht dicht tegen zijn borst, terwijl ik zijn vertrouwde aardse geur opsnoof en hoopte dat ik niets van een vrouw aan hem zou ruiken. Gelukkig had Charly geen sporen achtergelaten.

'Het komt vast wel goed met die man, pop,' zei hij terwijl ik me van hem losmaakte en naar de natte plek keek die ik met mijn tranen op zijn paarse overhemd had gemaakt. 'Het ambulancepersoneel is met hem bezig.'

'Ik ben gewoon... ik weet niet... blij dat ik je even zie,' zei ik, en ik veegde mijn ogen droog met de rug van mijn hand.

'Ik zie je vanavond,' zei hij. 'We houden het lekker rustig dit weekend.'

'Oké,' zei ik met een knikje. 'Tot vanavond. Ik hou van je.'

'Ik ook van jou, pop.' Hij gaf me een kus op mijn voorhoofd en draaide zich weer om naar Spear Tower. Ik stapte in, maar startte de motor nog niet. Hij liep de hal met de glazen wanden door en ik keek hem na en wachtte tot zijn lange lichaam de hoek naar de liften om was, uit het zicht verdwenen.

Nadat ik maanden in eenkamerappartementjes had gewoond, ging ik met hernieuwd enthousiasme in mijn keuken aan de slag. Ik maakte Perzische rijst en lasagne. In het weekend zat Scott in de zonnige eetkamer de krant te lezen en koffie te drinken, terwijl ik pannenkoeken bakte. Ik genoot van mijn grote bad en 's avonds staken we de open haard aan. Als ik wakker werd of als ik een kamer binnen kwam, stond ik er vaak van te kijken hoe mooi ons huis was. Ik bleef regelmatig staan, keek naar buiten of naar de sepiafoto's van Scotts ouders en mijn grootouders die in de gang hingen, en slaakte dan een zucht van verlichting.

Onze emotionele en seksuele band herstelde zich langzamer dan onze veerkrachtige huiselijkheid. We gingen voorzichtig met elkaar om, alsof we op onze tenen door een mijnenveld liepen. Jarenlang was ik tevreden geweest met één keer seks per week, maar nu wilde ik twee of drie keer. Ik had gedacht dat ik met Scott wel minder geremd zou zijn nu ik een jaar lang met bijna elke minnaar schunnige taal had uitgeslagen, maar zelfs als ik iets heel matigs wilde zeggen, gewoon 'neuk me' of 'wat ben je hard', bleven de woorden in mijn keel steken. Dan lag ik onder hem te kreunen en verbaasde ik me over de kracht die de woorden in mij opgesloten hield. Toen we na het vrijen naast elkaar lagen, bekende ik: 'Heel vreemd. Ik wil tijdens de seks geile dingen tegen je zeggen, maar het lukt me gewoon letterlijk niet.'

'Je mag zeggen wat je wilt.'

'Dat weet ik. Dat zeg je altijd. Maar ik kan het niet. Ik krijg het mijn bek niet uit.'

'Waarom niet? Schaam je je?'

'Misschien. Maar het is niet echt schaamte. Het is meer dat dat gewoon niks voor ons is.'

'Ik wil niet de man zijn met wie je saaie seks hebt.'

Ik was benieuwd of hij zich bij anderen ook vrijer voelde. Of Charly van geile praat hield.

'Wil jij nooit iets geils zeggen?' vroeg ik.

'Niet echt. Maar zeg jij vooral waar je zin in hebt.'

Onze verstoorde intimiteit kwam vooral in de orale seks tot uitdrukking. Scott had er geen behoefte meer aan dat ik hem pijpte en hij likte mij ook nog maar zelden.

'Waarom lik je me nooit meer?' vroeg ik op een avond in mei.

Hij keek moeilijk. Het bleef een hele tijd stil en toen zei hij: 'Ik weet het niet.'

Weer stilte. 'Orale seks is intiemer dan neuken,' zei hij toen.

'En zo intiem wil je niet meer met me zijn?'

Hij gaf geen antwoord.

'Deed je bij Charly oraal?'

'Robin...'

'Dus je kunt wel intiem zijn met een vrouw die je een halfjaar hebt gekend, maar niet met mij?'

'Ik heb heel erge dingen gedaan,' zei hij, en plotseling keek hij naar me op. Ik verstijfde helemaal.

'Zoals?' zei ik geluidloos, terwijl ik hem bleef aankijken.

Er ging een halve minuut voorbij. Geen van ons zei een woord.

'Zoals?' vroeg ik nog een keer.

'Een paar maanden geleden was je een keer ziek op een dinsdag en toen wilde je naar huis komen. Toen heb ik gezegd dat ik die avond een schrijfcursus had, maar dat was niet zo. Ik had een afspraak met Charly.'

'Ik heb wel ergere dingen gedaan,' zei ik tot mijn eigen verbazing. Ik dacht aan hoe ik nog voor het project van start was gegaan naar Denver was gevlogen, aan dat Paul me zonder condoom had gepenetreerd, Alden idem dito. Ik huiverde bij de herinnering aan de emotionele verbintenis die ontstaan was toen het condoom eenmaal af was gegaan, onmiddellijk en onherroepelijk. Toen snapte ik het opeens.

'O god,' zei ik, en ik moest bijna om mezelf lachen. 'Je hebt het met haar zonder condoom gedaan. Natuurlijk!'

'Ja.'

Er stak een zwarte wind in mijn hoofd op, als een wervelstorm die op een kale vlakte aan snelheid wint.

'Je hebt een halfjaar lang zonder condoom seks met Charly gehad.'

Hij knikte, maar keek me niet aan.

'Zeg alsjeblieft dat ze zich heeft laten testen.'

'Ze heeft niks,' zei hij.

'Hoe weet je dat?' De afspraak bij de dokter, de angst waar ik onder geleden gehad omwille van een paar condoomloze weken, de vreselijke ruzie met Alden, de uitslag die hij me uiteindelijk opgestuurd had, mijn eigen vervolgbloedonderzoek, alles liep in mijn hoofd door elkaar.

'Dat heeft ze gezegd.'

'Dat heeft ze gezegd. En jij geloofde haar zo volledig dat je daarmee mijn gezondheid wel op het spel durfde te zetten?'

'Ja,' zei hij, en hij keek uitdagend naar me op. 'Ik vertrouw haar.'

Het werd zwart voor mijn ogen. Plotseling lag ik tegen zijn armen te beuken. Ik voelde hoe mijn vuisten bij elke stomp tegen dikke spieren belandden, en hoewel ik uit alle macht sloeg, lukte het me niet ze hard genoeg te laten aankomen. Ik hoorde mezelf kreunen van inspanning. Ik haalde uit naar zijn hoofd.

Toen hij me bij mijn schouders vastpakte en stevig vasthield om me te laten ophouden, beet ik in zijn hand. Ik wilde de botten onder mijn tanden laten kraken, maar iets weerhield me.

Zo stonden de zaken er tussen ons dus voor. Een bange vrouw die haar best doet om uit een kooi los te breken. Een slechte man die zijn best doet om zichzelf in een kooi op te sluiten. Haal de barrières weg en kijk wat er gebeurt. Hoe gemakkelijk het hem viel om datgene te doen waar ik verschrikkelijke moeite mee had. Hoe vrij hij in wezen was, vergeleken met mij. Vrij om zijn eigen ballen door te knippen, alleen maar om ervoor te zorgen dat ik er niks aan had.

Om zijn hand niet te verbrijzelen draaide ik me van hem af, naar de kaptafel toe. Ik zette mijn voeten en benen stevig op de grond en met mijn bovenlichaam haalde ik uit naar alles wat ik binnen handbereik had, als een niet te stoppen motor van razernij. Ik maaide de fotolijstjes, prullen en een schaal met muntjes in één beweging van het bureaublad. Ik trok roeden met kleren uit de kast en gooide schoenen naar het midden van de kamer. Toen er niets meer kapot te slaan was, pakte ik mijn zware houten sieradenkistje, stormde de badkamer in en keilde het door de deur van de douche, waardoor die aan honderden scherpe stukken ging. Pas toen ik het glas onder mijn blote voeten voelde, hervond ik weer iets wat op een normaal bewustzijn leek. Ik stond te midden van de puinzooi te hijgen als een hond en keek om me heen. Scott was weg.

Ik trok schoenen aan, stormde de voordeur uit en rende naar de hoek van Market Street. Het was na twaalven 's nachts en er waren niet veel mensen op straat. Drie straten verder zag ik hem opdoemen; hij liep in hoog tempo in de richting van het centrum. Ik rende op slappe benen achter hem aan. Bijna een kilometer verder had ik hem eindelijk ingehaald, voor een stoplicht tegenover een goedkoop motel. Buiten adem greep ik zijn jas vast. Hij draaide zich als gestoken om.

'Kom alsjeblieft naar huis,' zei ik. 'Alsjeblieft.' Ik wilde dood.

Hij zuchtte diep en toen liepen we samen zwijgend terug naar huis. Daar aangekomen gingen we naar de slaapkamer. Toen ik de ravage daar zag, schrok ik me een ongeluk. Sinds mijn jeugd had ik geen kamer meer gezien waar alles zo kort en klein geslagen was.

Scott liep met zijn jas nog aan over de glasscherven en ging op de rand van het bed zitten, met zijn ellebogen op zijn knieen en zijn hoofd in zijn handen.

'Ga je bij me weg?' vroeg ik.

Hij keek even op en toen weer terug naar de grond. 'Ik denk het,' zei hij.

De volgende dag zorgde ik dat ik eerder thuis was dan Scott, zodat ik alles kon opruimen. Huilend gooide ik de ene berg glasscherven na de andere in de vuilnisbak, trok ik overal de splinters uit, plukte ik bekraste familiefoto's uit de troep, stelde ik de scherven veilig van een beeldje dat ik in New Orleans voor hem had gekocht. Ik was verbijsterd over het feit dat ik zoveel schade had aangericht.

Toen Scott thuiskwam, was de kamer weer op orde, al stond er niets meer op het bureau en zat er geen deur meer in de douche. Hij vroeg of ik aan de keukentafel wilde komen zitten.

'Als je me ooit nog een keer slaat, ga ik bij je weg. Daar kan ik kort over zijn. Wat er gisteravond is gebeurd, was eens en nooit weer. Begrepen?'

Ik geloofde mijn oren niet. Mijn man dreigde dat hij zich van me zou laten scheiden als ik hem sloeg. Als dat gebeurde zou ik niet alleen hem en het huwelijk kwijtraken, maar ook geen idee meer hebben van wie ik was. Dan zou ik de rest van mijn leven doorbrengen als iemand die ik niet herkende en niet kon accepteren.

'Het spijt me ontzettend, Scott. Ik zweer je dat het nooit meer zal gebeuren.' Ik hoorde het mezelf zeggen en dacht: dat zeggen alle daders. 'Ik heb al een afspraak met Delphyne gemaakt.' Zo. Echte daders maakten toch niet een paar uur na het voorval al zelf een afspraak voor een therapiesessie? Geniale manipulatoren waarschijnlijk wel.

In de dagen daarna kwam ik terecht in een donkere ruimte die erg op een depressie leek, maar dan minder krachtig en veel ontstellender, want door eigen toedoen tot stand gekomen. Mijn armen en benen waren loodzwaar, zoals je dat weleens in een boze droom hebt. Mijn gedachten deden aan koorddansen en varieerden van kermende wroeging jegens Scott tot spookbeelden van mijn vader: meestal geen beelden waarin hij schreeuwde of dreigde, maar zwijgende beelden, waarin hij alleen aan de keukentafel zat nadat hij ons naar buiten had gestuurd, voor pampus op bed lag in de verduisterde slaapkamer, met een kater op de bank hing met de tv keihard. Ik was het grootste deel van mijn leven bezig geweest om vooral geen slachtoffer van huiselijk geweld te worden. Het was nooit in me opgekomen dat ik zelf weleens de dader zou kunnen worden.

28

De nasleep

Het schilderij van vuurgodin Pele hing nog steeds bij Delphyne boven de deur. Haar vurige ogen hadden mij gadegeslagen terwijl ik vertelde over mijn verlangen naar een kind, over dat Scott had gezegd dat hij zich zou laten steriliseren, en over mijn conclusie dat ik zo niet verder kon.

Pele werd misschien vereerd om haar transformerende vermogen tot vernietiging, maar hier op aarde moest ik toch echt de wetten van het menselijk fatsoen naleven. Ik vertelde Delphyne wat er allemaal tijdens mijn black-out in de slaapkamer was gebeurd en dat Scott wilde scheiden als het nog een keer gebeurde.

'Waarom werd je zo kwaad toen je hoorde dat hij het zonder condoom had gedaan?' vroeg ze. 'Omdat hij een regel had overtreden?'

'Nee, want die heb ik ook overtreden. Maar toen ik dat deed, zat ik er vreselijk mee. Hij was er bijna trots op. De toon waarop hij "Ik vertrouw haar" zei, deed voor mij de deur dicht.'

'Jullie zullen het toch over Scotts woede over het project moeten hebben.'

'Over Scotts woede? Ik ben degene die onze slaapkamer kort en klein heeft geslagen, hoor.'

'Jij uit je woede op een overdreven manier. Hij doet het passief.'

De week daarop gingen Scott en ik naar de opera van San

Francisco en daar kwamen we Tara en Jackie tegen, twee vriendinnen die we al maanden niet gezien hadden. Na afloop gingen we nog iets drinken. 'Ik ben heel blij dat jullie weer bij elkaar zijn,' zei Tara terwijl ze zich naar voren boog om een slokje van haar margarita te nemen. 'Jullie zijn het leukste stel dat ik ken.' Jackie was niet van het project op de hoogte, dus Tara legde het kort even uit.

'Dat meen je niet!' zei Jackie. 'En jullie zijn nog bij elkaar?'

'Ongelooflijk,' zei Tara. 'De helft van alle getrouwde stellen die ik ken zouden dit ook willen, maar durven niet. En jullie hebben het gered! Dat is nog eens liefde.'

Scott en ik keken elkaar even behoedzaam aan. Jackie begon te vertellen over haar vriend, die twee jaar geleden voor haar bij zijn vrouw was weggegaan. Ze had onlangs een paar e-mails van Craigslist op zijn laptop gevonden, e-mails tussen hem en een paar andere vrouwen. Toen ze hem daarmee confronteerde, gaf hij toe dat hij bij wijze van afleiding met die vrouwen flirtte, maar hield vol dat hij geen van hen ooit in levenden lijve had ontmoet. Scott en Tara analyseerden de voors en tegens van een situatie waarbij Jackie hem vergaf versus die waarin ze bij hem wegging. Het bleef onbeslist.

'Hoe is de seks, Jackie?' vroeg ik tussendoor.

Ze ging achteruit zitten en legde haar handen plat op tafel. 'Geweldig,' zei ze. 'Ik heb nog nooit zulke goede seks gehad.'

'Dan zou ik me er maar bij neerleggen. Je weet het wel als en wanneer je bij hem weg moet.'

'Me erbij neerleggen,' zei ze me na. 'Dat is precies wat ik ga doen.'

Toen Scott en ik naar huis liepen, zei hij: 'Vind je echt dat ze bij die man moet blijven?'

'Het maakt niet uit. Als ze zulke goede seks hebben gaat ze toch niet bij hem weg. Dan kan ze maar beter accepteren dat het zo is en verdergaan met haar leven.'

'Seks is niet zaligmakend,' zei hij.

'O, kom op, zeg. We zijn net een heel jaar door de mangel gehaald vanwege seks. Seks en kinderen. Of misschien ging het niet eens om kinderen, maar alleen om...'

Plotseling stond ik tegen de muur van een gebouw rechts van me en trok Scott met beide handen mijn jas aan de kraag omhoog, zodat ik op mijn tenen kwam te staan. Hij trok zijn mond zo ver open dat ik zijn puntige kiezen kon zien en brulde: 'Weet je wel hoe vaak ik me in slaap heb gehuild toen jij vertrokken was? Interesseert het jou eigenlijk wel wat andere mensen voelen?'

Ik was zo verbijsterd dat ik niet wist wat ik moest zeggen. Ik voelde mijn haar tegen het koude baksteen omhooggeduwd worden. Er stopte een auto. De bijrijder draaide zijn raampje omlaag. 'Alles in orde, mevrouw?' vroeg hij.

'Ja hoor,' zei ik, terwijl Scott me losliet. 'Niets aan de hand, maar toch bedankt.' De auto trok langzaam op en we keken hem na.

'Ik wist helemaal niet dat je jezelf in slaap hebt gehuild,' zei ik. 'Jezus, Scott, waarom heb je me nooit gebeld?'

Hij keek me aan en schudde zijn hoofd. 'In tranen mijn vrouw bellen omdat ze ergens anders is gaan wonen om met andere mannen naar bed te kunnen?' zei hij toonloos. 'Ik ben in het Midden-Westen opgegroeid. Denk je soms dat ik niet weet hoe je een echte man moet zijn?' Daar had ik niet van terug.

Ik wilde hem aanmoedigen om zijn hart nog verder te luchten, als hij daar behoefte aan had. 'Delphyne heeft gezegd dat het goed voor je is om je woede te uiten.'

'Delphyne is een op een gong slaand newagetype dat voor vijftig dollar per uur heeft zitten toekijken hoe wij ons huwelijk de nek om draaiden.'

Ik vond het niet eens erg dat hij me tegen een muur aan gesmeten had. Het voelde eigenlijk wel als een stap in de goede richting.

Delphyne had inderdaad gongs in haar behandelkamer, maar ze sloeg er nooit op. Ik was blij dat ik haar over Scotts uitbarsting kon vertellen. Ze zei dat Scott gelijk had, dat het wel even zou duren voor alles weer goed was, en dat we allebei geduldig onze ervaringen van het afgelopen jaar moesten verwerken. Tegen het eind van de sessie wist ze het gesprek op de een of andere manier te brengen op de vraag wat ik tijdens het project geleerd had.

'Denk eens aan de dag waarop je die positieve zwangerschapstest deed,' zei ze. 'Weet je nog hoe dat voelde?'

Ik zag meteen het winterrokje voor me dat ik aan had gehad, voelde de decemberkou toen ik naar de trein liep, zag de paarsblauwe ochtendlucht.

'Waarom was je die dag zo gelukkig? Wat dacht je dat het je zou brengen?'

'Veel. Een tweede kans op een gezinsleven. Een nieuwe band met Scott. Een levenspad dat iedereen respecteert en toejuicht. Toewijding.'

'Ja, maar ga eens wat dieper. Vat het eens in één woord samen.'

'Een doel.'

'En vat het project nu eens op dezelfde manier samen. Wat heeft het je gebracht?'

'Vrouwelijke energie,' zei ik. 'Het heeft me geleerd van mijn lichaam uit te gaan.'

'Een doel, en wezenlijke vrouwelijke energie,' zei ze me na. 'Je weet toch dat een kind en minnaars niet de enige manieren zijn om die te krijgen, hè?'

'Nu wel, ja. In de groep van Sabrina kan ik zó bij mijn vrouwelijke energie.' Ik knipte met mijn vingers. 'Het is net alsof ik het heb leren herkennen. Bij yoga voel ik die. En aan zee. Als ik naar muziek luister.'

Ik wachtte. Ze richtte haar ogen op de mijne.

'Wat is je doel, Robin?'

'Schrijven. Zelfs als ik kinderen had gekregen, zou schrijven nog steeds op de eerste plaats hebben gestaan. Nee, dat is niet helemaal waar. Ik zou dat schrijven waarschijnlijk nog achttien jaar in de koelkast hebben gezet, en dat zou een heel grote vergissing zijn geweest.'

Ze knikte.

'Maar schrijven is hondsmoeilijk. Ik wilde iets met mijn lichaam creëren. Iets waar ik niet over hoefde na te denken.'

'Creëren is nooit gemakkelijk, in wat voor vorm dan ook.'

Ik voelde me plotseling duizelig, alsof ik geblinddoekt doornstruiken in geleid werd.

'Ga schrijven, ga aan yoga doen, ga naar zee en luister naar muziek. En omring je met vrouwen die hetzelfde doen.'

'Wacht. Is dat de reden waarom je altijd naar mijn vriendinnen informeerde?'

Ze glimlachte en trok haar wenkbrauwen op alsof ze wilde zeggen: 'Hèhè.'

Op mijn voicemail zag ik dat mijn vader gebeld had. Dat deed hij misschien twee keer per jaar.

'Hé liefje, met papa. Ik bel je even omdat ik aan je moest denken. Ik hoop dat alles goed met jullie is. Ik weet niet... ik had zo'n vreemd gevoel. Ik ben er voor je, mocht je me nodig hebben. Goed? Laat maar weten. Ik kan binnen vijf uur bij je zijn. Ik hou van je, liefje, en ik denk elke dag aan je. Oké, bel maar even als je tijd hebt. Ik hou van je. Dag.'

Elke keer dat ik mijn vader sinds mijn verhuizing had gesproken, hetzij in levenden lijve, hetzij aan de telefoon, vroeg hij voortdurend of alles goed met me ging en of ik hulp nodig had. Als puber was ik altijd heel snel de keuken door gelopen en had ik geprobeerd hem vooral niet te zien, zoals hij daar in zijn ondergoed zat, met zijn been ongecontroleerd op en neer wippend, een Lucky Strike tussen zijn vingers boven een asbak vol peuken. Naast de asbak stond een beker zwarte koffie met een scheut wodka erdoor.

'Alles goed?' vroeg hij dan terwijl ik mijn ontbijtgranen zat te eten.

'Ja hoor.' Je bent een gestoorde bookmaker, mijn moeder haat jou en haat haar leven, maar we leven allemaal nog en ik ga nu de deur uit, naar mijn vriendinnen.

'Je weet dat ik er altijd voor je ben. Als je wilt praten, zeg het maar.' Dan keek ik hem vol ongeloof aan en zei 'dat weet ik', want veel anders viel er niet te zeggen. Het leven in dit huis was een wrede grap, maar gelukkig was het niet mijn echte leven. Het was de start, meer niet. Moest je eens zien wat er gebeurde zodra het pistool afging en dat hek openging. Moest je eens zien hoe ver en hoe hard ik dan kon rennen. Dat dacht ik terwijl ik mijn ontbijtkom in de gootsteen kwakte.

De oude wijsheid luidt dat tijd alle wonden heelt en de nieuwe wijsheid luidt dat daar behalve tijd ook bewustzijn voor nodig is. Alles bij elkaar had ik minstens vijftien van de vijfentwintig jaar sinds ik het huis uit was gegaan therapie gevolgd, dus als iemand haar jeugd kon verwerken, was ik het wel. Ik ging in therapie zonder te weten wat voor combinatie van trauma, erfelijke aanleg en collectieve ervaringen er precies in het spel was. Vijftien jaar later voelde ik me vijftien keer beter, maar ik wist nog steeds niet precies waarom. Omdat ik geleerd had mijn emoties te herkennen en grenzen te stellen?

Als ik de pijn die ik tegenwoordig soms voelde met een bepaalde gebeurtenis van lang geleden in verband probeerde te brengen, lukte me dat in de meeste gevallen niet. Na de eerste paar jaar vond ik de manier waarop mijn ouders me in het verleden behandeld hadden veel minder belangrijk dan hoe ik mezelf in het heden behandelde. Het voelde naïef en nutteloos om al hun fouten te blijven opsommen, net zoals de hoop dat ik ooit over mijn jeugd heen zou komen en als herboren zou zijn, dat ik nooit meer dat oude gevoel van in de steek gelaten zijn, de paniek of de wanhoop zou meemaken.

Door therapie ontwikkelde ik vaardigheden; het was alleen aan de tijd en het leven te danken dat er zoetjesaan ook antwoorden kwamen. Mijn moeilijke jeugd voelde niet meer als een vergissing of een mislukking. Als ik me voorstelde welke jeugd kinderen over de hele wereld hadden – in oorlogsgebieden, in landen waar grote armoede heerst, in gezinnen waar sprake is van onderdrukking en waarin nooit genegenheid voor elkaar wordt getoond, in gelukkige gezinnen waar een van de ouders gewoon te vroeg stierf – had ik het gevoel dat die van mij ergens in het midden zat.

Met het verstrijken van de jaren ging ik mijn vader geleidelijk aan ook beter begrijpen. De compromissen, uitgestelde dromen, pijnlijke beslissingen en het onverbiddelijke tikken van de klok van de volwassenheid bleken ingrijpender dan ik me had kunnen voorstellen toen ik mijn ontbijtkom in de gootsteen kwakte en hem met zijn ochtendwodka in de keuken achterliet, er vast van overtuigd dat ik, als ik de kans kreeg, het allemaal anders zou doen. Ik wist niet wanneer het gebeurd was, maar zelfs het angstgevoel dat ik lange tijd had gehad over het feit dat hij bookmaker was, was veranderd in een gevoel van trots. Toen ik klein was, wilde ik alleen maar dat hij net als de andere vaders van maandag tot vrijdag op kantoor of in de fabriek werkte, in plaats van inzetten te bestuderen, over de telefoon dreigementen te uiten tegen wanbetalers en dikke stapels bankbiljetten in laden te verstoppen. Maar nadat ik bij het twaalfstappenprogramma kinderen van verzekeringsagenten en huisschilders over diezelfde alcoholische razernij had horen vertellen en nadat ik zelf vijfentwintig jaar op kantoren had gewerkt, begon ik bewondering te krijgen voor het feit dat hij geweigerd had het stille, geestdodende pad van de massa te volgen.

Nu ik mijn eigen lusten had verkend, me aan mijn eigen egoïsme had overgegeven en zelfs tot geweld was vervallen, was het net alsof mijn vader een paar centimeter gekrompen was en ik een paar gegroeid, zodat we eindelijk zo'n beetje elkaars gelijken leken. De stem op het antwoordapparaat klonk nu minder als die van een patriarch en meer als die van een mens die het ook moeilijk had.

Ik schrok wel van de timing van zijn telefoontje, van het feit dat hij 'het gevoel' had gehad dat er iets aan de hand was. Ik vroeg me vooral af hoe zo'n scherpe intuïtie tot hem door had kunnen dringen als hij weer aan de drank was; dat vermoedde ik namelijk nadat ik zijn boodschap nog eens wat beter had beluisterd. Hij was lange perioden nuchter geweest, met om de vier, vijf jaar een terugval, en nuchter was hij een totaal ander mens, dan was hij de vader die ik me herinnerde uit de tijd voordat ik naar school ging, die elke ochtend een broodje ei met me ging kopen en met *The Music Man* meezong als dat op de tv was. Zijn langste nuchtere periode duurde een jaar of tien en viel samen met de jaren waarin ik zelf een twaalfstappenprogramma volgde, dus was hij nuchter geweest toen hij mijn boze brieven kreeg, waarin ik al zijn misdragingen opsomde en ik met Kerstmis weer thuiskwam, nadat ik daar vijf jaar niet was geweest. Hij was nuchter geweest toen hij kennismaak-

293

te met Scott en onmiddellijk vroeg: 'Wat zijn je plannen met mijn dochter?' Hij was nuchter toen hij me weggaf en voor dat alles was ik hem dankbaar.

Ik nam me voor hem over een paar dagen terug te bellen. Voordat ik een gesprek met hem aankon had ik wat meer afstand nodig tot mijn meer recente herinneringen – de blauwe plekken op Scotts arm, de kapotte deur van de douche, de scène na de opera.

29

Een verwoest hart

Terwijl ik om zeven uur 's ochtends op de sportschool sit-ups aan het doen was, belde mijn broer Rocco. Onze vader was de dag ervoor naar het ziekenhuis gegaan voor een ontwenningskuur en had 's avonds een hartaanval gekregen. Afgezien van het feit dat zijn lichaam in de loop der jaren al heel vaak had moeten afkicken, werd de situatie bemoeilijkt door het feit dat hij een tracheotomie had, als gevolg van de keelkanker van jaren geleden. Ze hielden hem op de intensive care in coma, in afwachting van de uitslagen.

'Hoe ernstig is het?' vroeg ik.

'De dokter zei dat hij het, als hij de eerste vierentwintig uur haalt, waarschijnlijk wel redt.'

'Ik neem het eerste het beste vliegtuig en ik bel je zodra ik geland ben.'

Ik landde om elf uur 's avonds op Scranton en Rocco bracht me naar het ziekenhuis. Bij de deur van de ic drukten we op de knop van de intercom, en de verpleegsters lieten ons binnen. Tussen twee dunne roze gordijnen lag mijn vader, omringd door apparaten en ledprints, met een grauw gezicht en zijn mond halfopen. Een dikke geribbelde slang verbond de luchtpijp onder aan zijn keel met een beademingsapparaat, en zijn gezwollen handen waren met witte plastic banden aan het bed vastgemaakt.

Rocco was er de hele dag al. 'Zo nu en dan doet hij zijn ogen een paar seconden open,' zei hij. 'Maar hij is totaal van de wereld. De verpleegster zei dat er waarschijnlijk helemaal niks tot hem doordringt, ook niet als hij zijn ogen open heeft.' Hij ging naar beneden om koffie te halen.

Ik ging naast hem zitten en keek hoe de beademingsapparatuur zijn brede borstkas deed uitzetten en weer liet inzakken. Door deze beweging, die heel resoluut en betrouwbaar was, was het net alsof zijn borstkas over een bewustzijn en een eigen wil beschikte. We maakten er vroeger altijd grapjes over dat mijn vader zo sterk was, dat hij negen levens had, al wisten we wel beter. Al die ontwenningskuren. Toen hij keelkanker kreeg, had hij nadat zijn strottenhoofd was verwijderd weken in het ziekenhuis gelegen. Hij had ook twee keer in de gevangenis gezeten voor bookmaking, een keer acht maanden en een keer vier maanden. Ik had me verre van dat alles gehouden. Mijn broers waren op zondag naar de bijeenkomsten in de afkickkliniek gegaan, naar het oncologisch ziekenhuis, naar het bezoekuur in de gevangenis, terwijl ik ver weg in Californië was gebleven. Ik kon het niet aan.

Tijd en bewustzijn, en nu hadden mijn vader en ik samen misschien geen vierentwintig uur meer te gaan. Hoe wilde ik dat onze band zou eindigen?

Ik stond op, legde mijn hand op de zijne en boog me naar zijn oor. 'Papa,' fluisterde ik bijna onhoorbaar. 'Ik ben het: Robin. Alles komt goed. Laat alles maar aan ons over.' Ik haalde diep adem. 'Ik vergeef je, papa. Ik hou van je. Tot morgen.'

Ik keek naar zijn uitdrukkingsloze, ingevallen gezicht en vroeg God of de Godin om de boodschap op de een of andere manier aan hem over te brengen. Toen pakte ik mijn tas en ging ik naar het huis van mijn moeder, waar ik voor het eerst in vijfentwintig jaar de nacht zou doorbrengen.

Ik werd wakker in mijn oude kamer en ging met de vrouw van mijn vader naar het ziekenhuis. Mijn broers waren er al. We zaten de hele dag en avond op de cardioloog te wachten, die ons een prognose zou geven, maar hij werd steeds weer weggeroepen naar de operatiekamer. De volgende ochtend riep hij ons eindelijk bij zich, rond een kleine vergadertafel in de wachtkamer van de ic. Het was een lange, gebruinde, knappe man van een jaar of zestig met kort grijs haar en een kordate Scandinavische naam, het toonbeeld van gezondheid.

'Het hart van jullie vader is zo groot,' zei hij, en hij hield zijn handen ongeveer twintig centimeter uit elkaar voor zijn gezicht. 'Misschien wel het grootste hart dat ik ooit gezien heb. De grootte van Wyoming.'

'Is dat goed?' vroeg Rocco.

'Nee, dat is heel slecht,' zei dr. K. 'Zijn hartspier is zwaar overbelast geweest. Hij heeft niet goed voor zichzelf gezorgd.' Hij keek ons aan en heel even schaamde ik me ervoor dat hij was weggeroepen bij patiënten met een aangeboren hartafwijking om een man te redden die zijn hartkwaal hoogstwaarschijnlijk te wijten had aan roken, zuipen en eten. Maar ja, als er geen mannen als mijn vader waren, had hij vermoedelijk geen werk meer.

Dr. K. zei dat drie van de vijf slagaders van mijn vader bijna helemaal dichtzaten; er zat een megahartaanval aan te komen en hij moest onmiddellijk een drievoudige bypass krijgen. Maar zijn lichaam had ook nog twee dagen nodig om te herstellen van het feit dat het van het ene moment op het andere geen alcohol meer binnenkreeg, voordat het nog meer stress aankon.

'De timing is heel riskant,' zei dr. K. somber. 'Hopelijk krijgt hij niet nog een ernstige hartaanval voordat we hem kunnen opereren. Het zuurstofgehalte in het bloed van jullie vader is

62. Dat hoort tegen de 100 te zijn. Het is een wonder dat hij nog leeft.'

'Wat is de overlevingskans bij een drievoudige bypass?' vroeg ik, terwijl ik opkeek van de aantekeningen die ik had zitten maken.

'Als de patiënt geen andere problemen heeft is die kans negenennegentig procent.'

'En voor een patiënt met alle problemen die hij erbij heeft?'

'Iets van negentig procent.'

We keken elkaar aan en begonnen toen te lachen. Twee van mijn broers hadden het gokgen van mijn vader geërfd. De oudste boog zich naar voren en gaf dr. K. een hartelijke aai over zijn arm. 'Negentig procent! Ik dacht dat u zou zeggen dertig! We gaan akkoord.'

Onze luchtige stemming was van korte duur. Die verdween snel toen we de twee dagen daarop aan het bed van mijn vader zaten en zijn bloeddruk eerst zagen stijgen, dan weer pijlsnel dalen, zijn zuurstofgehalte in de richting van de 50 zagen kruipen en zijn hartslag boven de 120 zagen uitkomen. Zo nu en dan kwam hij heel even bij, opende zijn ogen in abjecte angst, draaide zijn kin van de slangen weg en trok in gevecht tegen de polsbanden zijn rug krom. Terwijl hij zo lag te spartelen, begon het beademingsapparaat luid te bliepen en kwam de verpleegster om hem weer onder zeil te brengen en de slangen opnieuw goed aan te sluiten.

De broer van mijn vader met wie hij het het best kon vinden gaf me een medaillon, dat ik om zijn pols moest binden. Er stond een kleine afbeelding van een heilige in gegraveerd, Padre Pio geheten. 'Weet je nog die keer dat ik met nierfalen op de ic lag? Zeven weken heb ik daar gelegen. Niemand dacht dat ik het zou redden, maar Padre Pio redde mijn leven. Dat geloof ik echt. Doe hem dit medaillon om, dan komt hij er weer bovenop.'

Mijn vader bleef vijf dagen buiten bewustzijn. Zijn zus kwam met haar man met de auto uit Philadelphia. Zijn oudste broer kwam met zijn vrouw met het vliegtuig uit Florida. Mijn neven en nichten kwamen. Mijn stiefbroer kwam. Mijn schoonzus kwam met mijn neefjes. Elke ochtend haalde ik als ik naar het ziekenhuis ging eerst de vrouw van mijn vader op en elke avond bracht ik haar naar huis. Mijn moeder vergezelde ons een paar dagen op rij. De vrouw van mijn vader en zij hadden het niet altijd goed met elkaar kunnen vinden, maar nu gingen ze samen lunchen en even naar buiten om een sigaretje te roken. Als ik 's avonds laat terug was in het huis van mijn moeder, trok ik mijn pyjama aan, at met haar aan de keukentafel en ging dan in mijn oude kamertje naar bed. Alle verschrikkelijke ruzies die ik om drie uur 's nachts vanuit dat kamertje had gehoord, trokken zich terug in de muren, geneutraliseerd door de acutere zorgen om leven en dood die op dat moment speelden.

Na de operatie hield een aortapomp het hart van mijn vader aan de praat en het beademingsapparaat zijn longen. Toen hij dagen later eindelijk wakker werd, verzamelden we ons rond zijn bed. Zijn vrouw ging naast hem staan. Hij keek eerst ons langzaam aan, keek toen op naar zijn vrouw en begon woorden te vormen met zijn mond. Daar zaten geen slangen in, want het beademingsapparaat was aan zijn tracheotomie bevestigd, maar aangezien hij die met zijn vinger dicht moest houden om te kunnen praten, en zijn handen nog aan het bed vastgebonden waren, kwam er geen geluid uit hem. We moest zijn lippen lezen.

Het was net alsof hij 'kran-ton' zei, langzaam en heel krachtig.

We keken elkaar aan. 'De krant?' vroeg Rocco.

Hij schudde zijn hoofd.

'Heb je pijn, pap?' vroeg ik.

Hij schudde van nee. Toen weer: 'Kran-ton.'

We stonden er hulpeloos bij. 'Kran,' mimede hij.

'Heb je kramp?' vroeg zijn vrouw.

Hij keek naar zijn vastgebonden handen. Dit ging een paar minuten zo door, tot hij er helemaal uitgeput van was.

'Scranton,' zei mijn moeder plotseling vanaf het voeteneind. 'Hij zegt Scranton.'

Mijn vader sperde zijn ogen open, knikte en mimede: 'Ik wil. Naar. Scranton.'

'Hij wil naar Scranton,' zei mijn moeder hem na.

'Je bént in Scranton, pap,' zei ik. 'Je bent in het Mercy Hospital.'

Hij was zichtbaar opgelucht. Hij sloot zijn ogen. Later, toen hij weer kon praten, vertelde hij dat hij gedroomd had dat hij per trein was overgebracht naar een ziekenhuis in de staat New York, waar hij de verpleegsters voortdurend vroeg of ze hem naar Scranton wilden brengen.

Ik bleef twee weken, tot hij van de ic naar een gewone kamer mocht. Ik zat bijna de hele dag in het ziekenhuis en 's avonds in de keuken van mijn moeder. Toen de verpleegster op een avond het infuus van mijn vader verwisselde, vroeg ik haar: 'Heeft de man in de kamer hiernaast geen familie?' Elke dag kwam ik langs zijn kamer, maar er zat nooit iemand. Hij lag daar maar alleen tussen de slangen en de apparaten.

'Ik geloof van niet.' Ze maakte de lege plastic zak los, stak hem onder haar arm en liep de kamer uit. 'Je vader mag van geluk spreken.'

Ik keek naar mijn vader, slapend in het gedimde licht van de zender Turner Classic Movie, naar de tas van zijn vrouw op het nachtkastje, naar Rocco die op de gang stond, naar de mobiele telefoon in mijn hand, waarmee ik net aan tien mensen een update had ge-sms't. Het Padre Pio-medaillon van mijn oom hing aan zijn pols en het zilver glinsterde in het licht van de televisie.

'We hebben altijd elkaar nog,' zei mijn vader vroeger vanaf zijn wodka-sigarettenhoek van de keukentafel, terwijl ik in stilte kookte van woede. 'Je moeder en ik, je broers, dat zijn de mensen die er altijd zullen zijn, wat er ook gebeurt. Dat begrijp je nu misschien niet, maar later als je ouder bent wel.' Nu was ik ouder.

30

Het bericht

Toen ik terug was in San Francisco, daalde er een zekere rust over het huis neer. In Scranton had ik een beeldje van een konijn gekocht, gemaakt van steenkool. Dat wilde ik op mijn provisorische altaar zetten, als symbool voor mijn wortels en familie. Ik zette het tussen een lachende Boeddha, een kruisbeeld, de Venus van Willendorf en een beeldje van Pele van rood steen.

In bed begonnen Scott en ik weer aan orale seks te doen. Ik staakte mijn pogingen om de geile dingen tegen hem te zeggen die er zo gemakkelijk tegenover mijn minnaars uit waren gekomen. Ik was geen slet, geil wijf, hoer of godin meer. Ik was schatje, pop, liefje. Op de ochtenden dat ik uitsliep gebruikte ik de blinddoek die we gekocht hadden als slaapmasker. Nu het project ten einde was, probeerde ik erop te vertrouwen dat ik me eindelijk zou kunnen aanpassen aan de niet-gepassioneerde liefde waar mijn huwelijk om vroeg, een krachtige liefde die als een goudader door een steenlaag liep. Zelfs als die maar heel zelden enthousiast tot uiting kwam, wist ik toch dat hij bestond.

Ik concentreerde me op mijn werk, waar ik onlangs was bevorderd tot eindredacteur. Ik werkte 's avonds en in het weekend aan de nieuwe druk van twee boeken over dans die ik eerder had geschreven. Ik kwam er eindelijk aan toe om Scotts boek over wijn te redigeren. Ik werkte even aan een voorstel voor een boek, waar ik indertijd in Philadelphia al aan begonnen was, met de titel 'Vooroordelen: brieven aan een ongeboren kind'. De voorlopige hoofdstukindeling besloeg een stuk of twintig brieven die ik als overpeinzingen over het moederschap had willen schrijven. De titels getuigden van zowel mijn hoop als mijn tweeslachtigheid: 'Alle goede redenen', 'Alle verkeerde redenen', 'Wat ik je kan leren', 'Wat ik je niet kan leren'. Als ik er genoeg van kreeg om naar mijn computerscherm te staren, kleedde ik me om en ging naar de sportschool.

Ongeveer één keer per maand ging Scott uit eten met Charly. Hij zei dat hij met haar bevriend wilde blijven en moedigde mij aan om ook bevriend te blijven met mijn voormalige minnaars. Ik wist dat ze het er moeilijk mee had dat hij niet meer in haar leven was; dat wist ik doordat ik in zijn telefoon had gekeken en een e-mail van haar had gezien waarin ze zich verontschuldigde voor het feit dat ze tijdens het eten had moeten huilen. Er waren ook nog andere e-mails, flirterige berichtjes, halverwege de middag verzonden, waarin ze hem eraan hielp herinneren dat haar kantoor toch heel dicht bij het zijne lag en waarin ze hem 'liefje' noemde.

Ik ging zo nu en dan lunchen met Jude en zo nu en dan koffie of een borrel drinken met Paul. Ik ging ook nog zo nu en dan naar een workshop bij OneTaste. Scott zei dat hij het prima vond dat ik met anderen om-sessies bleef doen, aangezien hij er zelf niet zoveel zin in had. Dus probeerde ik dat. Ik sprak een sessie af met Roman, die in hetzelfde schuitje zat als ik: Annie en hij hadden hun monogame relatie hervat. We spraken af in een van de lege kamers van de wooncommune. We omhelsden elkaar, kletsten wat en namen de om-positie aan. Zijn vinger bracht een langzame, dichte draaikolk in mijn buik op gang, die een sediment oprakelde en weer deed neerdalen. Ik kreunde en trok mijn rug krom. Toen hij na een kwartier zijn vinger in me stak, opende ik mijn ogen en blies langzaam uit.

'Krijg je wel genoeg seks?' vroeg hij.

'Ik geloof van wel. Hoezo?'

'Ik weet niet... het is net alsof je op springen staat.' Hij lachte.

Ik ging zitten en trok mijn broek weer aan. 'Dat komt waarschijnlijk gewoon door de seksuele energie tussen ons. Ik voel me eigenlijk wel goed.'

Ik sprak niet nog een OM-sessie met Roman af, en ook verder met niemand anders meer.

Ik zat naar mijn Gmail-account te staren. Het was niet mijn meest gebruikte account, en ik keek er maar één of twee keer per week in. Ik zag Aldens naam staan en zat als aan de grond genageld op mijn stoel. Ik was vergeten dat hij dit adres had, aangezien we voornamelijk per telefoon contact hadden gehad. Aan de datum zag ik dat hij het bericht twee dagen daarvoor had verstuurd. Ik was ruim een maand terug uit Scranton.

Hoofd: Wissen. Dit gaat je leven kapotmaken.

Hart: Openmaken.

Het was een formele, vriendelijke e-mail. Hij had mijn profiel op de Deida Connection gezien en wilde me gewoon even gedag zeggen. Hij hoopte dat het goed met me ging en schreef dat het op de dag af een jaar geleden was dat we elkaar voor het eerst een berichtje hadden gestuurd op Nerve.com. Goed, we waren vervelend uit elkaar gegaan, maar hij dacht nog vaak vol genegenheid en dankbaarheid aan die weken. 'Ik hoop dat je het niet erg vindt dat ik je geschreven heb. Voel je vooral niet verplicht om terug te schrijven.'

Ik bleef een hele tijd roerloos zitten voordat ik iets durfde te typen. 'Ik vind het niet erg dat je geschreven hebt. Met dat nare einde en het volledig doorsnijden van alle banden hebben we het wat dramatischer gemaakt dan nodig was. Ik zou het leuk vinden om vrienden met je te zijn. Neem vooral contact met me op als je dat wilt.'

We spraken de week daarna af om in de stad iets te gaan drinken. Ik vertelde Scott precies waar ik naartoe ging en hoe laat ik thuis zou zijn. Ik gaf mezelf anderhalf uur. Alden zat op een laag bankje achter in het café, met één lang been over het andere geslagen, de enkel op het bovenbeen, de armen breed over de leuning gespreid. We begroetten elkaar en ik ging zitten. We raakten elkaar niet aan.

Hij wenkte de serveerster en bestelde voor mij hetzelfde wat hij ook dronk, een cocktail met gin en lime. Toen die was gebracht, hieven we ons glas en namen een slokje.

'En, nog steeds getrouwd?' vroeg hij terwijl hij zijn glas neerzette.

'Ja.'

'En woon je nog steeds apart?'

'Nee. We zijn weer fulltime bij elkaar en we zijn monogaam.'

Hij knikte onverstoord. Sinds ik hem voor het laatst had gezien, had hij een paar maanden een relatie gehad met een vrouw in Seattle. De afstand was ondoenbaar gebleken en ze hadden het twee maanden geleden uitgemaakt. Hij was weer aan het daten. Hij was aan de roman begonnen waarmee hij al jaren rondliep.

Ik voelde spanning in de lucht. Ik haalde oppervlakkig adem. Ik was nog steeds beledigd over ons laatste telefoongesprek, maar kon het gevoel niet van me afzetten dat er iets groots tussen ons te gebeuren stond. Natuurlijk kende ik de theorie dat er liefdes zijn waar een aura van lotsbestemming omheen hangt, maar dat de fysionomie, gebaren, woorden van de bewuste persoon ons in werkelijkheid alleen maar doen denken aan de mensen die in onze eerste levensjaren voor ons gezorgd hebben, en in mijn geval deed de manier waarop Alden het had uitgemaakt mij heel sterk denken aan hoe de genegenheid van mijn vader razendsnel kon omslaan in woede. Vóór het project zou ik op dat risico gereageerd hebben door met een grote boog om Alden heen te gaan. Nu bespeurde ik slechts een curieuze mengeling van wantrouwen en bewondering. Eindelijk, hoorde ik mezelf zeggen. Eindelijk heb ik mijn net zo kwetsbare, net zo meedogenloze gelijke gevonden.

'Wat zit je te denken?' vroeg hij terwijl hij de rekening tekende. Hij had een snelle, lineaire, onleesbare handtekening, als die van een arts.

'Ik vroeg me af hoe het zou zijn om jouw vriendin te zijn,' zei ik, terwijl ik langs hem heen keek. Daar had hij even niet van terug, en ik keek hem aan en haalde mijn schouders op. 'Dat zat ik te denken.'

Buiten omhelsde ik hem ten afscheid. 'Bedankt voor de cocktail,' zei ik.

'Graag gedaan. Leuk je weer gezien te hebben.' Als hij al verbaasd was dat ik niet met hem mee naar huis ging, liet hij dat niet merken.

Ik draaide me om en liep weg in de richting van de metro. De verlichting op Union Square was net aan gegaan. Over de trottoirs liepen horden toeristen beladen met tasjes, terwijl de inwoners van de stad zich er doelgericht en sneller een weg tussendoor baanden. Voor het voetgangerslicht was het druk en op straat stond een lange rij mensen te wachten om in de Powell Street-tram te kunnen stappen. Ik ging met de lift naar beneden, naar de metro; een stroom bracht me naar een niet nader genoemde bestemming. Vanaf dat moment kon ik twee dingen kiezen: ik kon in de stroom blijven of eruit springen. Maar ik zou de stroom niet tot stilstand kunnen brengen.

Ik hield het een maand uit. Daarmee bedoel ik niet dat ik bij hem uit de buurt bleef. Ik posteerde me pal voor zijn neus, maar net buiten bereik, zonder hem te geven wat hij wilde. Het was niet zozeer een machtsspel als wel een noodzakelijke uitsteltactiek, zodat ik hem kon observeren zonder volledig mijn verstand kwijt te raken. Elke minuut dat we bij elkaar waren, voerde elke molecuul van mijn wezen een non-verbale scan uit: van zijn huis, zijn kleren, zijn lichaamstaal, zijn geur, de stapel papieren op zijn bureau, de foto's die hij in zijn boekenkast had gezet, de manier waarop de handdoeken in zijn badkamer hingen. Hoe vaak hij een creditcard gebruikte, hoe laag hij zijn benzinepeil liet zakken voor hij weer tankte, naar wat voor televisieprogramma's hij keek.

Waarom zal ik nog om de waarheid heen draaien? Ik was vierenveertig jaar toen ik mijn man begon te bedriegen. Eigenlijk al toen ik tweeënveertig was, die allereerste avond bij Paul, hoewel ik daarna net heb gedaan alsof het onder het mom van het open huwelijk viel. Ik schaam me niet voor het open huwelijk, maar ik schaam me wel diep voor het bedrog. Ik had Alden gewoon niet moeten zien, en anders had ik bij Scott weg moeten gaan.

Ik heb me laakbaar gedragen. Op een ochtend in het najaar, nadat Scott om halfzeven naar zijn werk was vertrokken, ben ik naar Alden gegaan en ben ik hem naar de slaapkamer gevolgd. De zon stond in het oosten nog laag boven de horizon. Met mijn benen wijd en terwijl we elkaar strak aankeken werd het al snel duidelijk dat dit menens was. Geen halve maatregelen of rationaliseringen. Het was niet goed en het was zonder meer van tijdelijke aard. Binnen een paar weken zei Alden dat ik een besluit moest nemen. 'Ik wacht nog wel een poosje omdat er niets anders op zit,' zei hij, 'maar ik wacht niet lang.'

De seks was net zo gepassioneerd als ik me die herinnerde, meestal vurig en krachtig, soms fluisterend en meditatief. Als ik mijn ogen sloot of te lang van hem wegkeek, zei hij: 'Kijk me aan.' Als hij dan eindelijk in me kwam en daar stilhield, kon ik het vocht letterlijk van zijn lichaam in het mijne voelen storten, zoals je soms je eigen hartslag hoort.

Als we ruziemaakten, ging het ook hard tegen hard. Niet zoals mijn ouders, daar waren we allebei te oud voor en hadden we te veel therapie voor gevolgd, maar we waren met onze woede in staat elkaar tot in de ziel te raken. Eén scherp woord, één blik, en we gingen over tot de aanval, hingen de telefoon abrupt op of sloegen met het autoportier. Alden liet me er zelden mee wegkomen. Hij vocht terug en was niet bang om een conflict aan te gaan. Naderhand bood hij altijd snel zijn excuses aan of vergaf me. Hij bekritiseerde me op punten waarop nog nooit iemand me had bekritiseerd, zoals mijn neiging om uitvoerig over andere mensen te praten en mijn geringschattende toon. Ik leerde van onze ruzies. Ik veranderde erdoor en we kwamen er nader door tot elkaar.

Alles bij elkaar bracht het me op vruchtbare grond die mijn ziel bekend voorkwam. Een lang geleden verloren gegane, vertrouwde stem zei mij dat dit het overwoekerde landschap was waar ik thuishoorde. Ik had geen goede reden om die stem te vertrouwen, om twintig jaar van hard werken en liefde weg te gooien en te vervallen tot een wildernis van honger en zo nu en dan razernij. En dus vertrouwde ik de stem niet. Ik ploeterde voort.

In de twee maanden daarop gebeurden er drie belangrijke dingen. Het eerste gebeurde op de avond waarop ik, nadat ik een halfuur bij iets voor mijn werk aanwezig was geweest, stiekem naar Alden was gegaan. Ik scheurde de Golden Gate Bridge over. Hij stond me zoals altijd bij de deur op te wachten, klaar om me meteen te verslinden. Hij trok me mee naar de woonkamer en zette een plaat van Led Zeppelin op. Ik duwde hem in een stoel en begon voor hem te dansen. Toen het afgelopen was, lag hij onderuitgezakt in de stoel, had ik me op zijn schoot laten vallen en bleef de naald van de pickup op de binnenste rand van de plaat steken. We haalden diep adem om bij te komen. Hij tilde zijn hoofd op en keek op me neer.

'Waar kom jij vandaan?' vroeg hij.

Ik wist wat hij bedoelde. In bed had ik een keer aan hem gevraagd: 'Wie ben jij? Wat wil je van me?' Nu deed ik mijn mond open om iets indringends te zeggen.

'Zeg alsjeblieft niet "uit Scranton",' onderbrak hij me.

Ik heb geen idee of dat nou wel echt geestig was, maar ik begon te lachen, en toen hij ook, en we moesten zo lang en hard lachen – we rolden over de grond, hadden kramp in onze buik, tranen en snot vlogen in het rond, het leek wel vijf of tien minuten te duren – dat ik me na afloop als herboren voelde. Alle andere herinneringen aan lachbuien vielen erbij in het niet.

Het tweede: zaterdagochtend bij Alden thuis. Scott was de stad uit. Aan zijn eettafel dronken we percolatorkoffie, en hij schudde een spel tarotkaarten. Alden en ik waren van hetzelfde laken een pak: deels behoudend, deels new age. Hij had leren mediteren en tarotkaarten leren lezen, maar hij bezocht geen trommelkringen en geloofde niet in *The Secret*. Hij las Dostojevski, at rood vlees en luisterde naar jazz.

Ik schudde en coupeerde de kaarten, en hij legde ze uit in de vorm van een Keltisch kruis. Het begon met de hogepriesteres, het symbool van het goddelijke in de vrouw, daarna ging het verder met de zwaardenkoning (intellect en oordeel), de magiër, die omgekeerd lag (manipulatie, verwarring) en de stavenaas (nieuw begin, doorbraak). In het midden draaide Alden de zwaardentwee om, een geblinddoekte vrouw in een wit gewaad die op de oever van een meer zat en twee gekruiste zwaarden omhooghield. De afbeelding stond voor het nemen van een beslissing op grond van intuïtie en niet op grond van externe prikkels. De laatste kaart, de slotkaart, was de zon: straling, blijdschap, overwinning.

Ik kreeg niet veel mee van wat Alden zei toen hij de kaarten neerlegde. Ik werd in beslag genomen door de middeleeuwse plaatjes en de gedempte kleuren. Ik had nog nooit eerder tarotkaarten van dichtbij gezien. Ik maakte een foto van de tien uitgelegde kaarten en was later nog uren bezig de precieze betekenis en positie van elke kaart op te zoeken. Maar nog begreep ik niet wat ermee gezegd werd. Ik voelde wel aan dat het iets zei over mijn leven: het vrouwelijke, het intellect, verwarring, intuïtie, doorbraak, overwinning. De week daarop ontving ik op mijn werk een aan mij geadresseerd pakje. Ik maakte het open; er zat een voorpublicatie in van een nieuwe roman, samen met een persmap. De uitgever had er als bladwijzer een tarotkaart in gestoken: de zon.

Het originele tarotspel van Rider Waite telt achtenzeventig kaarten, en de zon is zonder meer een van de bekendere. Het was net alsof je met de post een schoppenaas als bladwijzer kreeg, terwijl je een paar dagen daarvoor met diezelfde aas je eerste potje poker had gewonnen. Misschien was het alleen maar toeval, maar toen ik de kaart zag, slaakte ik een kreet.

Het derde voorval speelde zich af op een avond nadat Scott en ik een paar vrienden te eten hadden gehad. Ze gingen naar Café du Nord, een club die zo ongeveer tegenover ons huis ligt, om daar een band uit San Francisco te zien optreden. Scott was moe en zei dat ik maar mee moest gaan; hij had blijkbaar vrede met de nieuwe afstand die ik tussen ons gecreëerd had. De afgelopen paar weken was hij bezig geweest met wijn maken en werkte hij aan een website voor de vijftigste verjaardag van een vriend. Ongeveer één keer per week zei hij dat ik een vakantie moest boeken, en zei ik oké, maar stelde het vervolgens uit.

Toen we in de club waren, checkte ik mijn e-mail op mijn telefoon. Alden had een lange liefdesbrief geschreven, niet bepaald geschikt voor elektronisch verkeer. Daarin stond alles wat een man naar ik aanneem altijd tegen zijn getrouwde geliefde zegt op een avond dat hij haar niet kan zien, maar toch had nog nooit iemand die dingen tegen mij gezegd. Mijn ogen vielen op één zin in het bijzonder.

We bevinden ons aan het begin van iets ingrijpends.

Misschien kwam het door mijn leeftijd, of door de grote beslissing waar ik voor stond, maar ik betrapte mezelf er vaak op dat ik alvast aan het graf dacht. Het leven bestond voor een groot deel uit herhalingen, die onmiddellijk weer vervaagden. Maar heel weinig woorden en ervaringen zouden er aan het eind van de rit werkelijk toe doen. Om weerstand te bieden aan dit tij van alledaagsheid, halfhartige beginnetjes en gedwarsboomde doelen had ik al heel lang geprobeerd om me ergens aan te verankeren.

Ik liep naar de toiletten van Café du Nord en ging in het hokje zitten, terwijl de bas gedempt door de muren heen dreunde. Ik las de brief nog een keer, hield de telefoon tegen mijn borst, sloot mijn ogen en liet dit ene momentje van eeuwigheid over me neerdalen. Die momenten deden zich niet vaak voor; misschien was dit zelfs wel mijn laatste.

Met mijn handen zo kruislings tegen mijn borst raakte ik

311

die andere pilaar van tijdloosheid die binnen mijn bereik lag aan, mijn trouwring, en draaide die om mijn vinger heen en weer. Ik wist nog niet of ik mezelf ertoe zou kunnen zetten om voor Alden bij Scott weg te gaan, maar één ding wist ik zeker. Deze brief moest op perkament geschreven worden en verzegeld worden met lak. Ik moest met die brief begraven of verbrand worden.

31

De meester van de polariteit

Deida liep met een wijd spijkerhemd om zijn lange magere lijf heen en weer te benen over het podium van een vergaderzaal in een strandhotel in Miami. Hij leek me een jaar of vijftig, was kalend en had een getrimd baardje en een snor – een gewone man dus. Hij had een wijd zittende spijkerbroek en stevige wandelschoenen aan.

'Dit is geen therapie,' zei hij. 'Bij therapie gaat het om veiligheid creëren, grenzen stellen, wonden genezen. Daar is niets mis mee, maar dit is meer iets als yoga. Of kunst. Je kunt beschadigd zijn, maar nog steeds prachtig aan yoga doen. Je kunt beschadigd zijn, maar nog steeds geweldige kunst maken. Het gaat er hierbij om dat je je lichaam opent, zodat je meer liefde en licht kunt uitstralen.'

Terwijl hij sprak, bewogen zijn handen heel sierlijk – hij rolde een denkbeeldige bal voor zijn borst heen en weer en stak zijn handen uit alsof het vleugels waren – en liep hij als een danser met gebogen knieën over het podium. Zo nu en dan bleef hij even staan, keek ons aan met zijn voeten stevig op de grond en zijn armen ontspannen langs zijn lichaam, en liet zijn blik langzaam langs de aanwezigen gaan. Tijdens die pauzes zag ik hem gelijkmatig ademhalen en voelde ik hem denken.

'Therapie en grenzen stellen behoren tot het tweede stadium,' zei hij. 'Daarin leer je goed voor jezelf te zorgen en het mannelijke en vrouwelijke binnen in jezelf in evenwicht te brengen. In het derde stadium laat je dat evenwicht weer los, geef je je grenzen op, dans je met je partner op een manier die jou verder opent dan je jezelf kunt openen.'

Ik was nog maar net aan het leren hoe ik een soort samenwerking tot stand kon brengen tussen mijn eigen mannelijke en vrouwelijke energie, tussen mijn behoefte aan structuur en doelgerichte activiteit versus sensualiteit en emotie. Ik keek het vertrek rond en vroeg me af of ik in spiritueel opzicht soms op de anderen achterliep. Waren zij al doorgestoten naar het derde stadium? Stellen en singles van verschillende leeftijden, allemaal wit en goedgekleed, zo te zien variërend van energieke ondernemers van middelbare leeftijd die veel golfden tot jonge progressieve mensen van de Westkust en uit Europa. Naast me zat Val, Susans voormalige schoonzus, met wie ik contact had opgenomen nadat ik haar profiel op de Deida Connection had zien staan. Ik had haar vijftien jaar geleden voor het laatst gezien, toen we allebei in een voorstad van Sacramento woonden, ik met Scott en zij met de broer van Susan, een hardwerkende, pragmatische vent die me aan Scott deed denken. Nu woonde ze alleen in Los Angeles en deed ze special effects voor film en televisie. Een bos lang, steil blond haar omlijstte haar blauwe ogen en minuscule neusringetje met diamant.

Ik had niet veel op met de drie stadia van Deida. Ik had de hele therapiecultuur van de jaren negentig meegemaakt en gezien hoe deskundigen hadden geprobeerd de fluïditeit van emotionele stadia te vatten in blauwdrukken waar je in het beste geval hooguit tijdelijk iets aan had. Psychospirituele dogma's veranderden om de paar jaar. Ik was hier om een veel praktischer reden aanwezig: om met eigen ogen te zien wat voor chemische werking er ontstond als mannen volledig in hun mannelijke energie zaten en vrouwen in hun vrouwelijke.

Deida was een van de weinige mensen op aarde die van polariteit zijn werk maakte. Hier ben ik, David. Laat maar zien hoe het werkt.

Bij de eerste reeks oefeningen moesten de vrouwen in een kring gaan staan, met hun gezicht naar de muur, en de mannen in een kring om de vrouwen heen, met hun gezicht naar hen toe. Aan de workshop deden evenveel vrouwen als mannen mee. Stellen die samen waren gekomen stonden met hun gezicht naar elkaar toe, maar zouden al snel doorschuiven naar iemand anders. Deida zei dat we elkaar gewoon moesten begroeten, en dat we elkaar dan commentaar moesten geven op elkaars stem en lichaamstaal. Daarna moesten we doorschuiven.

Werkelijk iedere man die ik begroette vroeg of ik wat meer wilde glimlachen. Ze zeiden allemaal dat ik zo intens uit mijn ogen kon kijken. Eén man zei: 'Als je lacht ben je de mooiste vrouw van allemaal.' Het bevel 'lachen!', geroepen door zowel bouwvakkers als daklozen, irriteerde me meestal, maar door deze oefening ging ik me afvragen of mannen soms echt bang werden van een vrouw die niet glimlachte.

We moesten met instantfeedback op elkaar reageren. Mannen liepen naar voren en gingen met hun gezicht naar ons toe staan. Deida vroeg wie van ons de aanwezigheid van de man kon voelen. Was hij integer? Kon hij liefdevol tot je doordringen? Vervolgens fluisterde Deida de man iets in het oor en dan veranderde zijn houding heel subtiel, maar wel zichtbaar, naar minder timide, of minder brutaal, of naar een stillere krachtige uitstraling.

Sommige vrouwen wilden dat ook wel proberen. Een knappe, bedeesd ogende vrouw met een enkellange rok aan kwam voor ons staan, met Deida achter zich. Hij zei dat ze haar handen van haar rug moest halen en de handpalmen naar buiten moest draaien. 'Open je handen, zodat ze liefde kunnen ontvangen,' zei hij. Toen moest ze haar armen naar opzij optillen en haar borst iets naar voren duwen, terwijl ze ons recht aankeek. 'Open de voorkant van je lichaam, je borsten, je keel, je buik,' droeg hij haar op. Het klonk eenvoudig, maar het viel zo te zien nog niet mee.

Je mocht Deida vragen stellen. Een lange blonde vrouw op de eerste rij stak haar hand op. Ze had een wapperende witte jurk aan waarin haar volle borsten en smalle taille goed uitkwamen. Haar goudblonde haar zat in een slordige knot opgestoken, ze had een gave huid en volle met collageen opgespoten lippen. Hoewel ze een paar minuten aan het woord was en iets vertelde over een oudere echtgenoot en over dat ze totaal geen seksleven had, was ze niet in staat ook maar één zin af te maken, zo erg zelfs dat Val en ik elkaar ondertussen bezorgd aankeken. Daarna moesten de mannen in een kring gaan staan kijken hoe de vrouwen dansten en vervolgens twee vrouwen uitkiezen: de vrouw wier dans hun het meest had geïnspireerd en de vrouw met wie ze het liefst naar bed wilden. Ze kozen de vrouw met de lange rok voor de inspiratie en de slecht uit haar woorden komende blondine met de knot voor de seks. Deida vroeg haar naar het midden van de kring te komen en iedereen applaudisseerde. Val kwam achter me staan.

'Jezus,' fluisterde ze, en ze schudde afkeurend haar hoofd. Ik keek haar aan en zuchtte. Wij applaudisseerden allebei niet.

Daar zat 'm de kneep, bij het dubbelzijdige zwaard van de vrouw als energie: niet dat tieten en dat blonde haar opwindend waren – dat waren ze natuurlijk – maar dat intelligentie er niet toe deed. Ik was verbijsterd dat de meerderheid van de mannen geilde op de enige vrouw die geen enkele gedachte wist te formuleren.

'Het nummer heet "Something in the Way She Moves", zei Deida bij wijze van grap, 'en niet "Something in the Way She Talks". Al deze mannen uit het zogenoemde derde stadium wilden hetzelfde wat elke corpsbal wil: het gemakkelijkste wijf dat er is. Om zich zelf maar vooral niet te hoeven inspannen.

Maar ik kon het ze niet echt kwalijk nemen, want dat was toch precies wat ik ook wilde? Bij mijn ideale man kwam ook niet al te veel inspanning kijken. Hij was knap, heel intelligent, rijk, stabiel, maar ook hartstochtelijk, kunstzinnig en spiritueel. Hij wist mijn emoties met onverstoorbare kalmte in toom te houden, maar neukte me helemaal plat als ik daar zin in had. Hij behandelde me als zijn gelijke, maar ook – zo nu en dan, alleen als ik er zin in had – als een prinses die beschermd moest worden en met wie hij behoedzaam moest omgaan. Ik kon verdedigingsmechanismen in stelling brengen, maar die wist hij toch in een handomdraai te ontmantelen. De vrouw in mij wilde letterlijk álles. Ik stelde mezelf inmiddels al maandenlang in mijn onbewuste de vraag: wat was het verschil tussen deze bodemloze put van 'vrouwelijk verlangen' en doodgewoon narcisme?

Overgave wilde ik alleen in de slaapkamer. Daarbuiten was ik niet van plan om iemand mijn leven te laten bepalen, me te laten vertellen wat ik moest zeggen of denken, in wat voor stad ik moest wonen, hoe ik mijn tijd besteedde, wanneer ik moest glimlachen. De ideale man bediende me op mijn wenken – denk aan Mama Gené en de hele moderne godinnenbeweging, denk aan de populaire uitspraak 'Als mama niet gelukkig is, is niemand gelukkig'. Kortom, ik wilde volkomen de baas zijn, maar net doen alsof ik me overgaf.

We vormden opnieuw twee kringen, met de vrouwen in de binnenste kring. 'Mannen, jullie gaan zo meteen jullie grootste angst ervaren,' zei Deida vanuit het midden van de kring. 'Ik wil dat jullie rechtop staan, door jullie neus ademhalen, haar recht aankijken en je niet bewegen. Jullie gaan zo meteen ervaren dat jullie haar woede helemaal niet uit de weg hoeven te gaan. En dames, jullie gaan ervaren hoe het is als een man bewust jullie grootste, heftigste emoties in bedwang houdt.'

Sommige mannen lachten gespannen. Ik keek naar Val, die een meter bij me vandaan stond, en we glimlachten vrolijk naar elkaar. We mochten zo meteen iets doen waar we buiten deze ruimte nooit meer de kans voor zouden krijgen. Mijn hart bonkte van spanning.

De man tegenover me was in de dertig, stevig gebouwd, had kort haar, droeg een poloshirt, en had de gezonde uitstraling van de footballcoach op een middelbare school.

'Vrouwen, ik wil dat jullie langzaam ademhalen en alle woede opzoeken die jullie in je lichaam voelen. De woede kan afkomstig zijn van iets wat vandaag of twintig jaar geleden gebeurd is. Laat hem maar vanuit je buik omhoogkomen. Als ik "go" zeg, gaan jullie geluiden maken en drukken jullie de woede met je lichaam uit: krijsen, kreunen, met je voeten stampen, aan je haar trekken. De enige regels zijn dat jullie niemand mogen slaan, dat jullie geen woorden mogen gebruiken en dat jullie moeten ophouden als ik "stop" zeg. Oké? Iedereen klaar? Go.'

Er schoten vage gedachten door mijn hoofd aan Scott die weigerde me zwanger te maken en aan de wreedheden die mijn vader vroeger had uitgehaald, maar binnen een paar seconden ging ik door mijn knieën, boog me voorover, sperde mijn mond wagenwijd open en slaakte een oorverdovende brul die van mijn perineum tot mijn keel trok. Ik kromde mijn vingers tot klauwen en jammerde alsof iemand met een hakmes op me in sloeg, tot Deida 'stop' zei. Toen kwam ik duizelig en naar adem happend overeind en sprongen de tranen me in de ogen.

Deida zei tegen de mannen dat ze met uitgestoken armen een stap naar ons toe moesten zetten. Dat deed mijn partner, en hij keek me met zachte, onbevreesde blik aan, waardoor ik alleen nog maar harder ging huilen. Toen herhaalden we de hele gang van zaken: weer tien seconden woede, waarna de mannen een stap dichterbij kwamen tot ze vlak voor ons stonden, met hun armen bijna om ons heen, maar zonder ons aan te raken.

Ik had me nog nooit zo energiek en aanwezig gevoeld in het bijzijn van een man. De tranen stroomden over mijn wangen, maar ik was niet verdrietig. Er zigzagde een heldere, geaarde stroom door me heen die mijn meest verankerde ik met mijn huid verbond, net zoals wanneer je na het zwemmen net boven bent gekomen. Mijn partner kreeg een rood gezicht en begon sneller te ademen.

'Je zult merken dat je vlak na de woede tot een grotere zinnelijkheid in staat bent,' zei Deida. 'Dat kan gemakkelijk overgaan in een heel heftige seksuele confrontatie tussen de man en de vrouw, hoewel we daar nu verder niets mee zullen doen.'

Iedereen moest lachen. Afgezien van een schorre keel was ik weer de oude. Ik kon alleen maar vermoeden hoe gelukkig en gezond ik – en elke vrouw die ik kende – zou zijn als we dit regelmatig zouden doen.

Toen de woedeoefening ten einde was, liep het al tegen elf uur 's avonds. Val en ik trokken ons badpak aan, gingen via de achterdeur van het hotel naar buiten en liepen langs het zwembad naar het strand. Het was begin oktober, een heldere avond, een graad of vierentwintig, en het zeewater was lauw. De vollemaan wierp zoveel licht dat we onze voeten op de zeebodem konden zien. We waadden tot ons middel het water in, gingen toen voorzichtig op onze rug liggen, spreidden onze armen en bleven zo een halfuur zwijgend drijven. De golfjes waren kalm als die van een meer. Zo nu en dan peddelde ik zacht met mijn armen om mezelf terug te draaien naar de maan. Uit mijn ooghoeken zag ik Vals hoogblonde haar uitgewaaierd over het water.

Deida besteedde de laatste uren van de workshop voornamelijk aan vragen en individuele oefeningen. Ik zat in het midden van de zaal en stak mijn hand op. Hij wees me aan. Ik vertelde hem met welk dilemma ik worstelde: moest ik bij mijn man blijven, van wie ik hield, maar die er niet zoveel voor voelde om de polariteit verder uit te bouwen, anders dan ikzelf, of moest ik hem verlaten voor een man met wie ik van nature veel meer polariteit ervoer?

'Houdt je man van je?' Ik zei ja.

'Is het een lieve man?' Ik zei ja, absoluut.

'Nou, je man is er niet bij, dus ik kan niets zeggen over zijn rol in het geheel. Maar jou kan ik wel feedback geven, want jij bent hier wel. Ik vraag me af of je wel voor hem openstaat. Op mij maak je een gedeprimeerde indruk. Moet je kijken hoe je erbij zit.' Ik had mijn schoenen uitgetrokken en zat als een indiaanse in kleermakerszit op de stoel, met mijn handen op mijn bovenbenen. Ik had mijn handpalmen bewust open naar boven gedraaid, omdat hij tegen de vrouw met de lange rok gezegd had dat ze dat moest doen.

'Als hij een lieve man is en jullie van elkaar houden, denk ik dat je bij hem moet blijven. Doe je best om je open te stellen. Je kunt je altijd openstellen, wat de ander ook doet. Concentreer je op zijn betrouwbare aspecten. Probeer hem met je lichaam tot indringender contact uit te nodigen. Jullie zijn al heel lang samen en je moet hem een kans geven.'

Openheid. Niet om dingen vragen, geen seks, zelfs niet

flirten of verleiden. Was ik ondanks de paaldanslessen en de cursussen vrouwelijke kunsten in mijn huwelijk wel open geweest? En zou dat wel lukken als ik nu mijn blik, glimlach en de stand van mijn handen veranderde? Dat voelde op dit moment als zo'n subtiele verandering dat Scott het toch niet zou opvallen; alsof je, nadat de chemo niet is aangeslagen, opeens een homeopathisch middeltje probeert. En dan had ik het nog niet eens over de extra dreun die ik hem met mijn ontrouw had uitgedeeld.

'Oké, dank je wel,' zei ik, en Deida ging door naar de volgende vraag. Maar ik was nog niet klaar. Toen hij zijn assistent op het podium haalde en vroeg wie er met hem een oefening wilde doen, stak ik mijn hand weer op. Deida wees me aan en ik liep naar voren en ging naast hen staan.

De assistent zat tegenover me op een rechte stoel, met zijn voeten op de grond, zijn handen op zijn knieën, en keek me aan, of, liever gezegd, keek door me heen. Hij demonstreerde de energie van een man die gebukt gaat onder werk en onder zijn eigen gedachten.

Deida kwam tussen ons in staan. 'Hoe ga jij James uit zijn hoofd halen en in zijn lichaam brengen?' vroeg hij. Alle ogen waren op mij gericht. Ik deed een stap dichter naar hem toe, haalde een paar keer langzaam adem, keek hem recht in de ogen en probeerde langzaam de verleidster in mij naar boven te roepen. Ik glimlachte, maar zijn harde blik verzachtte niet.

'Gebruik je stem en je lichaam,' zei Deida. 'Probeer zijn energie naar zijn benen te trekken.' Ik ging op mijn knieën zitten en legde mijn handen tegen James' scheenbenen. Hij schoof naar voren op de stoel en keek met stralende blik op me neer. 'Neuk me, schatje,' zei ik zacht.

'Nee. Je mag niet tegen hem zeggen wat hij moet doen,' zei Deida. Ik stond op, want ik wist het verder niet. Ik haalde nog een keer diep adem en ging met mijn handen over mijn heupen.

'Zien jullie dat haar energie vastzit?' vroeg Deida aan de andere aanwezigen. 'Dit noemen mannen nou een koele kikker. Dit is de reden waarom ze vreemdgaan. Dit is nou typisch zo'n vrouw die een klap moet krijgen, en dat bedoel ik niet beledigend. Haar energie moet hoognodig in beweging gebracht worden.'

Ik draaide me in alle ernst naar Deida om en zei: 'Oké, sla me dan maar.'

'Dan kan ik niet,' zei hij.

Om juridische redenen, nam ik aan.

'Help me dan. Zeg me wat ik moet doen.'

'Ik weet het niet,' zei hij, en hij haalde zijn schouders op. 'Net zo doen als een pornoster?'

Ik zette grote ogen op. Duizend dollar en vijftienhonderd kilometer om de man die *Finding God Through Sex* had geschreven te horen zeggen dat ik me als een pornoster moest gedragen?

'Echt? Hem gewoon bespringen?'

'Ja. Je mag hem niet kussen of zijn geslachtsdelen aanraken, maar verder mag alles.'

Ik ging schrijlings bij James op schoot zitten, trok mijn staart los en ging met mijn neus en lippen langs zijn hals. Hij was een jaar of vijfendertig en op een strenge manier knap. Ik kneep in zijn biceps, ging met mijn vingers door zijn haar, drukte mijn borst tegen zijn sleutelbeen, duwde zijn kin schuin naar achteren en bleef er met mijn mond vlak boven hangen. Hij hield me bij mijn heupen vast. Ik drukte me tegen zijn heupen aan en draaide rondjes, zoals ik tijdens het vrijen graag deed als ik op de man zat. Ik ging met mijn handen over mijn borsten, kreunde, gooide mijn hoofd in mijn nek, slingerde al mijn

haar over zijn gezicht en gromde naar hem, waarbij ik gebruik-
maakte van de agressie die door de opmerkingen van Deida
was losgekomen. Toen ik op het laatst weer rechtop ging zitten,
hijgde ik en kreeg ik applaus. Zo te merken kon ik bij Deida nu
op iets meer goedkeuring rekenen. Ik kwam van James' schoot
en een man op de voorste rij stak zijn hand op. Deida wees
hem aan.

'Nou, als ik even voor mezelf mag spreken, dan vond ik dit
nogal heftig,' zei de man, en een paar anderen lachten en knik-
ten. 'Ik zou zelf de voorkeur geven aan iets tussen wat ze in het
begin deed en wat ze op het laatst deed.'

'Heel goed,' zei Deida. 'Iedere man heeft behoefte aan een
andere soort en een ander niveau van vrouwelijke energie.'

Ik bedacht dat Nicole me in mijn ene oor het belang van
langzame seks en de kwalijke invloed van porno influisterde
en dat Deida in het andere oor, in elk geval tot op zekere hoogte, het tegendeel propageerde.

'Koele kikker. Laat me niet lachen,' fluisterde Val toen ik
weer naast haar zat.

Bij de laatste oefening van het weekend gingen de mannen
zitten en moesten de vrouwen een man kiezen en schrijlings
bij hem op schoot gaan zitten. Ik liep meteen naar een gespierde blonde man van eind twintig, die Val en ik voor de grap
de bijnaam Hollywood hadden gegeven, omdat hij eruitzag als
een filmster. Ik koos hem omdat ik me zo door hem geïnti-
mideerd voelde. Er begon luide trommelmuziek. Deida droeg
ons op om, terwijl we op de schoot van de man bewogen, diens
ademhaling en blik te volgen. Hollywood ademde heel goed. Ik
volgde zijn langdurige in- en uitademingen en werd er duizelig
van. Hij legde zijn handen laag om mijn middel en drukte zijn
vingers tegen mijn heiligbeen. Ik hield me aan de rugleuning
van de stoel vast en wiegde met mijn heupen op zijn schoot

heen en weer. We begonnen te transpireren. De muziek werd sneller en luider. Er begonnen inmiddels een paar vrouwen geluid te maken – ah, o, ooo. Sommige vrouwen maaiden wild met hun armen en gooiden hun hoofd in hun nek; het leek en klonk wel alsof ze volledig aangekleed op een tantrisch orgasme aan koersten.

Kon je dat echt met je ademhaling voor elkaar krijgen? Misschien als je een doorzichtig lichaam had, gemaakt van licht, en je je handen en wervelkolom in de juiste stand hield, of als je echt geloofde dat de manier waarop je bewoog sterker was dan de dingen die je zei. Maar kom op zeg, toch niet als je de dochter van een bookmaker uit Scranton was, een melancholieke harde tante wier seksuele reacties net zo grillig waren als haar nimmer verzakende bewustzijn?

32

De harde, ongrijpbare waarheid

Doordat ik mijn hele jeugd heb ontkend – uit mezelf en zonder erbij na te denken – dat iemand me pijn deed, bleek ik meteen weer in de ontkenning te schieten toen ik zelf Scott pijn begon te doen. Ik hield mezelf voor dat ik loog om hem te beschermen, maar sprak niet uit dat mijn voornaamste drijfveer was dat ik mezélf wilde beschermen: ik wilde mijn opties beschermen en openhouden. Maar zo werkte het dus niet. Hoe langer ik loog, hoe meer opties er afvielen. Ik kwam tot de ontdekking dat bedrog zijn eigen metafysische regels heeft, net zo betrouwbaar als de wetten van de zwaartekracht. Scott en ik hadden zo'n hechte band dat ik, door hem pijn te doen, ook mezelf wel pijn moest doen, ook al merkte ik dat door een dun laagje van zelfmisleiding aanvankelijk niet. Mijn leugens vraten zich als langzaam groeiende tumoren naar binnen. Pas jaren later zou ik de volle reikwijdte ervan ervaren, toen ik er 's nachts van wakker lag, ze me overdag ook niet met rust lieten en me dwongen om op een drukke straat op de stoeprand te gaan zitten en in tranen uit te barsten.

Overspel mag dan beladen zijn met verdriet en schuldgevoel, het heeft een reden dat mensen ermee door blijven gaan. Het gaf me een ongelooflijke voldoening om regelmatig heen en weer te reizen tussen de twee uitersten van mijn leven – stabiliteit en hartstocht – in plaats van weg te kwijnen in de kille veiligheid van het een of helemaal op te branden in de vlammen van het ander. Ze hielden me volledig in evenwicht. Hoe vaak dagdroomde ik er niet van dat ik twee echtgenoten had, dat ik hen allebei toestond om ook twee echtgenotes te hebben. Geen eindeloze polyamoureuze toevoer, nee, gewoon twee. Zou dat logistiek gezien te regelen zijn? Ik betwijfelde het. Maar in de paar weken waarin ik in het grijze gebied verkeerde, begon ik de Golden Gate Bridge te beschouwen als een lange gang in het landhuis van mijn dromen, met aan beide uiteinden een slaapkamer waar ik eindelijk zowel de tederheid als de felheid die in mijn hart leefde kon uiten. Precies die combinatie waarvan ik ooit gehoopt had dat die mede door toedoen van Ruby tot stand gebracht zou worden.

Ruby. Een baby als cement voor een relatie, om de zwakke plekken mee op te vullen. Over dagdromen gesproken. Van een baby wordt je seksleven niet beter; een baby helpt dat eerder om zeep. Een baby vormt geen aanvulling op een huwelijk, maar zet het onder spanning. Een baby vormt zelfs voor een vrouw geen aanvulling, of in elk geval niet voor een vrouw als ik. Toch?

Wat moest ik dan denken van het krantenknipsel dat ik op een middag toevallig vond? Scott was gaan kamperen, Alden was de stad uit en ik zat de hele dag met Cleo in de keuken, waar ik oude brieven en kaarten sorteerde. Uit een map uit 1988 stak een vergeelde pagina uit *The New York Times*. Ik trok hem eruit, vouwde hem open en herinnerde me meteen dat ik pas vierentwintig jaar was toen ik het artikel had uitgescheurd en opgeborgen, nog voor ik ook maar één bewuste gedachte aan het moederschap had gewijd. In het stuk kondigt Anna Quindlen aan dat ze stopt met haar column voor *The New York Times* omdat ze net bevallen is van haar derde kind, een meisje met de naam Maria, en schrijft ze dat je sommige ervaringen gewoon moet meemaken en dat je er niet alleen maar over moet nadenken.

Ik herinnerde me nog waar ik was op de dag dat ik het las, in een zonnig, aftands appartement in het centrum van Sacramento, waar ik samenwoonde met het vriendje dat ik vóór Scott had. Ik had de muren grijs geschilderd en voor de erkerramen vitrage gemaakt. Ik zat vlak bij een van die ramen de krant te lezen, en toen ik het stuk uit had, bleef ik naar Quindlens woorden kijken en ging ik met mijn vingers over de gedrukte letters, waarin dit tweeledige symbool van het vrouw-zijn besloten lag – moeder en schrijfster, een leven waarin plaats was voor kinderen én voor jou zelf – alsof ik zoiets nog nooit eerder had gezien. Ik liep naar de keuken, pakte de schaar uit de la, knipte het stukje langs de gelijke kantlijnen uit, vouwde het in drieën en stopte het weg alsof het een geheim betrof.

Biologie. Ik spoel versneld door naar een paar jaar na mijn affaire met Alden, rond de tijd dat ik 's nachts huilend wakker word, aan alle leugens denk die ik verteld heb en hun staalharde, liefdeloze scherpe randen echt in mijn lichaam voel, alsof ze in staat zijn mijn ingewanden aan stukken te snijden. Mijn blijdschap keert na een lange omweg weer terug en concentreert zich op de keuken, de haard, het etentje met vriendinnen, de boeiende roman. Ik lees een interview met een gynaecoloog over de hormoonveranderingen die vrouwen ondergaan als ze tussen de veertig en vijftig zijn. Ze vertelt dat als een vrouw begin veertig is haar oestrogeengehalte, het hormoon dat 'ervoor zorgt dat we er mooi uit willen zien, veel seks willen hebben en kinderen willen krijgen', een piek vertoont, als een soort laatste hoeraatje voordat de overgang begint. De laatste kans voor het lichaam om te doen waarvoor het op aarde is. 'Je merkt het altijd als bij een vrouw de overgang in aantocht is, want dan wil ze alleen nog maar thuisblijven, een yogabroek aan en lezen.' Ik kijk omlaag naar mijn eigen yogabroek. Ik verbaas me erover dat deze arts net de meest bewogen jaren van mijn leven in één zin heeft samengevat. Maar geen enkele goed functionerende volwassene kan haar gedrag alleen maar aan hormonen wijten. Toch?

'De waarheid is vaak niet zo eenvoudig,' zei George altijd als ik per se wilde benoemen wat voor effect mijn jeugd op mij had gehad. 'Als je je blik naar binnen richt en door de lagen heen graaft, kom je er op een gegeven moment achter dat je zelfs voor jezelf een raadsel bent geworden.'

Toen we net in San Francisco waren, voordat Scott en ik ons huis kochten, vóór de positieve zwangerschapstest en de sterilisatie, woonden we in een appartement met één slaapkamer in Pacific Heights. Elke ochtend ging ik, voordat ik aan mijn freelanceschrijfwerk begon, naar het café aan de overkant, waar ik met de krant of een boek wegkroop in een oude roodleren bank. Ik zat een keer *On Mexican Time* te lezen toen een lange, goedgebouwde man naast me kwam zitten en zei: 'Ik ben dol op Mexico. Op de Mexicanen. Ontzettend zachtmoedige, vriendelijke mensen. Trouwens, hallo, ik ben Jake, aangenaam.' Hij boog zich naar voren en stak me zijn hand toe. 'Wat een mooie sandalen. Je bent vast een echt meisjesmeisje.'

'Nou nee,' antwoordde ik, en ik deed het boek dicht en keek in zijn leiblauwe ogen. 'Mijn man en ik gaan volgend weekend met onze camper naar Baja.'

'Jullie hebben een camper!' riep hij uit, terwijl hij zijn mond zogenaamd gefascineerd open liet zakken en hem ook een seconde openhield. 'Geweldig.'

Maandenlang dronk ik een paar keer per week koffie met Jake. Dan vertelde hij over zijn jeugdige avonturen in het buitenland en over zijn eenvoudige zoektocht naar een warme, liefdevolle vriendin, met wie hij uiteindelijk een gezin kon stichten, in een stad vol ambitieuze carrièrevrouwen met fleecetruien aan. Omdat ik schrijfster was, van huis uit werkte, meisjesachtige sandalen droeg en van koken hield, beschouwde Jake mij als de uitzondering, en ik deed niets om hem op andere gedachten te brengen. Jake was van mijn leeftijd en ongeveer net zo lang als Scott. Hij deed me denken aan de Italiaanse jongens uit mijn jeugd: sportief, spontaan, heel zelfverzekerd, op het agressieve af.

Op een dag kwam hij meteen nadat hij had hardgelopen in korte broek de koffiebar in, zwaaide naar me en ging in de rij staan om te bestellen. Ik zat op de bank, onze vaste ontmoetingsplaats. Er stond een lange rij, en toen ik een minuut later opkeek van de krant, viel mijn blik op zijn volmaakt gevormde knie, midden tussen zijn lange bovenbeen en de strakke hardloopspier van zijn kuit. Er gleed iets tussen mijn schouderbladen. Het ging niet gepaard met woorden, mijn hart had gewoon een slag overgeslagen en ik had het gevoel alsof iets heel kleins zichzelf opnieuw tot leven wekte. Ik las weer verder en probeerde er geen aandacht meer aan te besteden.

Een paar weken later zat Jake in een nette donkerblauwe broek en een wit overhemd, waarvan hij de boord open had geknoopt, in onze woonkamer. Hij was linea recta vanuit zijn werk in het centrum naar ons toe gekomen. Scott zat schuin tegenover Jake in een grote leunstoel, op blote voeten en in spijkerbroek en t-shirt. Ze hadden het over politiek – Bush, Irak, Afghanistan. Ik luisterde niet echt, maar registreerde alleen het evenwicht tussen de twee mannen. Jake deed grootse, meeslepende uitspraken over de ethiek van de Republikeinen en Scott reageerde daarop met gegevens over de kosten en het aantal slachtoffers in Irak. 'Man, daar heb ik gewoon niet van terug,' zei Jake. 'Jij zit op een heel ander niveau.'

Op een gegeven moment maakte Jake aanstalten om op te stappen; hij zette zijn koffie neer en legde zijn grote handen op zijn knieën. 'Jeetje, jongens, wat een heerlijk eten en wat een geweldige gesprekken. Jullie zijn precies het hartelijke, nadenkende stel dat deze kille buurt nodig heeft. Geweldig, echt geweldig.' Hij trok het donkerblauwe jasje van zijn pak aan, stopte zijn losgetrokken stropdas in de zak en nam afscheid.

Scott en ik liepen naar de bank en gingen zitten.

'Wat een figuur,' zei Scott.

'Ik geloof dat ik met hem naar bed wil,' zei ik. Het was eruit voor ik er erg in had, als een ondergrondse scheut die door een breuklijn naar buiten barst.

Scott stond op van de bank, begon te ijsberen en draaide zich toen naar me om. 'Ik zit op kantoor geld te verdienen en jij gaat hier in je café op zoek naar kerels met wie je naar bed wilt?' Hij liep naar de kast, trok loopschoenen en een jas aan, en vertrok. Hij bleef uren weg.

'Waar was je nou?' vroeg ik toen hij om een uur of twee 's nachts in bed kwam.

'Ik heb door het Presidio gelopen. Ik moest denken aan de jarenlange verhouding die ik met Rosemary heb gehad en dat haar man daar zijn zegen aan had gegeven.'

Hij zweeg even en ik wachtte. Het kwam niet vaak voor dat hij dieper op de emotionele details van die relatie inging.

'Hij had geen keus. Hij kon alleen maar toekijken, terwijl hij haar langzaam maar zeker kwijtraakte. En nu ben ik zelf aan de beurt. Het is net alsof dit het eerste symptoom is van een ziekte waar ik uiteindelijk aan zal doodgaan.'

We reden honderdvijftig kilometer naar Sacramento om onze oude therapeut George te bezoeken. Hij zei dat we meer romantiek in onze relatie moesten brengen. Ik moest Scott bij de deur begroeten als hij 's avonds thuiskwam en hem laten merken dat ik blij was om hem te zien. Scott moest uitstapjes voor ons regelen; hij moest maar eens in dat boek met romantische weekendjes weg kijken dat ik hem jaren geleden had gegeven. 'Het vrouwelijke is de ziel en het centrum van het leven,' zei George tegen Scott. 'Een man die dat niet inziet en koestert, blijft alleen achter, ver bij alles vandaan.'

Toen richtte George zich tot mij; hij waarschuwde me om vooral geen intimiteit, van wat voor vorm dan ook, buiten het huwelijk te zoeken. 'Een niet-monogame relatie zorgt voor een soort breuk die precies het tegenovergestelde is van integratie. En ik ken jou, Robin. Jij zoekt integratie. Als jij met andere mannen naar bed wilt, raad ik je aan om eerst je huwelijk te beëindigen.'

Dat was ondenkbaar voor me. Ik hield veel te veel van Scott om bij hem weg te gaan. Ik wilde gewoon dat hij wat meer passie toonde, omdat ik niet wist hoe ik minder moest tonen. Gewoon wat meer passie, Scott, gewoon net genoeg, zodat ik niet meer ontdaan raak bij het zien van de knie van een andere man. Achteraf gezien weet ik nu dat het veel gemakkelijker voor me was om gewoon te denken dat hij iets achterhield en dus niet de voor de hand liggende conclusie te trekken, namelijk dat hij alles al gaf en dat zijn alles voor mij blijkbaar niet genoeg was.

Ik dacht: ik doe wat ik moet doen. Ik geef dat gevoel dat Jake in me oproept gewoon wel aan Scott. Ik blijf me verder bekwamen in al die vaardigheden die ik op de school voor de vrouwelijke kunsten geleerd had: met Scott flirten, me op plezier concentreren, felle kleuren dragen, zorgen dat ik me goed in mijn vel voelde. Ik zal me gaan inschrijven voor die paaldanslessen.

Toen we weer thuis waren, zei ik: 'Scott, toen ik jonger was en op mijn kwetsbaarst, en jij kalm en stabiel, voelde ik een enorme band met je. Maar dat kan niet de enige manier zijn waarop wij contact met elkaar maken. En jij hebt mij ook niet zo hard nodig als ik jou nodig had. Dus moeten we een nieuwe manier zien te vinden.'

Scott luisterde. Misschien dacht hij aan de keer dat hij me condooms had gegeven en een vrijbrief om een weekend lang in New Orleans te doen waar ik zin in had, en ik thuis was gekomen zonder het pakje te hebben opengemaakt. Misschien dacht hij aan al die jaren waarin ik ziek of depressief was geweest, en hij mijn rots in de branding, jaren waarin hij langzaamaan moest doen en rekening moest houden met mijn verdriet, en hij niet krachtig en scherp kon zijn. Misschien verbaasde hij zich erover dat ik me eerst per se had willen verloven, maar dat ik, nadat hij me ten huwelijk had gevraagd, ergens anders was gaan wonen. Het kon ook best zijn dat hij zichzelf de vraag stelde: waarom ben ik met deze vrouw als ik weet dat ik toch nooit kan winnen?

'Toen we elkaar net kenden, had je iets wilds over je,' zei ik. 'Waar is dat gebleven?'

Hij keek me geërgerd aan, alsof ik de vinger had gelegd op iets waar hij het liever niet over wilde hebben.

'Dat moest ik de kop indrukken om jou trouw te kunnen blijven.'

Als ik mezelf ertoe kon zetten om mijn vader zijn gewelddadigheid te vergeven, zou je toch denken dat ik mijn man ook wel zijn sterilisatie had kunnen vergeven. Als ik genoeg empathie kon opbrengen voor de verslaving van mijn vader, voor andere familieleden of vrienden in nood, waarom dan niet voor mijn eigen man? Heel lang heb ik het feit dat Scott zich zo weinig uitte – zijn neiging tot understatement, zoals George het noemde – eraan geweten dat het hem wel goed uitkwam om mij het zicht te benemen op zijn verdriet. Als ik heel eerlijk ben denk ik echter dat mijn empathie door een meer relevante barrière werd tegengehouden: het feit dat Scott, in tegenstelling tot de andere mensen in mijn leven, behoeften had die botsten met de mijne.

Ik begreep wel waarom een paar vriendinnen hadden gevraagd of het project niet vooral door wraak was ingegeven. Maar de waarheid was nog veel minder fraai, want wraak impliceert in elk geval nog blinde emotie. Wraak was misschien wel mede de oorzaak van mijn roekeloze opwelling om die eerste avond bij Paul aan te bellen, maar die had me niet aangezet tot een open huwelijk dat een heel jaar duurde en al helemaal niet tot mijn verhouding met Alden, die vanaf het begin belast was met schuldgevoel. Ik ging berekenend te werk. Toen ik doorhad dat ik de sterilisatie niet kon voorkomen, gebruikte ik die als ruilmiddel om iets te krijgen wat ík wilde: een beetje vrijheid om de ontluikende seksualiteit te ontdekken die keer op keer tegen de muren van het huwelijk stuitte. Ik had Scott gesmeekt me te ketenen zoals mannen dat al eeuwen met vrouwen deden, namelijk door me gewoon zwanger te maken, me aan huis te kluisteren, door ons met een bloedband aan elkaar te binden. Door mij de verantwoordelijkheid te ontnemen om zelf een keuze te maken. Door mijn kinderwens te vervullen en zo te voorkomen dat ik andere, minder heilige verlangens ging vervullen. Dat zijn de zonden die ik jegens mijn man heb begaan: ik heb mijn verantwoordelijkheid verzaakt, ik heb geen empathie voor hem opgebracht, ik heb hem bedrogen en ik heb tegen hem gelogen. Uiteindelijk was ík degene die om vergeving moest vragen.

33

Kruising der wegen

Toen ik thuiskwam uit Miami vertelde ik Scott over de woede-oefening, de danswedstrijd, de vollemaan. Ik vertelde hem niet wat ik aan Deida had gevraagd.

'Hij zei dat ik een koele kikker was.'

'Dat meen je niet!' Hij lachte. 'Die man is niet goed bij zijn hoofd.'

'Hij zei dat mijn energie vastzat en dat ik een klap moest krijgen.'

'Als jouw energie vastzit, wil ik niet weten hoe het is als iemands energie wel beweegt.'

'Weet je zeker dat je niet mee wilt naar de workshop in San Diego?' Dat had ik net zo goed niet kunnen vragen.

Ik ging naast hem achter het fornuis staan, waar hij in een pan mede stond te roeren. 'Ja, dat weet ik zeker, pop. Dit is jouw ding, niet het mijne.'

'En je vindt het niet erg dat ik alleen ga?' Ik gebruikte deze vragen om zijn afstandelijkheid zo'n beetje te peilen. 'Ik bedoel, ik kijk andere mannen in de ogen, ik huil, ze zeggen dat ik mooi ben. Dat is toch allemaal vrij intiem.'

Hij hield op met roeren en keek me aandachtig aan. 'Ik maak me geen zorgen. Maar laten we als je terug bent een reis plannen, goed? Sinds Parijs zijn we niet meer echt met vakantie geweest.'

De tweede workshop van Deida had veel minder impact op

me dan de eerste. Vooral de reis maakte indruk op me, langs de kust naar San Diego, en met name de terugreis. Ik reed langs kustplaatsjes, boomgaarden, wijngaarden en door lange stukken door de wind geteisterd grasland. Een tacokraampje in Santa Barbara. Het bekende rijtje winkels waar ik een gemakkelijk zittende broek kocht. En ondertussen zette ik steeds 'Skinny Love' van Bon Iver op repeat. 'And I told you to be patient and I told you to be fine... And now all your love is wasted and then who the hell was I?' Ik wilde dat de muziek alle ruimte in de voorkant van mijn hoofd in beslag nam, terwijl ik me daarachter een weg baande door een dicht struikgewas van behoeften en rationalisering. Het brave meisje was allang dood, maar het slimme meisje niet. Ze had haar punt gemaakt. 'Het moet afgelopen zijn met die capriolen,' zei ze. 'Het gaat hier wel om jóuw toekomst. Laat je niet door je verlangen in de luren leggen. Dat verandert van gedaante, het is een charlatan. Alden lijkt wel een soort baken, maar het komt toch weer bij je terug. Je komt er nooit van los.'

In de hoek ertegenover het gemopper van het lichaam. Mijn lichaam verlangde onmiskenbaar naar Alden, en in dat verlangen voelde ik voor het eerst in jaren echte hoop. Het lichaam zei: 'Je krijgt in dit leven één kans.'

Eén. Verder zei het er niets over. Door mijn hoofd tolden ideeën als spirituele vooruitgang, jezelf overstijgen, goedheid en groei, maar diep vanbinnen bonkte onophoudelijk dezelfde boodschap: één leven, één kans.

In één oor hoorde ik Deida beloven dat je door middel van polariteit de geest en het lichaam kon doen versmelten, maar ik hoorde ook de harde waarheid, namelijk dat ik die polariteit dwarsboomde met mijn eigen melancholie, om nog maar te zwijgen van mijn onhandig verwoorde eisen, waardoor mijn man zich waarschijnlijk eerder ontmand dan geïnspireerd voelde. In het andere oor wijdden Nicole en mijn vrienden van OneTaste uit over hoe goed het voor je was om nog dieper in de orgastische meditatie te duiken. Ze hadden het over lagen van emotionele en seksuele blokkades die werden opgeheven, over doorbraakmomenten en zelfs over lichamelijke genezing, allemaal als resultaat van regelmatige OM-sessies. Noah had gezegd dat hij zijn 'verslaving' aan een langdurige relatie had doorbroken en Margit hield er nieuwe minnaars op na, ook al was ze inmiddels verloofd met Oden. Maar zo zat ik niet in elkaar, en ik wilde ook niet eeuwig en altijd op dat ademloze niveau bezig blijven. Mijn leven was niet oneindig, en het was ook geen spelletje.

Ik had Susan en Ellen in vertrouwen genomen. Ik wilde hen niet tegenover Scott in een moeilijke situatie brengen, maar ik had echt dringend advies nodig. Zij kenden me heel goed, dus wat zouden zij me aanraden? Susan zei: 'Ik ben dol op Scott en ik ben dol op jullie allebei, maar Rob, volgens mij is jullie huwelijk echt kapotgegaan toen jij zag hoe hij op die positieve zwangerschapstest reageerde.' Ellen had er een andere kijk op. 'Ik ben voor Scott,' zei ze. 'We weten allemaal hoe dit afloopt. Na twee hartstochtelijke jaren wil je je betrouwbare, liefhebbende man weer terug.'

En dan was Scott zelf er nog, die wachtte, die het op een bepaald niveau misschien zelfs wel wist, en die zoals altijd aan zijn afspraken en zijn principes vasthield. Naast hem stond Alden, die zei dat ik de enige vrouw was die hij wilde, en dat hij zou wachten tot ik een besluit genomen had, tot dat wachten te veel pijn ging doen. Helemaal in de verte zag ik de schaduw van het huwelijk van mijn ouders, als achtergrond voor die twee, en hoe ik daardoor voor veiligheid met Scott had gekozen, om op de lange duur door honger gedwarsboomd te worden. Ik zag de muren die ik in mijzelf had opgetrokken tegen zowel eenzaamheid als toewijding, zodat ik in de benauwde en steriele ruimte ertussen heen en weer doolde. En ik zag het feit dat het huwelijk van mijn ouders eindelijk beëindigd was toen mijn moeder vijfenveertig jaar was – net zo oud als ik nu.

De laatste lange vakantie van Scott en mij samen hadden we in Parijs doorgebracht, ruim anderhalf jaar voordat ik met het project van start was gegaan. Die vakantie kwam pal na de positieve zwangerschapstest en Scotts mededeling, op die dag in december in de spreekkamer van Delphyne, dat hij zich zou laten steriliseren. In de week tussen Kerstmis en Nieuwjaar was het bewolkt en behoorlijk koud in Parijs, en om vijf uur 's middags was het al donker. We logeerden in een hotelletje in Saint-Germain en struinden elke dag door de stad samen met de andere toeristen, voornamelijk Europese stelletjes en gezinnen. Op de donkere middagen zaten we in cafés warme glühwein te drinken en reisgidsen door te bladeren. De stellen om ons heen waren allemaal zo knap en goedgekleed dat ik mijn ogen niet van ze kon afhouden als ze hun koffiekopje optilden, een sigaret opstaken, zich naar elkaar toe bogen om zachtjes te praten. In de wandelwagen die naast hun tafeltje geparkeerd stond lag steevast een slapende of anderszins zoete baby.

We liepen onder de kale wintertakken van de Jardin du Luxembourg, door de eindeloze gangen van het Louvre en het Musée d'Orsay, we klommen helemaal tot boven in de Notre-Dame en over de kasseienstraatjes omhoog naar Montmartre. Op onze laatste dag wilde Scott nog een museum bezoeken en ik zou gaan winkelen. Ik nam de metro naar de Marais en snuffelde in de *boutiques*, probeerde op elke eigenaar de paar moeizame zinnetjes Frans die ik kende uit, tot ik precies de bloes vond die ik zocht, van antracietgrijze katoen, met een geborduurd opengewerkt patroon erin, van een Parijse ontwerper. Ik ging terug naar Saint-Germain om een rok voor erbij te zoeken en liep een winkel in waar een lange donkere man van een jaar of veertig met een dikke snor achter de toonbank stond te glimlachen.

'Bonjour,' zei ik.

'Hallo. Wat kan ik voor je doen, jongedame?' Hij sprak uitstekend Engels, maar met een zwaar accent – Spaans zo te horen.

'Ik zoek een rokje voor hierbij,' zei ik, en ik trok het bloesje een stukje uit de tas.

'Heel mooi,' zei hij. 'Eens kijken wat we hebben.' Hij liep met me naar een rek met mooie wollen, gerende rokjes die eruitzagen alsof ze niet alleen heerlijk zaten, maar ook lekker warm waren. Terwijl ik ze bekeek, bleef hij achter me staan kletsen. Hij kwam uit Argentinië en woonde al twintig jaar in Parijs, met vrouw en kinderen, en hij zou nooit meer ergens anders willen wonen.

Ik haalde een rok met zwarte paisleykrullen uit het rek en zag bewonderend hoe mooi zacht de stof viel. 'Ben je getrouwd?' vroeg hij achter me.

'Ja,' zei ik, en ik knikte afwezig.

'Heb je kinderen?'

'Nee.' Ik keek naar hem op.

'Geen kinderen!' bulderde hij goedmoedig. 'Waarom niet?' Ik moest onwillekeurig glimlachen om zijn Latijns-Amerikaanse directheid, en om het feit dat hij er maar gewoon van uitging dat we allemaal één grote familie waren die over alles met elkaar kon en moest praten.

'Mijn man wil geen kinderen.'

'Dan neem je toch een nieuwe man!' riep hij, terwijl hij zijn grote hand achter zich de lucht in wierp. We moesten allebei lachen. Ik ging het pashokje in om de rok te passen, die me als gegoten zat. Ik kocht hem, nam afscheid, en hij wenste me veel succes en een gelukkig nieuwjaar.

In de jaren daarna zag ik nog regelmatig zijn grote ogen en lachende gezicht voor me, en hoorde ik de botte beslistheid van zijn met zwaar accent uitgesproken woorden. Neem een nieuwe man.

Naar wie moest ik luisteren, naar de yogi die straling en zachtheid predikte, die zei dat ik mezelf een klap moest geven, dat ik mijn energie in beweging moest brengen en mijn man een kans moest geven, of naar de Argentijnse winkeleigenaar die in Saint-Germain wollen rokken en gratis advies aan de man bracht?

Ik rijd over de 101 North de stad in, en Bon Iver is voor de vierde keer bezig op de cd-speler. Ik passeer Castro en rijd de Golden Gate Bridge over, linea recta naar Alden, en een halfuur later rijd ik over de andere rijbaan van de brug weer naar het zuiden, langs de rand van het Presidio naar Divisadero, over de top door Pacific Heights en omlaag naar Castro, en parkeer mijn auto voor mijn gele huisje. Scott zit aan de keukentafel op zijn laptop te werken. Ik sla mijn armen om hem heen, geef hem een kus en ga zitten.

Nog één laatste interpretatie van het project: een uitgebreide poging om de ketenen te ontmantelen van de liefde en de trouw waarmee ik zo stevig aan mijn man vastzat dat er verder niets mogelijk was. Die moesten eerst losser gemaakt worden. Het duurt even – jaren zelfs – voor je een huwelijk om zeep geholpen hebt.

'We moeten praten,' zeg ik. Hoe vaak heeft hij dat niet al gehoord? De vrouw die altijd maar loos alarm slaat.

'Volgens mij is het tijd om uit elkaar te gaan,' zeg ik. De bijl is gevallen. De losgemaakte keten glijdt weg.

Er blijft een woord in zijn keel steken. Hij krijgt het amper zijn mond uit. 'Scheiden?'

Ik knik. Ik ben verbijsterd, ik geloof het zelf niet. Hoe kan ik dit doen? Ik kan het ook niet, maar ik moet. Net als die dag dat ik de abortuskliniek binnen liep. Het is alsof ik een pistool tegen zijn hoofd zet en gewoon de trekker overhaal. Nee, nee, nee. Op de een of andere manier weet ik nog uit te brengen: 'Wij willen allebei iets anders.' Ik kijk op en ontmoet zijn blik.

Alle kleur is uit zijn gezicht verdwenen. Over dit moment zal ik nooit heen komen. Twintig jaar lang – mijn jeugd, zijn beste jaren – de helft van mijn leven tot nu toe, worden allemaal opgeslokt door zijn asgrauwe verdriet, dat nu al omlaagdwarrelt naar de stille krochten van zijn kracht, om daar voor altijd te verdwijnen. Ik weet niet wat erger is, de pijn die ik voel doordat ik hem verdriet doe of de gitzwarte angst om hem kwijt te raken.

Zo zitten we een hele tijd, hand in hand, en huilen we in stilte. Dit is de reden waarom mensen hun biezen pakken en vertrekken wanneer hun wederhelft op zijn of haar werk is: een allesoverheersende aandrang om de plaats delict zo snel mogelijk te verlaten. Een verrassingsaanval. Maar dat sta ik mezelf niet toe. Ik blijf hier uren, dagen, weken met hem zitten, in elk geval tot hij van de eerste schrik is bekomen. Dat ben ik hem wel verplicht.

De tijd vertraagt en wordt donker. We betreden het pad naar het verdriet hand in hand. Twee weken later komt hij dronken thuis, hangt zijn jas op en komt naast me op de bank zitten. 'Ik snap het niet. Hoe kún je dit doen? Ben je gek geworden? Ik ken je lichaam als mijn broekzak.' Om de een of andere reden fluistert hij, alsof hij bang is voor de kracht van zijn woorden. 'Er zal nooit iemand zo van je houden als ik.'

'Dat weet ik,' zeg ik. 'Er zal nooit meer iemand zo van mij

houden als jij. Een ander soort liefde, dat is het beste waar ik op kan hopen.' Maar stel nou dat Scotts liefde ook de meest ware is? Menslievende agape versus dodelijke eros. Komt het door een zielsverband en ontwaakte vrouwelijkheid dat ik die liefde weggooi of door een maalstroom van hormonen, het restant van een jeugdtrauma en de paniek van de middelbare leeftijd? Of is het dat allemaal? Geloof je me als ik zeg dat ik het nog steeds niet zeker weet?

'Ik heb er eindeloos over nagedacht. Ik snap het gewoonweg niet. Ga je bij me weg omdat je een ander hebt?'

Door de alcohol zijn de communicatielijnen verzacht en zie ik de kans om mijn lafheid op te geven en hem over Alden te vertellen. Tot dan toe heb ik mezelf wijsgemaakt dat ik hem de waarheid niet vertel om hem niet nog meer pijn te doen, maar ik heb me ook voorgenomen dat ik, als hij me er rechtstreeks naar vraagt, niet zal liegen. Ik zet mezelf schrap. Eerst pak ik zijn hand en vraag: 'Wil je het echt weten?'

'Nee,' zegt hij meteen, met een zwaaiend gebaar alsof hij mijn woorden wegduwt, en hij schudt zijn hoofd. 'Ik wil het niet weten. Vertel het maar niet.'

Hij staat op en gaat naar de badkamer. Een week later ben ik vertrokken.

34

Het nieuwe jaar

Een maand later vier ik mijn eerste kerst zonder Scott. Ik ben in Pennsylvania, hij is in Sacramento met de groep vrienden die hij al zijn hele leven kent. Die kunnen mijn bloed op dit moment ongetwijfeld wel drinken, maar ik ben alleen maar blij dat hij hen heeft.

Als ik terugkom, haalt Alden me op van het vliegveld en rijden we langs de kust naar Tomales Bay, waar hij op het huis en de kat van zijn vriend Matt past. Matt heeft zich onlangs verloofd. Zijn drie verdiepingen tellende appartement staat vol met foto's van hem en zijn verloofde, in innige omhelzing met Matts zoontje. De open haard brandt, de keuken is goed voorzien en de lange veranda kijkt uit over het water. De plank in de grote badkamer staat vol met heel grote flessen met vitaminen voor zwangere vrouwen.

Het lange nieuwjaarsweekend brengen we vooral door tussen de zachte witte lakens van hun kingsize bed. Door de houten jaloezieën vallen dikke bundels winterlicht. 's Avonds gaan we naar de woonkamer om spelletjes te spelen en films te kijken, en naar de keuken om spareribs te bakken en wijn te drinken. De wereld voorbij het terras en het stukje baai dat je van daaraf ziet is tot stilstand gekomen, alsof de aarde gestopt is met draaien. In vijf dagen tijd ga ik maar één keer de deur uit, om wat boodschappen te doen en een zwangerschapstest te kopen. Ik ben wederom een week over tijd.

'Het bestaat niet ik zwanger ben,' zeg ik, terwijl ik op de wc ga zitten en Alden de verpakking openmaakt. 'Ik ben vijfenveertig, godbetert.' Al was bij het laatste onderzoek naar mijn hormoonpeil gebleken dat ik nog niet helemaal uit de vruchtbaarheidszone was.

'Het maakt niet uit, liefje,' zegt hij. We hebben niet officieel geprobeerd om zwanger te worden, maar we hebben ook niks gedaan om het te voorkomen.

'Maar ik durf toch niet te kijken,' zeg ik, en ik leg het staafje op de wastafel. 'Het duurt twee minuten. Kun jij straks even kijken en het mij dan komen vertellen?'

'Tuurlijk.'

Ik ga bloot op bed zitten en trek de sprei om me heen tegen de winterse frisheid. Alden komt met het staafje in de hand de badkamer uit, gaat zitten en legt zijn arm om me heen.

'Het is negatief,' zegt hij.

'Ja, dat had ik wel gedacht.'

'Ben je verdrietig?'

'Misschien een beetje.' Als ik goed bij mezelf te rade ga, merk ik echter dat de gelukzaligheid van de afgelopen tweeënzeventig uur zelfs het verdriet tot iets fijns maakt. Als ik het voor het zeggen had zou de aarde nooit meer gaan draaien. Dan zou ik hier in dit appartement blijven en hier doodgaan en dan zou het altijd zondagmiddag vijf uur blijven, begin januari.

'Je cyclus is waarschijnlijk gewoon aan het veranderen,' zegt hij, en hij gaat liggen en trekt mij met zich mee. 'Misschien ovuleer je wel precies op dit moment.'

'Ik denk het niet.' Ik duw hem speels van me af.

'Dat zullen we nog weleens zien,' zegt hij, en hij drukt me tegen de matras zodat ik niet weg kan.

Als we klaar zijn rolt hij van me af en steunt op zijn rechterelleboog.

'Doe je benen omhoog,' zegt hij. Ik krijg een brok in mijn keel.

Ik doe ze omhoog, niet helemaal tot over mijn hoofd, zoals ik vroeger altijd deed als Scott de kamer uit was, maar recht omhoog. Hij steekt zijn lange linkerarm uit en duwt tegen mijn enkel, zodat mijn heupen iets schuin naar achteren drukken.

'Hoe lang moet je ze zo houden om die zwemmertjes een kans te geven?' vraagt hij.

'Geen idee. Een minuut of tien, denk ik.'

Hoe vaak begint een verhaal er niet mee dat een vrouw zich in het ongewisse stort, op zoek naar avontuur, heelheid en genezing, en eindigt het ermee dat ze trouwt, een kind krijgt, of allebei? Ik geloof het nooit zo. Het kan best zijn dat ze dol is op haar man en haar kind, maar we weten dat die een hele reeks nieuwe uitdagingen met zich meebrengen – en als dat niet zo is, dan komen die na verloop van tijd wel. Het happy end moet het helemaal hebben van het snel vervagende beeld. Maar als je ernaar blijft kijken en een paar keer versneld doorspoelt, zie je een heel ander soort geluk – wijzer, minder afhankelijk van de omstandigheden, en zelfs terwijl de vrouw omringd is door dierbaren, zie je haar diep vanbinnen steeds eenzamer worden.

Ik ben een jaar geleden bij Scott weggegaan en ik woon met Alden in Potrero Hill, in een appartement waar bijna alleen maar spullen van hem staan. Behalve mijn kleren, boeken, een nachtkastje, een bureau en een lamp van gebrandschilderd glas, mijn eerste volwassen aanschaf uit de tijd dat ik nog in Sacramento woonde, heb ik bijna alles bij Scott laten staan. Eens in de zoveel maanden ga ik bij hem langs om Cleo op te halen of terug te brengen, en dan merk ik dat de adem me in de keel stokt. Soms ben ik nog niet binnen of ik stort me huilend in zijn armen. Hij barst dan ook in tranen uit. Dan loopt hij met me naar de keuken, langs de danspaal en schenkt een glas zelfgemaakte aardbeienwijn voor me in.

Ook al verschijnen er in het huis steeds meer wijn, kunst en apparatuur die hij gebruikt voor de cursussen die hij inmiddels geeft, en ook al heb ik bijna al onze gezamenlijke spullen achtergelaten, toch maken de ooit zo gezellige kamers een lege indruk. Zelfs als zijn nieuwe huisgenoot haar kookboeken en foto's neerzet ziet de goedgevulde keuken er verdrietig uit. Het huis komt in mijn ogen eigenlijk pas twee jaar later weer tot leven, als Scott een vriendin vindt die als hobby fietsen en biermaken heeft in plaats van tantra en therapie.

Tegen die tijd ben ik weg bij het tijdschrift en aan dit boek begonnen, en het verdriet is heel hard aangekomen. Ik had niet kunnen voorzien dat onze scheiding, ook al zijn we als vrienden uit elkaar gegaan, me heeft afgesneden van bijna alle aspecten van wie ik vroeger was, niet alleen van Scott, ons huis en onze wederzijdse vrienden, maar van ons hele gedeelde verleden, dat mijn verleden is. De lijst van alles wat ik omwille van het verdriet vermijd bevat talloze gewone dagelijkse dingen, honderden liedjes die ik vroeger mooi vond, minstens duizend foto's van de jonge vrouw die ik vroeger was. Op de een of andere manier is door de scheiding zelfs de band met mijn eigen familieleden zwakker geworden, ook al steunen ze me onvoorwaardelijk.

Ik lig tot twee uur, vier uur 's nachts wakker, en als het bijna zes uur is en ik heb nog steeds geen oog dichtgedaan, word ik overvallen door een koude zwarte angst. Alden is in een andere stad aan het werk of aan het schrijven. We hebben gemerkt dat we om onze relatie goed te houden regelmatig een periode niet bij elkaar moeten zijn. Ik sleep mezelf mijn bed uit, drink met tegenzin een eiwitshake, in plaats van echt iets te eten, doe een paar uur lang wat zwakke pogingen om de deur uit te gaan. Mijn lichaam voelt zwaar en trilt; alle zichtbare delen deinzen terug voor lucht, lawaai, beweging, en dus wordt de wandeling naar de koffiebar een zintuiglijke marathon. Om de dag door te komen moet ik een hele zwik gebeden zeggen, sms'jes naar Susan en mijn moeder sturen en een gloeiend heet bad nemen.

Maar het lukt me regelmatig om naar een park boven op Potrero Hill te gaan, met in westelijke richting uitzicht over de stad tot Twin Peaks, waar de Sutro Tower boven Castro uittorent. De mist die vanaf de Pacific de stad binnenstroomt onttrekt driekwart van de reusachtige rood met witte zendmast aan het zicht, zodat alleen de twee bovenste punten in de wolken zweven, als de mast van een schip dat op zee is verdwaald. Ik laat mijn blik afdwalen naar de terracotta klokkentoren van Mission Dolores en richt hem dan een paar straten noordelijker, waar ik de hoek van Sanchez en Market probeer te vinden. Ergens in die immer veranderende stad had ik voor het eerst een eigen thuis. Het heeft veertig jaar geduurd voor het zover was en ik had er nog geen twee jaar van kunnen genieten of ik begon het al af te breken. Dat is een onverdraaglijke rekensom.

Een jaar later wonen Alden en ik in Los Angeles, en naarmate het verdriet neerdaalt en een onlosmakelijk onderdeel van mij gaat uitmaken, begint er een duidelijk patroon te ontstaan in de manier waarop we op elkaar reageren. Dat ik soms, als Alden boos is, zwijgzaam en gesloten word, als een stille aardingsstaaf om tegenwicht te bieden aan zijn emotie. Dat ik mijn stem naar een langzamer, rustiger register schakel, wat in het begin onderdrukkend voelt, maar na een poosje juist vriendelijk. Dat ik door zijn uitgesprokenheid, die onze relatie intensiveert, soms ook mijn eigen behoeften even moet uitschakelen. Ik sla hoofdschuddend het karmische proces gade dat ervoor zorgt dat ik langzaam maar zeker mijn huwelijk beter leer begrijpen, maar dat ik het daarvoor wel eerst moest beëindigen.

Met de kalme wijsheid die ik nu achteraf heb, weet ik dat het naïef en oneerlijk was om van mijn huwelijk te verwachten dat het me zowel hartstocht, veiligheid als vriendschap zou bieden. Hoewel ik wist dat hartstocht en veiligheid niet vaak samengaan, kon ik het verlangen ernaar niet opgeven. In het grimmige stadium van de middelbare leeftijd met zijn laatste kansen moesten er beslissingen genomen worden. Door voor Alden te kiezen had ik gedacht dat ik het een voor het ander inwisselde, maar in plaats daarvan heb ik het allebei gekregen: hartstocht met hem en veiligheid uit een nieuwe, onvermoede bron: mijzelf. Zo heeft het verlangen zich een weg gebaand rond de lessen die ik niet door middel van zelfdiscipline heb kunnen leren.

Ik heb er geen spijt van dat ik het duister in ben gegaan; ik heb geen spijt van mijn wilde gedrag. Al heb ik er met schuldgevoel en verdriet nog zo'n hoge prijs voor moeten betalen – en ik wilde dat ik de enige was die die prijs heeft moeten betalen – toch ben ik er al helemaal in het begin, in die slaapkamer met uitzicht op Tomales Bay, in die eerste dagen van januari, mee gestopt om aan mijn besluit te twijfelen. Alden houdt mijn benen omhoog. Zoals je misschien al dacht: er is geen baby gekomen. In plaats daarvan is er het boek dat je nu in handen hebt. Ik lig stil naast hem, mijn voeten bungelen in het donker wordende blauwe licht, de kamer verschijnt weer scherp in beeld en plotseling herken ik hem: deze plek roept mij al jaren, daar waar verlangen wordt ingelost en alles wat nieuw is ontstaat. Een heiligdom halverwege deze wereld en de volgende, zo mooi dat ik er alles voor zou hebben gegeven om het even te mogen zien, al was het maar tien minuten.

Dankwoord

Mijn dank gaat allereerst uit naar Jay O'Rear, mijn verwante ziel, omdat hij me op talloze verschillende manieren naar het ontstaan van dit boek heeft geleid, en omdat hij me ondanks alle moeilijkheden die erbij kwamen kijken zo voluit is blijven steunen.

Ik bedank Scott Mansfield omdat hij me heeft aangemoedigd om dit verhaal te schrijven, ongeacht waar ik verder allemaal mee bezig was, en omdat hij een toonbeeld van vriendelijkheid is.

Ik bedank Chris Bull en Matthew Lore omdat ze altijd heel nadrukkelijk gezegd hebben 'hier moet je over schrijven', voordat ik dat zelf ook maar van plan was, en David Hochman omdat hij nog eerder dan ikzelf in het boek geloofde.

Ik bedank mijn agent, Ethan Bassoff, en mijn redacteur, Sarah Crichton; ik ben heel blij dat ik met jullie heb mogen werken.

Ik bedank Sarah Lynch, Leilani Labong, Margaret Jones en Maraya Cornell omdat ze geduldig eerste versies hebben gelezen en geweldige feedback hebben gegeven.

Ik bedank mijn lieve vriendinnen Susan Jarlim, Val Pfahning en Amy McCall voor hun niet-aflatende steun en omdat ze altijd als een zus voor me zijn. Dat geldt ook voor Stacey Cooper en Maria Torre.

Ik ben mijn familie oneindig dankbaar voor hun onvoor-

waardelijke liefde, en vooral mijn ouders omdat ze het aan-
kunnen dat ik een paar heel pijnlijke dingen uit ons verleden
heb verteld.

Ik bedank Mary Karr omdat ze genadeloos in het eerste
hoofdstuk heeft gehakt. Ik bedank in feite elke schrijfster en
elke feministe die ooit geleefd heeft. Ik bedank al mijn leraren,
vrienden en vroegere minnaars die in dit boek voorkomen om
wat we met elkaar hebben gedeeld en wat ieder van hen mij
heeft geleerd. Ik ben voor alles zeer dankbaar.

Robin Rinaldi werkte zeventien jaar voor kranten en tijdschriften. Ze is hoofdredacteur geweest van *7x7*, een lifestyleblad
voor San Francisco, en ze schreef een culinaire column voor
Philadelphia Weekly, die is onderscheiden met een prijs. Haar
artikelen zijn onder andere verschenen in *The New York Times*
en *O, The Oprah Magazine*. Ze woont in Los Angeles.